A cabeça de Steve Jobs

A cabeça de Steve Jobs

Leander Kahney

Tradução
Maria Helena Lyra
Carlos Irineu da Costa

2ª edição/7ª reimpressão

AGIR

Título original
Inside Steve's Brain

Capa e projeto gráfico
Tita Nigrí

Foto de capa
Justin Sullivan/Getty Images

Preparação de originais e revisão técnica
Carlos Irineu da Costa

Revisão
Taís Monteiro
Clara Diament

Produção editorial
Maíra Alves

CIP-Brasil. Catalogação na fonte. Sindicato Nacional dos Editores de Livros, RJ.

K18c Kahney, Leander, 1965-
A cabeça de Steve Jobs / Leander Kahney; [tradução Maria Helena Lyra, Carlos Irineu da Costa. – 2ª ed.]. – Rio de Janeiro: Agir, 2009.

Tradução de: Inside Steve's Brain
Inclui índice
ISBN 978-85-220-0977-0

1. Jobs, Steven, 1955-. 2. Apple Computer, Inc. – Administração. 3. Computadores – Indústria – Estados Unidos. 4. Homens de negócios – Estados Unidos – Biografia. I. Título.

CDD: 923.3
09-3911 CDU: 929:330

Texto estabelecido segundo o Acordo Ortográfico da Língua Portuguesa de 1990, em vigor no Brasil desde 2009.

AGIR, selo da Editora Nova Fronteira Participações S.A. - uma empresa do Grupo Ediouro Publicações
Rua Nova Jerusalém, 345 – CEP 21042-235 – Bonsucesso – Rio de Janeiro – RJ
Tel.: (21) 3882-8200 fax: (21) 3882-8212/8313

Para meus filhos, Nadine, Milo, Olin e Lyle;
minha esposa, Traci; minha mãe, Pauline;
e meus irmãos, Alex e Chris.
E para Hank, meu querido pai, que foi um
grande fã de Steve Jobs.

Sumário

"A Apple tem alguns ativos extraordinários, mas acredito que sem um pouco de atenção a companhia poderia... poderia... poderia — estou procurando a palavra certa — poderia... poderia... morrer."

— *Steve Jobs em seu retorno à Apple como CEO interino, na* Time, *18 de agosto de 1997*

Introdução

Steve Jobs passa quase tanto tempo pensando nas embalagens de papelão de seus *gadgets* quanto nos próprios produtos. Não é uma questão de gosto ou de elegância — embora isso também faça parte. Para Jobs, o ato de tirar um produto de sua caixa é uma parte importante da experiência do usuário e, como tudo que ele faz, é pensado com muito cuidado.

Jobs vê a embalagem como uma ajuda para apresentar uma tecnologia nova e desconhecida aos consumidores. Por exemplo, vamos pensar no Mac original, lançado em 1984. Naquela época, ninguém jamais havia visto algo semelhante. Era controlado por aquela coisa estranha que apontava — um mouse — e não por um teclado, como os PCs que existiam até então. Para familiarizar os novos usuários com o mouse, Jobs fez questão de que ele fosse embalado separadamente, em um compartimento próprio. O fato de forçar os usuários a desempacotar o mouse — a pegá-lo e conectá-lo — iria torná-lo um pouco menos estranho quando tivessem que usá-lo pela primeira vez. Até hoje, Jobs vem planejando cuidadosamente essa "rotina de desempacotamento" para cada um dos produtos da Apple. A embalagem do iMac foi projetada para tornar óbvio como conectar a máquina à internet, e recebeu uma inserção de poliestireno especialmente desenhada para servir também como apoio para o fino manual de instruções.

Assim como a embalagem, Jobs controla cada um dos demais aspectos da experiência do consumidor — dos anúncios na TV, que aumentam o apelo dos produtos da Apple, às bem-cuidadas lojas de varejo onde os clientes compram suas máquinas; do software fácil de usar do iPhone à loja virtual de música iTunes que o enchem de músicas e de vídeos.

Jobs é um fanático por controle. É também um perfeccionista, um elitista e um capataz para os seus empregados. Segundo a maioria dos relatos, ele fica quase no limite do que consideramos um "louco" de fato. É retratado como um caso perdido que demite pessoas dentro de elevadores, manipula os parceiros e recebe crédito por realizações alheias.[1] Biografias recentes pintam um retrato pouco lisonjeiro de um sociopata motivado pelos desejos mais baixos — controlar, insultar, dominar. Em sua maior parte, os livros sobre Jobs são leituras deprimentes. Possuem um tom desdenhoso e são pouco mais que catálogos de acessos de ira e insultos. Não é de admirar que ele os chame de "detonação". Onde está o gênio?

É claro que ele está fazendo alguma coisa direito. Jobs tirou a Apple de uma falência iminente e, em dez anos, tornou a companhia maior e mais saudável do que jamais fora. Triplicou as vendas anuais, duplicou a participação de mercado dos Macs e as ações da Apple subiram 1.300%. A Apple tem lucrado mais e vende mais computadores do que nunca, graças a uma série de produtos de sucesso — e, especificamente, a um sucesso gigantesco.

Lançado em outubro de 2001, o iPod transformou a Apple. E, assim como a Apple foi transformada de uma concorrente secundária em uma potência global, o iPod foi transformado de um luxo caro para *geeks* em uma diversificada e importante categoria de produtos. Jobs rapidamente transformou o iPod de um dispendioso player de música exclusivo para Macs, rejeitado por muitos, em uma indústria global de muitos bilhões de dólares que sustenta centenas de companhias fabricantes de acessórios e parceiros de negócios.

Rápida e implacavelmente, Jobs atualizou o iPod com modelos cada vez mais novos e melhores, acrescentando uma loja on-line, compatibilidade com o Windows e, depois, uma tela sensível ao toque. Resultado: mais de 100 milhões de unidades vendidas até abril de 2007, correspondendo a pouco menos da metade da crescente receita da Apple. O iPhone, um iPod que faz ligações telefônicas e navega na internet, parece destinado a tornar-se outro sucesso estrondoso. Lançado em junho de 2006, o iPhone já está transformando radicalmente o monstruoso negócio dos telefones celulares, que os especialistas já dividiram em duas eras: pré-iPhone e pós-iPhone.

Vamos observar alguns números. No momento em que escrevo este texto (março de 2009), a Apple já vendeu a espantosa quantia de 163 milhões de iPods e provavelmente terá vendido mais de 300 milhões de unidades até o final de

2009. Alguns analistas acham que é possível que sejam vendidos 500 milhões de iPods antes que o mercado esteja saturado. Isso transformaria o iPod num candidato ao recorde como eletrônico de consumo de massas de todos os tempos. O atual recordista, o Walkman da Sony, vendeu 350 milhões de unidades durante seu reinado de 15 anos, entre os anos 1980 e o início dos 1990.

A Apple tem um monopólio semelhante ao da Microsoft no mercado dos MP3 players. Nos Estados Unidos, o iPod tem uma fatia de aproximadamente 90% do mercado: nove em cada dez players de música que usam um disco rígido vendidos são um iPod.[2] Três quartos de todos os modelos de carros lançados em 2007 tinham conectividade para o iPod. Não estamos falando de conectividade para players de MP3, mas especificamente para o iPod. A Apple já distribuiu 600 milhões de cópias do iTunes, seu software de gerenciamento de músicas, e a loja on-line iTunes já vendeu três bilhões de músicas. "Estamos bastante surpresos com isso", disse Jobs em um evento para a imprensa em agosto de 2007, quando citou esses números. A loja de música iTunes vende cinco milhões de músicas por dia — 80% de toda a música digital vendida on-line. Ao longo de 2009, a Apple terá vendido mais de 6 bilhões de músicas, tornando-se a maior varejista de música nos Estados Unidos, à frente de gigantes do varejo como o Wal-Mart e a Best Buy. No momento em que você estiver lendo isto, esses números provavelmente já terão aumentado novamente. O iPod tornou-se um fenômeno arrasador e impossível de ser detido, com o qual nem mesmo a Microsoft pode competir.

E não podemos nos esquecer da Pixar. Em 1995, o pequeno estúdio particular de cinema de Jobs fez o primeiro filme totalmente animado por computador, *Toy Story*. Foi o primeiro de uma série de megassucessos que foram lançados, um a cada ano, todos os anos, regular e constantemente como um relógio. A Disney comprou a Pixar em 2006 pela impressionante quantia de 7,4 bilhões de dólares. Essa compra fez de Jobs o maior acionista individual da Disney e o nerd mais importante de Hollywood. "Ele é o Henry J. Kaiser ou o Walt Disney desta era",[3] disse Kevin Starr, historiador da cultura e bibliotecário do estado da Califórnia.

A carreira de Jobs é realmente notável. Vem tendo um imenso impacto nos computadores, na cultura e, naturalmente, na Apple. Ele tornou-se bilionário por conta própria, e hoje é um dos homens mais ricos do mundo. "Dentro dessa classe de computadores que chamamos de 'pessoais', ele talvez tenha sido — e continue a ser — o mais influente inovador", diz Gordon Bell, o lendário cientista da computação e proeminente historiador da computação.[4]

Mas Jobs deveria ter desaparecido há alguns anos — em 1985, para ser preciso —, quando foi forçado a sair da Apple após uma malsucedida luta pelo controle da companhia.

Nascido em São Francisco em fevereiro de 1955, filho de pais universitários e não casados, Steve foi oferecido à adoção com uma semana de vida. Foi adotado por Paul e Clara Jobs, um casal de operários que pouco depois se mudou para Mountain View, na Califórnia, uma cidade rural cheia de pomares que não continuou rural por muito tempo — o Vale do Silício cresceu à sua volta.

Na escola, Steven Paul Jobs, que recebeu o mesmo nome de seu pai adotivo, um mecânico, esteve a ponto de se tornar um delinquente. Ele diz que seu professor do quarto ano salvou seu percurso como estudante, subornando-o com dinheiro e doces. "Certamente eu teria acabado na cadeia", disse Jobs. Um vizinho da mesma rua apresentou-o às maravilhas da eletrônica, dando-lhe Heathkits (kits eletrônicos vendidos como hobby) que o fizeram compreender o funcionamento interno dos produtos. Até aparelhos mais complexos, como TVs, deixaram de ser enigmáticos. "Aquelas coisas não eram mais misteriosas", disse ele. "Ficou muito mais óbvio que eram os resultados da criação humana, e não algum tipo de magia."[5]

Os pais biológicos de Jobs fizeram com que frequentar uma universidade fosse uma condição para sua adoção, mas ele abandonou o Reed College, no Oregon, depois do primeiro semestre, embora continuasse a assistir, extraoficialmente, a aulas das matérias que lhe interessavam, como caligrafia. Sem um tostão, reciclava garrafas de Coca-Cola, dormia no chão em casas de amigos e comia de graça no templo Hare Krishna local. Fez experiências com uma dieta apenas de maçãs, pensando que isso lhe permitiria dispensar o banho. Não funcionou.

Jobs retornou à Califórnia e por um curto período trabalhou na Atari, uma das primeiras companhias de videogames, a fim de economizar dinheiro para uma viagem à Índia. Em pouco tempo desistiu e partiu, junto com um amigo de infância, em busca da iluminação.

Quando voltou, começou a andar com outro amigo, Steve Wozniak, um gênio da eletrônica que construíra seu próprio computador para se divertir, mas não tinha grande interesse em vendê-lo. Jobs tinha ideias diferentes. Juntos, fundaram a Apple Computer Inc. no quarto de Jobs e logo estavam montando computadores manualmente na garagem dos pais dele com a ajuda de alguns amigos adolescentes. Para financiar seus negócios, Jobs vendeu sua Kombi. Wozniak vendeu sua calculadora. Jobs tinha 21 anos; Wozniak, 26.

Na esteira do início da revolução dos PCs, a Apple deslanchou como um foguete. Lançou ações no mercado em 1980 com a maior oferta pública desde a Ford Motor Company, em 1956, tornando multimilionários instantâneos os funcionários que tinham opções de ações. Em 1983, a Apple entrou na lista da *Fortune 500* na posição 411, a mais rápida ascensão de qualquer empresa na história dos negócios. "Eu valia pouco mais que um milhão de dólares quando tinha 23 anos e mais de 100 milhões de dólares quando tinha 25, e nada disso era muito importante, porque nunca fiz as coisas pelo dinheiro", disse Jobs.

Wozniak era o gênio do hardware, o engenheiro que pensava em termos de chips, mas Jobs compreendia o pacote como um todo. Graças às ideias de Jobs sobre design e publicidade, o Apple II tornou-se o primeiro computador de sucesso do mercado de massa para o consumidor comum — e transformou a Apple na Microsoft do início dos anos 1980. Entediado, Jobs passou para o Mac, a primeira implementação comercial da revolucionária interface gráfica para usuários (GUI, de *graphical user interface*), desenvolvida em laboratórios de pesquisa de computadores. Jobs não inventou a interface gráfica que é hoje usada em quase todos os computadores, inclusive em milhões de máquinas que rodam o Windows de Bill Gates, mas foi ele quem a levou para as massas. Esse tem sido o objetivo declarado de Jobs desde o início: criar tecnologia fácil de usar para o público mais amplo possível.

Em 1985, Jobs foi efetivamente chutado da Apple por ser improdutivo e incontrolável. Após perder uma luta de poder com o então CEO John Sculley, Jobs saiu antes que fosse demitido. Com sonhos de vingança, fundou a NeXT com o propósito de vender computadores avançados para universidades e tirar a Apple do mercado. Também comprou, por 10 milhões de dólares, uma companhia de computação gráfica em sérias dificuldades. Até então propriedade do diretor de *Star Wars*, George Lucas, a empresa foi vendida porque seu dono precisava do dinheiro para se divorciar. Renomeada Pixar, Jobs ergueu a vacilante empresa ao longo de uma década com 60 milhões de dólares de seu próprio bolso, para vê-la, finalmente, produzir uma série de grandes sucessos comerciais e transformar-se no principal estúdio de animação de Hollywood.

A NeXT, por outro lado, jamais decolou. Em oito anos, vendeu apenas 50 mil computadores e teve que sair do ramo de hardware, concentrando-se na venda de software para clientes em nichos de mercado, como a CIA. Foi aí que Jobs poderia ter desaparecido da vida pública. Com a queda da NeXT, ele poderia ter escrito suas memórias ou se transformado em um capitalista de risco, como tantos antes dele. Olhando em retrospecto, contudo, a NeXT foi um espantoso sucesso. Seu software serviu de impulso para o retorno de Jobs à Apple e tornou-se o alicerce de várias tecnologias cruciais dessa companhia, especialmente o altamente conceituado e influente sistema operacional Mac OS X.

O retorno de Jobs à Apple em 1996 — a primeira vez que ele pôs os pés no campus de Cupertino em 11 anos — acabou sendo a maior reviravolta na história dos negócios. "A Apple está envolvida no que provavelmente é o mais notável segundo ato já visto no setor de tecnologia", disse Eric Schmidt, presidente da Google, à revista *Time*. "Seu ressurgimento é simplesmente fenomenal e muito impressionante."[6]

Jobs fez uma jogada inteligente após outra. O iPod é um estrondo, e o iPhone parece ser outro. Até o Mac, que já fora tachado de brinquedo caro para um mercado de nicho, está realizando um retorno triunfal. O Mac, como a própria Apple, é agora parte do mercado principal. Em dez anos, Jobs talvez não tenha dado um só passo em falso, com exceção de um, bem grande: não deu atenção ao Napster e à revolução da música digital em 2000. Quando os consumidores queriam gravadores de CD, a Apple estava fazendo iMacs com drives de DVD e anunciando-os como máquinas de editar vídeo. "Eu me senti um imbecil", disse ele à revista *Fortune*.[7]

É claro que nem tudo isso foi resultado apenas de um planejamento inteligente. Jobs também teve sorte. No início de uma manhã em 2004, um exame revelou um tumor canceroso em seu pâncreas. Era uma sentença: câncer no pâncreas significa morte certa e rápida. "Meu médico me aconselhou a ir para casa e pôr minhas coisas em ordem, que é o código dos médicos quando querem dizer 'prepare-se para morrer'", disse Jobs. "Significa 'tente dizer a seus filhos, em poucos meses, tudo que você achou que poderia dizer nos próximos dez anos'. Significa assegurar-se de que tudo esteja preparado para ser o mais fácil possível para a sua família. Significa fazer as suas despedidas." Na noite daquele mesmo dia, entretanto, uma biópsia revelou que o tumor era uma forma extremamente rara de câncer que é tratável com cirurgia. Jobs realizou a operação.[8]

Ao longo de 2008, Jobs passou por um período de rápida perda de peso, aparecendo em apresentações de produtos muito magro, com aparência esquelética. Apesar de a Apple negar que havia algo errado (Jobs estava sofrendo de uma "virose comum", foi o que a empresa disse inicialmente), estava bastante claro que a saúde de Jobs não ia bem. Em dezembro de 2008, pouco antes da Macworld, ele tirou inesperadamente uma licença de trabalho de seis meses da Apple. Declarou que estava sofrendo de um desequilíbrio em sua dieta alimentar, algo que poderia ser tratado por uma mudança nessa dieta e que ele precisava de algum tempo longe do trabalho para se concentrar em sua recuperação. O COO Tim Cook ficou em seu lugar como CEO temporário.

Agora, aos 50 e poucos anos, Jobs vive calmamente, com privacidade, com sua esposa e quatro filhos em uma casa grande e sem ostentação em Palo Alto. Budista e *pescadariano* (um vegetariano que come peixe), ele muitas vezes vai a pé e descalço até a loja de produtos integrais mais próxima para comprar frutas ou tomar um iogurte. Trabalha muito, tirando férias no Havaí de vez em quando. Ganha 1 dólar como salário na Apple, mas está ficando rico (cada vez mais) com as opções de ações — as mesmas opções que quase lhe renderam problemas com a SEC* — e voa em um jato particular Gulfstream V que a diretoria da Apple lhe concedeu.

A Apple está, hoje, em seu auge. A empresa funciona a toda, mas seu modelo de negócios está trinta anos atrasado. A companhia é uma anomalia em uma indústria que há muito tempo se padronizou em torno da Microsoft. A Apple deveria ter ido para a grande feira de trocas no céu, como a Osborne, a Amiga e uma centena de outras antigas empresas de computadores que ficaram presas a uma tecnologia proprietária. Mas, pela primeira vez em algumas décadas, a Apple está em posição de tornar-se uma grande e poderosa presença comercial — abrindo novos mercados que são potencialmente muito maiores do que a indústria de computadores de que foi pioneira nos anos 1970. Há uma nova fronteira na tecnologia: a comunicação e o entretenimento digitais.

Os escritórios e empresas foram profundamente alterados pelos computadores, e esse é o domínio da Microsoft. Não há como a Apple tomar seu lugar. Mas o mercado de usuários domésticos é outra história. O entretenimento e a comunicação estão se tornando digitais. As pessoas estão se comunicando por telefones celulares, mensagens instantâneas e e-mails, enquanto a música e o cinema são cada vez mais distribuídos pela rede. A Apple está em uma boa posição para ser a grande vencedora. Todos os traços que a tornaram inadequada para o mundo empresarial são perfeitos para o mundo da eletrônica de consumo. A obsessão com o desenho industrial, o domínio da publicidade e a insistência em arquitetar com perfeição as experiências do usuário são cruciais para vender alta tecnologia às massas.

A Apple tornou-se o veículo perfeito para realizar os antigos sonhos de Jobs: desenvolver tecnologia fácil de usar para os indivíduos. Ele fez — e refez — a Apple à sua própria imagem. "A Apple é Steve Jobs com dez mil vidas", disse-me Guy Kawasaki, ex-*chief evangelist* (o responsável por difundir e criar um culto

---

* Equivalente à Comissão de Valores Mobiliários brasileira. (N. da T.)

em torno da tecnologia e dos produtos) da Apple.[9] Poucas corporações espelham tão perfeitamente a imagem de seus fundadores. "A Apple sempre refletiu o melhor e o pior da personalidade de Steve", disse Gil Amelio, o CEO que Jobs substituiu. "[Os ex-CEOs] John Sculley, Michael Spindler e eu fizemos as coisas andarem, mas não alteramos significativamente a identidade da companhia. Embora muitas coisas me deixem irritado na minha relação com Steve Jobs, reconheço que grande parte da Apple que eu amei está em sintonia com a personalidade dele."[10]

Jobs dirige a Apple com uma mistura peculiar de arte intransigente e soberbo talento para negócios. Ele é mais um artista do que um homem de negócios, mas tem a brilhante capacidade de capitalizar sobre suas criações. É, de certa forma, como Edwin Land, o cientista e industrial que inventou a câmera instantânea Polaroid. Land é um dos heróis de Jobs. Land tomava decisões de negócios baseado no que era certo como cientista e como partidário dos direitos civis e das mulheres, e não como um rígido homem de negócios. Jobs também tem em si um pouquinho de Henry Ford, um outro herói. Ford democratizou a tecnologia com suas técnicas de produção que levaram os automóveis às massas. Há um toque de um Médici moderno, um patrono das artes cujo patrocínio de Jonathan Ive abriu caminho para um Renascimento no desenho industrial.

Jobs pegou seus interesses e os traços de sua personalidade — obsessão, narcisismo, perfeccionismo — e transformou-os nas marcas registradas de sua carreira.

É um elitista que considera quase todas as outras pessoas idiotas. Mas faz *gadgets* tão fáceis de usar que mesmo um idiota consegue dominá-los.

É um obsessivo temperamental com uma índole horrorosa que construiu uma série de parcerias produtivas com gênios criativos: Steve Wozniak, Jonathan Ive e o diretor da Pixar, John Lasseter.

É um elitista cultural que faz filmes de animação para crianças; um esteta e antimaterialista que gera produtos para o mercado de massa em fábricas na Ásia. Promove-os com uma inigualável mestria do mais grosseiro dos meios: a propaganda.

É um autocrata que refez uma grande corporação disfuncional, transformando-a em um navio enxuto e disciplinado cujo desempenho obedece a seus exigentes cronogramas de produção.

Jobs usou seus dons e talentos naturais para recriar a Apple. Fundiu alta tecnologia com design, marcas e moda. A Apple está mais longe de um fabricante de computadores meio nerd e mais próxima de uma multinacional impulsionada pelo valor de sua marca, como a Nike ou a Sony: uma mistura única de tecnologia, design e marketing.

Seu desejo de construir a experiência completa do consumidor assegura que a Apple mantenha controle completo sobre o hardware, o software, os serviços on-line e tudo o mais. Mas gera produtos que funcionam perfeitamente bem juntos e raramente apresentam defeitos (até a Microsoft, o epítome da abordagem oposta — o modelo de licenciamento aberto —, está adotando o mesmo *modus operandi* quando vende aos consumidores consoles de jogos Xbox e players de música Zune).

O charme e o carisma de Jobs produzem as melhores apresentações de produtos na indústria, uma mistura exclusiva de teatro e infomercial. Sua personalidade magnética também tem permitido que negocie contratos fantásticos com a Disney, as gravadoras e a AT&T — todos pesos-pesados na hora de fazer negócios. A Disney deu-lhe total liberdade de criação e uma imensa fatia dos lucros na Pixar. As gravadoras ajudaram a transformar a loja de música iTunes de uma experiência em uma ameaça. E a AT&T fechou um contrato de exclusividade para o iPhone antes de sequer pôr os olhos num protótipo.

Onde alguns veem mania de controle, outros veem um desejo de construir uma perfeita experiência do consumidor do início ao fim. Em vez de perfeccionismo, uma busca pela excelência. E, em vez de insultos aos gritos, a paixão por deixar uma marca no universo.

Aqui está alguém que transformou os traços de sua personalidade em uma filosofia de negócios.

Aqui está como ele faz isso.

Capítulo 1
Foco

Como dizer "não" salvou a Apple

"Estou procurando um lugar que precise de muitas reformas e consertos, mas que tenha fundações sólidas. Estou disposto a demolir paredes, construir pontes e acender fogueiras. Tenho uma grande experiência, um monte de energia, um pouco dessa coisa de 'visão' e não tenho medo de começar do zero."

— *Currículo de Steve Jobs no site .Mac da Apple*

Numa ensolarada manhã de julho de 1997, Steve Jobs voltou a trabalhar na empresa que havia cofundado vinte anos antes em seu próprio quarto.

A Apple estava em uma espiral mortífera. A companhia estava a seis meses da falência. Em poucos anos, a Apple havia deixado de ser uma das maiores empresas de computadores do mundo para se tornar um fracasso. Estava perdendo dinheiro e também sua participação de mercado. Ninguém comprava seus computadores, as ações haviam perdido quase todo o seu valor e a imprensa prenunciava sua morte iminente.

Os executivos de primeiro escalão foram convocados para uma reunião de manhã cedo na sede da empresa. O então CEO, Gilbert Amelio, que estava no comando havia um ano e meio, entrou abatido na sala. Havia conseguido equilibrar a companhia, mas não conseguira trazer de volta sua alma criativa. "Está na hora de ir embora", disse, e retirou-se em silêncio. Antes que alguém esboçasse qualquer reação, Steve Jobs entrou na sala, parecendo um mendigo. Estava de bermuda e tênis e não fazia a barba havia dias. Jogou-se em uma cadeira e começou a girar lentamente. "Me digam o que há de errado neste lugar", disse ele. Antes que qualquer um pudesse responder, explodiu: "São os produtos. Os produtos são uma BOSTA! Já não tem mais sexo neles."[1]

A queda da Apple

A queda da Apple foi rápida e dramática. Em 1994, a empresa detinha quase 10% do multibilionário mercado mundial de computadores pessoais. Era a segunda fabricante em todo o mundo, depois da gigante IBM.[2] Em 1995, a Apple produziu o maior número de computadores que já vendeu até hoje — 4,7 milhões de Macs no mundo inteiro —, porém queria ainda mais. Queria ser como a Microsoft. Licenciou o sistema operacional do Macintosh para vários outros fabricantes, entre os quais a Power Computing, a Motorola, a Umax e outros. O raciocínio dos executivos da Apple era de que essas máquinas "clonadas" fariam crescer a participação de mercado dos Macs. Só que isso não funcionou. O mercado de Macs permaneceu relativamente inalterado, e os fabricantes de clones tiraram vendas da Apple.

Enquanto isso, o novo sistema operacional da Microsoft, o Windows 95, estava em rápida ascensão. Os críticos disseram que o Windows 95 era a cópia mais vergonhosa já feita pela Microsoft do sistema operacional do Mac. Os consumidores da Microsoft, contudo, não ligaram. O novo sistema fazia do PC uma cópia razoavelmente boa do Mac, e as máquinas que rodavam Windows 95, baratas e funcionais, vendiam muito bem, ao contrário dos computadores excessivamente caros e incompatíveis da Apple.

Nos primeiros três meses de 1996, a Apple relatou um prejuízo de 69 milhões de dólares e demitiu 1.300 funcionários. Em fevereiro, a diretoria demitiu o CEO Michael Spindler e indicou em seu lugar Gil Amelio, um veterano da indústria de chips com a reputação de ser um mágico das viradas. Mas, nos 18 meses que Amelio ocupou o cargo, mostrou-se ineficiente e impopular. A Apple perdeu 1,6 bilhão de dólares, sua participação de mercado despencou de 10% para 3%, e as ações caíram drasticamente. Apesar de ter demitido milhares de funcionários, Amelio estava ganhando cerca de 7 milhões de dólares entre seu salário e benefícios adicionais, além de ser o detentor de 26 milhões de dólares em ações, segundo o *New York Times*. Redecorou luxuosamente os escritórios dos executivos da Apple e, como logo veio à tona, negociou um "para-quedas de ouro" de quase 7 milhões de dólares. O *New York Times* chamou a Apple de Amelio de "cleptocracia".[3]

Mas Amelio acertou em vários pontos. Cancelou uma série de projetos e produtos que estavam gerando prejuízos e enxugou a empresa para fazer frente às perdas. Mais importante de tudo, ele trouxe Jobs de volta para a Apple. Amelio comprou a NeXT, empresa que pertencia a Jobs, esperando que seu moderno e robusto sistema operacional pudesse substituir o do Macintosh, que estava ficando velho e decrépito.

A aquisição da NeXT ocorreu por acaso. Amelio estava interessado em comprar o BeOS, um novo e promissor sistema operacional desenvolvido por um ex-executivo da Apple, Jean Louis Gassée. Mas, enquanto estavam negociando, Garret L. Rice, um vendedor da NeXT, telefonou casualmente para a Apple e sugeriu que eles dessem uma olhada. Os engenheiros da Apple não haviam sequer considerado a NeXT.

Com sua curiosidade despertada, Amelio pediu a Jobs que apresentasse o sistema operacional NeXT.

Em dezembro de 1996, Jobs fez uma demonstração impressionante do NeXT para Amelio. Diferentemente do BeOS, o NeXT estava pronto. Jobs tinha clientes, desenvolvedores e parceiros de hardware. O NeXT tinha, também, uma série completa de ferramentas de programação avançadas e muito bem conceituadas, o que tornava fácil para outras empresas desenvolverem software para aquele computador e sistema operacional. "O pessoal dele havia passado muito tempo pensando em questões cruciais como redes locais e o mundo da internet — estavam bem à frente de todos os concorrentes da época. Era melhor do que qualquer coisa que a Apple já criara, melhor que o Windows NT e possivelmente melhor do que o sistema da Sun", escreveu Amelio.[4]

Durante as negociações, Jobs comportou-se muito tranquilamente. Não foi exagerado. Foi uma "abordagem confortadoramente sincera, especialmente se tratando de Steve Jobs", disse Amelio.[5] "Foi um alívio para mim que ele não tenha vindo como um trem-bala. Houve pausas ao longo da apresentação para pensar, fazer perguntas e discutir."

Os dois finalizaram o negócio tomando uma xícara de chá na cozinha de Jobs em sua casa em Palo Alto. A primeira questão foi o preço, calculado com base no valor das ações. A segunda questão referia-se às opções de compra de ações em mãos dos funcionários da NeXT. Amelio ficou impressionado com o fato de que Jobs estivesse realmente preocupado com o seu pessoal. As opções de compra de ações têm sido tradicionalmente uma das formas mais importantes de compensação no Vale do Silício, e

Jobs já as usara muitas vezes para recrutar e reter funcionários importantes. Porém, em novembro de 2006, a SEC fiscalizou mais de 130 empresas, entre as quais a Apple, e Jobs foi acusado de pré-datar indevidamente as opções para inflar seu valor. Ele negou ter violado a lei conscientemente, e a SEC abandonou as investigações em 2008.

Jobs sugeriu que fossem caminhar um pouco, o que surpreendeu Amelio, mas é uma tática-padrão de Jobs, que gosta de caminhar e conversar.

"Fui fisgado pela energia e pelo entusiasmo de Steve", disse Amelio. "Lembro bem como ele fica animado quando fica de pé, como todas as suas capacidades mentais se materializam quando ele está andando, como ele fica mais expressivo. Voltamos à casa com o negócio fechado."[6]

Duas semanas depois, em 20 de dezembro de 1996, Amelio anunciou que a Apple estava comprando a NeXT por 427 milhões de dólares. Jobs voltou à Apple como "conselheiro especial" de Amelio, para ajudar na transição. Foi a primeira vez que Jobs esteve no campus da Apple em quase 11 anos. Jobs deixara a Apple em 1985, após sua derrota em uma luta pelo poder com John Sculley. Jobs saíra antes que fosse demitido e havia construído a NeXT como rival direto da Apple, esperando tirá-la do mercado. Agora achava que poderia ser tarde demais para salvar a Apple.

Entra o iCEO

A princípio Jobs relutou em assumir um cargo formal na Apple. Já era CEO de outra empresa — a Pixar, que começava a decolar com o enorme sucesso de seu primeiro filme, *Toy Story*. Com seu triunfo em Hollywood, ele relutava em voltar para o setor de tecnologia com a Apple. Jobs estava ficando cansado de fabricar produtos que ficavam obsoletos muito rapidamente. Queria fazer coisas que durassem mais. Um bom filme, por exemplo. Uma história bem contada dura décadas. Em 1997, Jobs disse à *Time*:

"Acho que daqui a vinte anos você não vai conseguir ligar nenhum dos computadores atuais. [Mas] *Branca de Neve* já vendeu 28 milhões de cópias e é uma produção com 60 anos de idade. As pessoas já não leem mais Heródoto ou Homero para seus filhos, mas todo mundo vê filmes, são nossos mitos atuais. A Disney coloca esses mitos dentro da nossa cultura e espero que a Pixar faça o mesmo."[7]

Mais importante, talvez, é que Jobs tinha dúvidas quanto à capacidade da Apple de retomar seu lugar. Estava tão cético, na verdade, que em junho de 1997 já vendera, a preço de banana, o milhão e meio de ações que recebera pela aquisição da NeXT — todas, exceto uma única ação simbólica. Não achava que o valor futuro da Apple fosse além de uma única ação.

Porém, no início de julho de 1997, a diretoria da Apple pediu a Amelio que renunciasse, após uma série de terríveis resultados financeiros trimestrais, entre eles o que resultou na perda de 750 milhões de dólares, o maior prejuízo já sofrido por uma empresa do Vale do Silício.[8]

Em geral as pessoas acham que Jobs chutou Amelio depois de apunhalá-lo pelas costas em um golpe cuidadosamente arquitetado dentro da diretoria. Não há evidência alguma, porém, de que Jobs tenha planejado assumir a companhia. Na realidade, o contrário é que parece ser verdadeiro. Várias pessoas entrevistadas para este livro disseram que Jobs a princípio não tinha nenhum interesse em voltar para a Apple — estava ocupado demais com a Pixar e tinha pouca confiança em que a Apple pudesse ser resgatada.

Amelio acusa Jobs várias vezes de ter arquitetado sua demissão de modo a assumir a companhia, mas não apresenta nenhuma prova direta. É mais cômodo, para Amelio, pôr a culpa de sua demissão em manobras de Jobs do que aceitar a explicação mais direta de que a diretoria da Apple havia perdido a confiança nele.

Mesmo em sua autobiografia, Amelio deixa claro que Jobs não tinha interesse em tomar o controle da Apple, se se ignorar algumas afirmações de Amelio em contrário. "Ele jamais quis que nosso acordo o obrigasse a dar à

Apple algo mais do que uma parte da sua atenção",[9] escreveu Amelio. Anteriormente, em seu livro, ele havia observado que Jobs queria ser pago em dinheiro pela aquisição da NeXT e não queria ações da Apple. Mas Amelio insistiu em pagar uma grande parcela em ações porque não queria que Jobs se afastasse da empresa. Queria que ele estivesse comprometido com a Apple, que tivesse "um pouco de si mesmo em jogo", como diz.[10]

Depois de demitir Amelio, a diretoria da Apple não tinha mais a quem recorrer. Jobs já vinha aconselhando a empresa em seu papel de consultor especial de Amelio (nada de especialmente maquiavélico nisso). A diretoria pediu a Jobs que assumisse. Ele concordou — temporariamente. Seis meses depois, Jobs adotou o título de CEO interino, ou iCEO, como diziam, brincando, dentro da Apple. Em agosto, a diretoria da Apple oficializou Jobs como CEO interino, embora continuasse a buscar um substituto permanente. Comentaristas perspicazes observaram que, em vez de a Apple adquirir Jobs quando comprou a NeXT, foi Jobs que adquiriu a Apple, mas preparou tudo de forma inteligente para que a companhia lhe pagasse por isso.

Quando Jobs assumiu, a Apple estava vendendo cerca de quarenta produtos diferentes — tudo, desde impressoras jato de tinta ao handheld Newton. Poucos desses produtos eram líderes de mercado. A lista de computadores era particularmente confusa. Havia várias linhas importantes — Quadras, Power Macs, Performas e PowerBooks —, cada qual com uma dúzia de modelos diferentes. Mas era quase impossível distinguir um modelo do outro, a não ser pelos nomes confusos de cada produto — Performa 5200CD, Performa 5210CD, Performa 5215CD e Performa 5220CD.

"O que eu encontrei quando cheguei lá foi um zilhão e meio de produtos", diria Jobs mais tarde. "Era espantoso. E comecei a perguntar às pessoas: por que recomendaria um 3400 e não um 4400? Quando é que alguém deveria fazer um upgrade para um 6500 e não um 7300? Três semanas depois, continuava sem conseguir entender. Se eu não conseguia entender aquilo... como é que nossos clientes conseguiriam?"[11]

Um engenheiro que entrevistei, que trabalhou na Apple em meados dos anos 1990, lembra-se de ter visto um pôster com um fluxograma pregado em uma parede no escritório central da Apple. O pôster intitulava-se Como Escolher Seu Mac e, teoricamente, servia para guiar os clientes pela selva de opções. Contudo, ele simplesmente ilustrava quão confusa era a estratégia de produtos da Apple. "Você sabe que algo está errado quando precisa de um pôster para escolher o seu Mac", disse o engenheiro.

A estrutura organizacional da Apple estava numa desordem similar. A Apple havia crescido até se tornar uma grande e inchada empresa das 500 da *Fortune* com milhares de engenheiros e um número ainda maior de gerentes. "A Apple, antes de Jobs, era brilhante, enérgica, caótica e não funcional", recordou Don Norman, que dirigia o Grupo de Tecnologia Avançada da Apple quando Jobs assumiu. Conhecido como ATG, esse grupo constituía a legendária divisão de P&D (pesquisa e desenvolvimento) da Apple e fora pioneiro em várias tecnologias importantes.

"Quando entrei para a Apple, em 1993, ela era maravilhosa", disse-me ele em uma entrevista por telefone. "Você podia fazer coisas criativas, inovadoras. Só que era caótica. Não se pode fazer isso em uma organização. É preciso que haja algumas pessoas criativas e que o resto faça o serviço."[12] Segundo Norman, os engenheiros da Apple eram recompensados por serem imaginativos e inventivos, e não pelo difícil trabalho de meter a mão na massa e fazer as coisas funcionarem. Passavam o dia inteiro inventando, mas raramente faziam o que lhes era ordenado. Como executivo, isso enlouquecia Norman. As ordens eram transmitidas, só que, inacreditavelmente, seis meses depois nada havia acontecido. "Era ridículo", disse Norman.

John Warnock, da Adobe, um dos maiores parceiros de software da Apple, disse que isso mudou rapidamente quando Jobs voltou. "Ele tem uma enorme força de vontade — você pode vestir a camisa ou então sair do caminho", disse Warnock. "É assim que a Apple deve ser administrada — de forma direta e incisiva. Não pode ser descontraído. Quando Steve ataca um problema, ele o faz furiosamente. Acho que ele amoleceu um pouco durante os anos na NeXT, mas agora está a pleno vapor."[13]

O levantamento de Steve

Dias depois de retornar à Apple como iCEO, Jobs começou a trabalhar. Tendo assumido o compromisso, tinha pressa em resolver os problemas da companhia. Embarcou imediatamente em um levantamento minucioso de cada um dos produtos que a Apple fabricava. Examinou a empresa peça por peça, descobrindo quais eram seus ativos. "Ele precisou fazer um levantamento de absolutamente tudo que estava acontecendo", disse Jim Oliver, que foi assistente de Jobs durante vários meses depois que ele retornou à companhia. "Ele falou com todos os grupos de produto. Queria conhecer o escopo e o tamanho dos grupos de pesquisa. Dizia: 'Tudo precisa ser justificado. Será que realmente precisamos de uma biblioteca da empresa?'"

Jobs instalou-se em uma grande sala de reuniões e convocou as equipes de produto uma por uma. Assim que todos chegavam, ia direto ao trabalho. "Sem preâmbulos, nada", recordou Peter Hoddie. Hoddie é um programador excepcional que acabou se tornando o principal arquiteto do QuickTime, software multimídia da Apple. "Alguém começou a anotar. Steve disse: 'Não precisa anotar. Se for importante, você vai lembrar.'"

Os engenheiros e programadores explicavam detalhadamente em que estavam trabalhando. Descreviam seus produtos em profundidade, explicando como funcionavam, como eram vendidos e o que planejavam fazer a seguir. Jobs ouvia com atenção e fazia muitas perguntas. Estava profundamente engajado. No final das apresentações, ele às vezes fazia perguntas hipotéticas: "Se o dinheiro não fosse uma questão, o que você faria?"[14]

O levantamento de Jobs levou várias semanas. Foi calmo e metódico. Não houve nenhuma das infames explosões características de Jobs. "Steve disse que a companhia tem que ter um foco e que cada grupo, individualmente, tem que fazer o mesmo", disse Oliver. "Foi uma coisa bastante formal. Muito calma. Ele dizia: 'A Apple está numa grave situação financeira e não temos meios para fazer nada extra.' Foi gentil, porém firme."

Jobs não fez os cortes de cima para baixo. Chamou cada grupo de produto para que decidissem o que seria cortado e o que seria mantido. Se o grupo quisesse manter vivo um projeto, teria que vender a ideia a Jobs, e isso não era nada fácil. Compreensivelmente, algumas das equipes argumentaram a favor de manter projetos que eram secundários, mas que talvez fossem estratégicos ou tivessem a melhor tecnologia no mercado. Mas Jobs frequentemente respondia que, se não estivesse dando lucro, teria que ser cortado. Oliver se lembra que a maioria dos times se dispunha a sacrificar um bode expiatório e Jobs respondia: "Não é o bastante."

Oliver se lembra de ouvir Jobs dizer: "Se a Apple quiser sobreviver, temos que cortar mais." "Não houve concursos de gritos. Ninguém chamou ninguém de idiota. Era simplesmente 'Temos que ter um foco e fazer as coisas que fazemos bem'." Várias vezes Oliver viu Jobs desenhar em um quadro branco um mapa simplificado das receitas anuais da Apple. O mapa mostrava o declínio abrupto, de 12 bilhões de dólares por ano a 10 bilhões, e depois a 7 bilhões. Jobs explicava que a Apple não podia ser uma empresa lucrativa de 12 bilhões de dólares, ou uma empresa lucrativa de 10 bilhões de dólares, mas poderia ser uma empresa lucrativa de 6 bilhões de dólares.[15]

Os ativos da Apple

Ao longo das semanas seguintes, Jobs fez várias mudanças importantes.

Gerência sênior. Ele substituiu a maior parte da diretoria da Apple por aliados da indústria de tecnologia, entre os quais o magnata da Oracle Larry Ellison, que é também um amigo. Vários dos assessores de Jobs da NeXT já haviam recebido posições no alto escalão da Apple: David Manovich tornou-se responsável por vendas; Jon Rubinstein, hardware; Avadis "Avie" Tevanian, software. Jobs começou a substituir o resto do corpo executivo, com uma exceção. Manteve Fred Anderson, o diretor financeiro, que fora recentemente contratado por Amelio e não foi considerado da velha guarda.

Microsoft. Jobs resolveu um antigo e danoso processo sobre patentes com a Microsoft. Em troca de retirar a acusação de que a Microsoft plagiara o Mac no Windows, Jobs persuadiu Gates a continuar desenvolvendo a importantíssima suíte do Office para o Mac. Sem o Office, o Mac estava com os dias contados. Jobs também conseguiu que Gates apoiasse publicamente a empresa com um investimento de 150 milhões de dólares. O investimento foi em grande parte simbólico, mas Wall Street adorou: as ações da Apple subiram 30%. Em troca, Gates conseguiu que Jobs fizesse do Internet Explorer da Microsoft o navegador-padrão do Mac, uma importante concessão num momento em que a Microsoft disputava com a Netscape o controle da web.

Jobs iniciou conversas com Gates pessoalmente, que então enviou o diretor financeiro da Microsoft, Gregory Maffei, para negociar um acordo. Maffei foi à casa de Jobs, e este sugeriu que os dois dessem um passeio pela arborizada Palo Alto. Jobs estava descalço. "Foi uma mudança bastante radical nas relações entre as duas empresas", disse Maffei. "[Jobs] estava expansivo e simpático. Ele disse: 'Estas são coisas a que damos valor e que importam.' Isso nos permitiu reduzir a lista. Já havíamos passado muito tempo com Amelio e eles tinham muitas ideias que eram impraticáveis. Jobs era muito mais hábil. Não pediu 23 mil condições. Olhou para o quadro geral, entendeu do que precisava. E concluímos que tinha a credibilidade para convencer o pessoal da Apple e fechar o acordo."[16]

A marca. Jobs se deu conta de que, embora os produtos fossem ruins, a marca da Apple ainda era ótima. Considerou-a um dos ativos centrais da empresa, talvez o ativo central, só que precisava ser revitalizada. "Quais são as grandes marcas? Levi's, Coca-Cola, Disney, Nike", Jobs disse à *Time* em

1997.[17] "A maioria das pessoas colocaria a Apple nessa mesma categoria. Você pode gastar bilhões de dólares para construir uma marca que não seja tão boa quanto a Apple. No entanto, a empresa não estava fazendo nada com aquele fabuloso ativo. O que é a Apple, afinal? A Apple é feita por pessoas que pensam de uma forma diferente e original, que querem usar os computadores para ajudá-las a mudar o mundo, para ajudá-las a criar coisas que façam diferença, e não apenas para executar um trabalho."

Jobs fez um "concurso de criatividade" entre três grandes agências de publicidade. Disse a elas que preparassem uma grande e arrojada campanha de revitalização da marca. A vencedora foi a TBWA\Chiat\Day, que havia criado o lendário anúncio da Apple para o primeiro Mac, veiculado durante o Super Bowl de 1984. Como resultado, a TBWA criou a campanha "Pense Diferente" em estreita colaboração com Jobs.

Os clientes. Jobs entendeu que o outro ativo importante da Apple eram seus clientes — naquela época, cerca de 25 milhões de usuários de Mac. Esses eram clientes fiéis, alguns dos mais fiéis de qualquer empresa em qualquer lugar. Se continuavam comprando as máquinas da Apple, eram o grande alicerce para um retorno da empresa.

Os clones. Jobs matou o negócio dos clones. Era uma jogada altamente controvertida, mesmo dentro da companhia, mas que permitiu que a Apple captasse novamente todo o mercado do Mac, eliminando a concorrência. Os clientes já não podiam comprar um Mac mais barato da Power Computing, da Motorola ou da Umax. A única concorrência era o Windows, e a Apple tinha outra proposta. O fato de matar os clones foi impopular junto aos usuários de Mac que estavam se acostumando a comprar Macs baratos dos fabricantes de clones, mas a decisão foi a jogada estratégica certa para a Apple.

Os fornecedores. Jobs também negociou novos contratos com os fornecedores da Apple. Naquela época, tanto a IBM quanto a Motorola vinham fornecendo chips para a Apple. Jobs decidiu colocá-las uma contra a outra. Disse-lhes que a Apple só iria continuar com uma delas e que esperava concessões importantes daquela que ele escolhesse. Não deixou de lado nenhum dos dois fornecedores, mas, como a Apple era o único grande comprador de chips PowerPC das duas empresas, ele obteve as concessões que queria e — o mais importante — garantias da continuidade do desenvolvimento dos chips. "É como mudar o rumo de um grande petroleiro", disse Jobs à revista *Time*. "Houve muitos maus negócios que estamos desfazendo."[18]

A linha. A coisa mais importante que Jobs fez foi simplificar radicalmente a linha de produtos da Apple. Em seu modesto escritório próximo à sala de reuniões da diretoria (dizem que ele detestou os escritórios redecorados de Amelio e recusou-se a ocupá-los), Jobs desenhou uma tabela muito simples de dois por dois no quadro branco. No topo escreveu "Consumidor" e "Profissional", e na lateral "Portátil" e "Desktop". Aí estava a nova estratégia de produtos. Apenas quatro máquinas: dois notebooks e dois desktops, direcionados a usuários profissionais ou consumidores.

O corte na linha de produtos foi uma jogada extremamente ousada. Foi preciso muita coragem para enxugar tanto uma empresa de muitos bilhões de dólares. Parar tudo para colocar o foco em apenas quatro máquinas foi radical. Alguns acharam que foi loucura, até mesmo suicídio. "Ficamos de queixo caído quando ouvimos isso", disse Edgar Woolard Jr., ex-presidente da Apple, à *Business Week*. "Mas foi brilhante."[19]

Jobs sabia que a Apple estava a poucos meses da falência e que a única maneira de salvar a empresa era focalizar intensamente aquilo que ela fazia melhor: construir computadores fáceis de usar para consumidores e profissionais criativos.

Jobs cancelou centenas de projetos de software e quase todo o hardware. Amelio já havia cancelado quase trezentos projetos da Apple — de protótipos de computadores a novos softwares — e demitido milhares de funcionários, mas teve que parar por aí. "Um CEO só pode fazer cortes até certo ponto", disse Oliver. "Havia uma pressão tremenda sobre Amelio quando ele tomou aquelas decisões. Isto tornou mais fácil para Steve pegar os cinquenta projetos que restaram e reduzi-los a dez."

Foi o fim dos monitores, das impressoras e — a grande controvérsia — do handheld Newton, uma jogada que levou os amantes do Newton a protestarem com cartazes e alto-falantes no estacionamento da Apple. Eu me importo com o Newton, dizia um cartaz. Newton é o meu piloto, dizia outro.

O corte do Newton foi amplamente considerado um ato de vingança contra Sculley, que expulsara Jobs da Apple no final dos anos 1980. O Newton era a menina dos olhos de Sculley, e Jobs estava passando a faca no projeto para se vingar. Afinal de contas, a divisão do Newton acabara de gerar seu primeiro lucro e estava prestes a se tornar uma empresa separada. Toda uma nova indústria de handhelds vinha surgindo, que logo viria a ser dominada pelo Palm Pilot.

Para Jobs, contudo, o Newton era um desvio. A Apple estava no negócio dos computadores, o que significava que ela tinha que colocar seu foco em computadores. O mesmo era válido para as impressoras a laser. A Apple foi uma das primeiras empresas no ramo de impressoras a laser e havia conquistado uma grande fatia do mercado. Muitos acharam que Jobs estava colocando de lado milhões de dólares ao abandonar esse produto.

Mas Jobs argumentava que a Apple deveria vender computadores de primeira linha: máquinas bem projetadas e benfeitas para a nata do mercado, como os carros de luxo. Ele argumentava que todos os carros faziam a mesma coisa — iam de A a B —, mas muitas pessoas pagavam bem mais caro por um BMW em lugar de um Chevy. Jobs reconhecia que a analogia não era perfeita (os carros funcionam com a gasolina de qualquer lugar, mas os Macs não podiam rodar os mesmos programas do Windows), mas argumentava que a base de clientes da Apple era grande o bastante para render boas margens à companhia.

Para Jobs, esse era um ponto crucial. Havia — como sempre houve — pressões para que a Apple vendesse computadores a preço de banana.

Mas Jobs insistia em que a empresa jamais competiria no mercado "comoditizado" de computadores, o que seria uma "corrida para o fundo". Além da Dell, da Compaq e da Gateway, havia pelo menos meia dúzia de fabricantes de computadores, todos fazendo essencialmente o mesmo produto, que se distinguia apenas pelo preço. Em vez de fazer frente à Dell com o computador mais barato possível, a Apple fabricaria produtos de primeira classe para obter lucros suficientes para desenvolver mais produtos de primeira classe.

Pode-se lucrar muito mais vendendo uma máquina de 3 mil dólares do que uma máquina de 500 dólares, ainda que as vendas sejam menores. Visando aos segmentos médio e alto do mercado, a Apple alcançou algumas das melhores margens de lucro no setor: cerca de 25%. As margens de lucro da Dell são de apenas 6,5%, enquanto as da Hewlett-Packard são ainda mais baixas, cerca de 5%.

No verão de 2007, a Dell era a maior fabricante de PCs do mundo, com a espetacular fatia de 30% do mercado norte-americano. A Apple vinha em terceiro, com uma parcela muito menor do mercado: 6,3%.[20] Mas, no terceiro trimestre de 2007, a Apple relatou um lucro recorde de 818 milhões de dólares, enquanto a Dell, que vende um número *cinco vezes maior* de máquinas, registrou apenas 2,8 milhões de dólares de lucro. Sim, uma grande parcela do lucro da Apple veio da venda de iPods, e a Dell estava passando por uma reestruturação, mas a Apple obviamente ganha muito mais dinheiro na venda de um laptop de alto nível, o MacBook Pro, que custa 3.500 dólares (gerando algo como 875 dólares de lucro) do que a Dell ganha ao vender um sistema de 500 dólares (apenas 25 dólares de lucro). Foi por isso que a Dell comprou a Alienware, um pequeno e exclusivo fabricante de computadores para jogos, em 2006 — para competir no segmento mais alto do mercado, em vez de vender apenas máquinas mais baratas.

Há anos está claro que a Apple não compete no mesmo mercado que as empresas de PCs, mas durante muitos anos sua saúde como empresa foi medida pelo número de máquinas que vendia e não pelo valor dessas máquinas. O sucesso no mercado de PCs é tradicionalmente medido pela quantidade, não pela qualidade. Os especialistas e a Gartner Inc., uma consultoria do setor, fizeram repetidos apelos para que a Apple saísse do negócio de hardware porque sua fatia de mercado nos anos 2000 foi descendo gradualmente até ficar abaixo de 10%. Mas a Apple busca o segmento do mercado mais lucrativo e não o maior número de máquinas.

Esta é a definição de Jobs para o modelo de negócios da Apple que se mantém até hoje em relação às diversas categorias de produtos: vender produtos de tecnologia bem projetados e bem fabricados que não são os mais baratos do mercado, mas que inspiram lealdade da parte dos consumidores porque a marca Apple é sinônimo de qualidade.

O corte no número de produtos foi uma boa jogada em termos operacionais. Menos produtos significava menos estoque, o que teve um impacto imediato sobre os resultados financeiros. Jobs conseguiu cortar o estoque da Apple de mais de 400 milhões de dólares para menos de 100 milhões em um ano.[21] Antes, a companhia havia sido forçada a fazer depreciações de milhões de dólares em máquinas não vendidas. Ao cortar os produtos a um mínimo, Jobs diminuiu o risco de ser atingido por dispendiosas liquidações, o tipo de golpe que poderia ter afundado a empresa.

Os cortes e a reorganização não foram fáceis para Jobs, que teve que trabalhar durante longas e exaustivas horas. "Nunca fiquei tão cansado na minha vida", disse ele à *Fortune* em 1998. "Chegava em casa por volta das dez da noite e caía direto na cama, depois me arrastava para fora da cama às seis da manhã seguinte, tomava um banho e ia para o trabalho. Minha esposa merece todo o crédito por me manter na linha. Ela me apoiou e manteve a família unida com um marido ausente."[22]

Ele às vezes se indagava se estava fazendo a coisa certa. Já era o CEO da Pixar, que estava vivendo o sucesso de *Toy Story*. Sabia que o seu retorno à Apple iria colocar pressão sobre a Pixar, sobre a sua família e sobre a sua reputação. "Eu não seria sincero se não me questionasse, em certos dias, quanto a ter tomado a decisão correta ao me envolver", disse ele à *Time*.[23] "Mas acredito que a vida é uma coisa inteligente — que as coisas não acontecem por acaso."

Jobs se preocupava principalmente com o insucesso. A Apple estava com problemas terríveis e talvez não conseguisse salvá-la. Já havia conquistado um lugar nos livros de história; agora não queria arruiná-lo. Na entrevista de 1998 à *Fortune*, Jobs disse que buscava inspiração em seu herói, Bob Dylan. Uma das coisas que ele admirava em Dylan era sua recusa em parar quieto. Muitos artistas de sucesso congelam em algum ponto de suas carreiras: continuam fazendo o que os levou ao sucesso inicialmente, mas não evoluem. "Se continuam se arriscando a não ter sucesso, ainda são artistas", disse Jobs. "Dylan e Picasso estavam sempre se arriscando ao fracasso."

Ser "stevado"

Embora não haja relatos publicados de demissões em massa envolvendo milhares de funcionários depois que Jobs assumiu o leme, na prática houve demissões em massa. A maior parte, se não todas, foi levada a cabo pelos gerentes de produto, que demitiam funcionários depois que os projetos eram cancelados. Mas o fato foi muito discretamente mantido fora dos jornais.

Existem histórias — provavelmente falsas — de Jobs encurralando desventurados funcionários nos elevadores e sabatinando-os sobre o papel que desempenhavam na empresa. Caso as respostas não fossem satisfatórias, eram demitidos no ato. A prática ficou conhecida como ser "stevado". O termo é hoje parte do jargão técnico de qualquer projeto que é cancelado sem cerimônias: "Meu gerador de pontos de tricô on-line foi stevado."

Jim Oliver duvida de que algum funcionário tenha sido pessoalmente "stevado" nos elevadores. Jobs pode ter demitido alguém no ato, mas não foi na presença de Oliver — e ele acompanhou Jobs por quase toda parte durante três meses, na qualidade de seu assistente pessoal. Se

Jobs demitiu mesmo alguém, Oliver duvida de que o tenha feito mais de uma vez. "Mas as histórias certamente correram pela empresa e colocaram as pessoas em estado de alerta", disse Oliver. "Estas histórias são repetidas, mas eu nunca descobri a pessoa a quem ele fez isso."[24]

Baseado no que tinha ouvido, Oliver esperava que Jobs fosse um alucinado imprevisível e mal-humorado, e ficou agradavelmente surpreso ao descobrir que era bastante calmo. "As explosões de Jobs são exageradas", disse Oliver. Ele testemunhou alguns rompantes, mas foram "muito raros" e frequentemente premeditados. "As repreensões em público eram obviamente calculadas", disse Oliver. (Jobs tem, no entanto, uma tendência a polarizar as coisas. Tem uma certa caneta Pilot favorita, e todas as outras são "uma droga". As pessoas são gênios ou idiotas.)

Jobs pode ter cancelado o Newton, mas manteve a maior parte de sua equipe, que ele julgava ser composta de bons engenheiros. Precisava que eles construíssem uma das máquinas em sua matriz de produtos simplificada: o portátil para consumidores, posteriormente chamado de iBook. Enquanto fazia seu levantamento dos produtos, Jobs também realizava um levantamento das pessoas. Os ativos da empresa não eram apenas seus produtos, mas também seus funcionários. E havia algumas joias. "Encontrei há dez meses a melhor equipe de desenho industrial que já vi na vida", diria Jobs mais tarde, referindo-se a Jonathan Ive e sua equipe de designers. Ive já estava trabalhando para a Apple — estava na companhia havia vários anos e tinha chegado a chefe do grupo de design.

Jobs prestou muita atenção para encontrar os verdadeiros talentos nas equipes de design, mesmo que não fossem os líderes das equipes. Peter Hoddie disse que, depois da apresentação do QuickTime, na qual ele falara bastante sobre o software, Jobs perguntou seu nome. "Não sabia se aquilo era bom ou ruim", recordou Hoddie. "Mas ele lembrou-se do meu nome." Tempos depois, Hoddie tornou-se o arquiteto sênior do QuickTime.

O plano de Jobs era simples: fazer os cortes de modo que o núcleo da equipe A, com os melhores funcionários — os executivos vindos da

NeXT e os melhores programadores, engenheiros, designers e pessoal de marketing da Apple —, pudesse voltar a desenvolver produtos inovadores e depois continuar a melhorá-los e atualizá-los. "Tudo de que precisamos é fazer quatro excelentes plataformas de produtos", explicou Jobs em uma entrevista em 1998. "Podemos colocar nossa equipe A em todos eles em vez de ter uma equipe B ou C em algum deles. Assim podemos fazer as coisas muito mais depressa."[25]

Jobs assegurou-se de que o organograma da Apple fosse o mais simples e direto possível. Seu novo fluxograma gerencial era bastante simples: Jon Rubinstein dirigia a engenharia, Avie Tevanian dirigia o software, Jonathan Ive chefiava o grupo de design, Tim Cook dirigia operações e Mitch Mandich dirigia vendas globais. Jobs insistia em uma cadeia de comando clara em cada um dos níveis: todos na empresa sabiam quem era seu chefe direto e o que se esperava deles. "A organização é limpa, simples de se entender, e as responsabilidades estão bem definidas", disse Jobs à *Business Week*.[26] "Tudo ficou mais simples. Este tem sido um dos meus mantras — foco e simplicidade."

Dr. No

O foco radical de Jobs funcionou. Durante os dois anos seguintes, a Apple apresentou quatro máquinas que foram as primeiras de uma série de sucessos.

Primeiro veio o Power Macintosh G3, uma veloz máquina profissional lançada em novembro de 1997. Hoje está quase totalmente esquecida, mas o G3 foi um grande sucesso entre o principal público da Apple — os usuários profissionais — e vendeu um respeitabilíssimo milhão de unidades em seu primeiro ano. O G3 foi seguido pelo multicolorido iBook e pelo esguio PowerBook de titânio — ambos foram grandes sucessos. Mas o megassucesso acabou sendo o iMac, uma máquina com cores de frutas com design arredondado. Foram vendidas seis milhões de unidades, tornando o iMac o computador mais vendido de todos os tempos. Transformou-se em um fenômeno cultural, gerando uma estonteante variedade de produtos em plástico transparente cujas cores imitavam as da Apple, de escovas de dentes a secadores de cabelo. Bill Gates ficou perplexo com o sucesso do iMac. "A única coisa que a Apple está fornecendo agora é a liderança em cores", disse ele. "Creio que não vai demorar muito para alcançarmos isso."[27] O que Gates não conseguiu perceber foi que, além das cores inusitadas do iMac, o computador tinha outros méritos que fizeram dele um sucesso entre os consumidores: configuração fácil, software amigável ao usuário e personalidade própria.

Jobs concentrou a Apple em uma pequena seleção de produtos que ela poderia executar bem. Mas esse foco também foi aplicado a cada um dos produtos individualmente. Para evitar o "excesso de funções" — a crescente lista de funções que são frequentemente adicionadas a produtos novos durante sua fase de design e depois de seu lançamento inicial —, Jobs insiste em um foco rigoroso. Muitos telefones celulares são exemplos gritantes do excesso de funções. Fazem tudo o que se possa imaginar na face da Terra, mas certas funções básicas, como ajustar o volume ou verificar os recados na caixa de mensagens, são às vezes obscurecidas pela avassaladora complexidade desses aparelhos. Para evitar que o consumidor fique confuso em meio a uma variedade infinita de opções complexas, um dos mantras favoritos de Jobs na Apple é: "Foco significa dizer não."

Foco também significa ter a segurança de dizer não quando todo mundo está dizendo sim. Quando Jobs lançou o iMac, por exemplo, ele não tinha um drive de disquetes, na época um equipamento-padrão nos computadores. Agora parece uma bobagem, mas houve urros de protesto por parte dos consumidores e da imprensa. Muitos especialistas disseram que a falta de um drive de disquete era um erro fatal que iria condenar o iMac ao fracasso. "O iMac é limpo, elegante, livre de drive de disquete — e está condenado ao fracasso", escreveu Hiawatha Bray no *Boston Globe* em maio de 1998.[28]

O próprio Jobs não estava 100% seguro dessa decisão, disse Hoddie, mas confiava na sua intuição de que o disquete estava se tornando obsoleto. O iMac foi projetado como um computador para a internet, e seus compradores usariam a rede para transferir arquivos ou baixar softwares, pensava Jobs. O iMac foi também um dos primeiros computadores no mercado a usar USB, um novo padrão para conectar periféricos que ninguém, exceto a Intel, estava usando (e a Intel era sua inventora). Mas a decisão de eliminar os disquetes e de usar USB deu um toque vanguardista ao iMac. Parecia ser um produto futurista, fosse essa a intenção ou não.

Da mesma forma, Jobs mantém a linha de produtos da Apple muito simples e centrada. No final dos anos 1990 e início dos anos 2000, a Apple colocou no mercado no máximo meia dúzia de linhas de produtos importantes: dois desktops e laptops importantes, alguns monitores, o iPod e o iTunes. Mais tarde, acrescentou o Mac míni, o iPhone, a AppleTV e alguns acessórios para o iPod, como meias de lã e braçadeiras. Compare-se a insistência de Jobs em manter um foco rigoroso com as outras empresas na indústria de tecnologia, especialmente os gigantes, como a Samsung ou a Sony, que bombardeiam o mercado com centenas de produtos diferentes. Ao longo dos anos, a Sony já vendeu seiscentos modelos diferentes do Walkman.

A Sony não pode lançar um produto — qualquer produto — sem apresentar diversos modelos no lançamento. Isso é geralmente percebido como bom para os consumidores. Diz o senso comum que ter mais opções é sempre uma coisa boa. Mas cada variação custa à companhia tempo, energia e recursos. Embora um gigante como a Sony pudesse ter os meios necessários, a Apple precisava focalizar e limitar o número de variações que lançava apenas para conseguir produzir de fato alguma coisa. O CEO da Sony, Sir Howard Stringer, já expressou inveja das empresas com uma linha de produtos enxuta. "Às vezes eu queria que houvesse apenas três produtos", lamentou-se.[29]

É claro que com a criação do iPod a companhia passou a ter uma linha de produtos semelhante à da Sony. Há mais de meia dúzia de modelos diferentes, do Shuffle mais simples ao top de linha iPod video e ao iPhone, com preços escalonados a cada 50 dólares entre 100 e 350 dólares. Mas, para chegar a isso a Apple levou vários anos — não foi tudo no lançamento.

Foco pessoal

No âmbito pessoal, Jobs se concentra em suas áreas de expertise e delega todo o resto. Na Apple, intervém pessoalmente nas áreas que conhece bem: desenvolvimento de novos produtos, supervisão do marketing e discursos de abertura. Na Pixar, Jobs era exatamente o oposto. Delegava o processo de criar filmes a seus capacitados assessores. Seu principal papel na Pixar era forjar acordos com Hollywood, uma competência em que é insuperável. Vamos dividir essas áreas da forma a seguir.

Jobs é bom em:

1. Desenvolvimento de novos produtos.

Jobs é um mestre em conceber e ajudar a criar produtos novos e inovadores. Do Mac ao iPod e ao iPhone, ele é apaixonado pela invenção de novos produtos.

2. Apresentação de produtos.

Steve Jobs é a face pública da Apple. Quando a empresa tem um produto novo, é ele quem o apresenta ao mundo. Passa semanas se preparando para isso.

3. Realização de acordos.

Jobs é um mestre nas negociações. Ele realizou grandes acordos com a Disney para distribuir os filmes da Pixar e persuadiu todas as cinco principais gravadoras a vender música por meio do iTunes.

Jobs NÃO é bom em:

1. Direção de cinema.

Na Apple, Jobs tem a reputação de microgerenciar e de se intrometer, mas na Pixar ele intervinha muito pouco. Jobs não sabe dirigir filmes, de modo que nem tenta.

2. Negociação com Wall Street.

Jobs não tem muito interesse em negociar com Wall Street. Durante muitos anos confiou a parte financeira da companhia a seu CFO,* Fred Anderson. Até o escândalo das opções de compra de ações da Apple em 2006 e 2007, Anderson era amplamente admirado e respeitado por sua condução das finanças da empresa.

3. Operações.

Da mesma forma, Jobs delega o ingrato trabalho de operações a seu veterano COO,** Tim Cook, geralmente considerado o seu braço direito. (Quando Jobs esteve em tratamento de câncer, Cook assumiu como CEO temporário.) Sob o comando de Cook, a operação da Apple tornou-se extremamente enxuta e eficiente. Jobs gaba-se de que a Apple é mais eficiente do que a Dell, supostamente o mais alto padrão operacional do setor.

4. Manter o foco.

Ao longo dos anos, a lista de produtos que Jobs não fez ficou bem comprida: de handhelds a web tablets e computadores de baixo custo, apenas com as funções essenciais. "Nós examinamos muitas possibilidades, mas eu tenho tanto orgulho dos produtos que nós não fizemos quanto daqueles que fizemos", disse Jobs ao *Wall Street Journal*.[30]

---

* Do inglês *Chief Financial Officer* — Diretor Financeiro. (N. da T.)

** Do inglês *Chief Operations Officer* — Diretor de Operações. (N. da T.)

Os laboratórios da Apple estão entupidos de protótipos que nunca entraram em produção. O produto de que Jobs mais se orgulha de não ter feito é um PDA — um assistente digital pessoal, o sucessor do Newton que ele suspendeu em 1998. Jobs admite que *pensou* muito sobre um PDA, mas quando a Apple estava pronta, no início dos anos 2000, ele decidiu que a época do PDA já passara. Os PDAs estavam sendo rapidamente superados pelos telefones celulares com funções de agenda de endereços e de compromissos. "Fomos muito pressionados para fazer um PDA, mas olhamos para ele e dissemos: 'Espere aí, 90% das pessoas que usam essas coisas só querem receber informações por meio deles e não querem, necessariamente, ficar colocando informações dentro deles — os telefones celulares já vão fazer isso'", disse Jobs ao *Wall Street Journal*.[31] Ele estava certo: vejam o iPhone. (E o Palm, que não se adaptou bem, agora está quase jogando a toalha.)

Também tem havido solicitações para que a Apple venda para as grandes empresas, o chamado mercado empresarial. Jobs vem resistindo, porque vender para empresas — não importa o tamanho do mercado em potencial — está fora do foco da Apple. Desde o retorno de Jobs, a Apple tem focado nos consumidores. "As raízes da Apple vieram de criar computadores para pessoas, não para corporações", Jobs disse. "O mundo não precisa de outra Dell ou Compaq."[32]

Lições de Steve

Trabalhe. Arregace as mangas e comece a trabalhar imediatamente.

Encare as decisões difíceis. Jobs tem que tomar algumas decisões difíceis e dolorosas, mas encara a situação.

Não se deixe levar pelas emoções. Avalie os problemas da sua empresa de forma objetiva, com a cabeça fria.

Seja firme. De forma alguma seria fácil, mas Jobs foi firme e justo quando voltou à Apple e começou sua drástica reorganização. Sabia o que tinha que ser feito. Levou o tempo necessário para explicá-lo e esperava que os funcionários seguissem suas diretrizes.

Busque informação; não faça suposições. Faça uma inspeção completa da empresa e baseie suas decisões em dados, não em suposições. É duro, mas justo.

Busque ajuda. Não coloque toda a carga sobre as próprias costas. Jobs pede a ajuda da companhia e a obtém. Os gerentes ajudam a carregar o peso de eventuais cortes.

Foco significa dizer "não". Jobs concentra os recursos limitados da Apple em um pequeno número de projetos que ela pode executar bem.

Mantenha o foco: não dê margem ao excesso de funções. Mantenha as coisas simples, o que é uma virtude em um mundo de tecnologia excessivamente complexa.

Concentre-se naquilo em que você é bom; delegue todo o resto. Jobs não dirige filmes de animação nem namora Wall Street. Ele se concentra naquilo em que é bom.

Capítulo 2
Despotismo

O grupo de foco de um só homem da Apple

"Os botões da tela ficaram tão bonitos que vocês terão vontade de lambê-los."

— *Steve Jobs, sobre a interface de usuário do Mac OS X,* Fortune, *24 de janeiro de 2000*

Antes de Jobs retornar à Apple, a companhia já havia passado vários anos tentando sem sucesso desenvolver uma versão moderna do sistema operacional do Macintosh. Desde seu lançamento, em 1984, o velho Mac OS se transformara em uma colcha de retalhos de código inchado e instável. Mantê-lo e atualizá-lo tornara-se um pesadelo. Para os usuários, significava travamentos, congelamentos e reinicializações constantes — e muitos dados perdidos, muita frustração e raiva.

Como grandes porções do Mac OS ainda eram baseadas em código antigo e decrépito, a Apple decidiu que tinha que partir do zero. Em 1994, os programadores começaram a reescrever completamente o sistema operacional, que recebeu o codinome Copland, em homenagem ao famoso compositor norte-americano. Porém, após alguns anos de esforço, tornou-se evidente que o projeto era um trabalho gigantesco e jamais seria terminado. A equipe executiva da Apple na época decidiu que seria mais fácil (e mais sábio) comprar de outra empresa um sistema operacional da próxima geração em vez de desenvolver um novo por conta própria. A busca acabou levando à compra da NeXT, a empresa de Steve Jobs.

A Apple estava interessada no NeXTstep, um sistema operacional surpreendentemente avançado e sofisticado que Jobs havia desenvolvido durante seus anos de aventuras longe da Apple. O NeXTstep tinha tudo que faltava ao velho Mac OS. Era rápido, estável e quase à prova de panes. Tinha recursos modernos para redes — algo essencial na era da internet — e uma arquitetura modular que era facilmente modificada e atualizada. Vinha também com uma coleção de excelentes ferramentas de programação, o que facilitava muito a criação de programas por parte dos desenvolvedores. As ferramentas de programação são uma imensa vantagem competitiva na indústria da tecnologia. Plataformas específicas de hardware computacional não valem nada se não puderem atrair programadores talentosos para criar aplicações para elas, assim como os consoles de jogos estão condenados se não puderem atrair grandes jogos. Do Mac ao Palm Pilot e ao Xbox, o sucesso de uma plataforma é determinado sobretudo pelo software que pode funcionar nela. Em alguns casos é a chamada *killer app* ("aplicação essencial"), um único aplicativo que garante o sucesso da plataforma, como o Office para o Windows ou o jogo Halo para o Xbox.

E depois da NeXT?

Depois de comprar a NeXT, a Apple teve que descobrir como transformar o NeXTstep em um sistema operacional para o Macintosh. A princípio, a tarefa pareceu tão grande que os programadores da Apple decidiram que iriam pegar a velha interface do Mac OS 8 e tentar implantá-la por cima do código do NeXTstep. Segundo Cordell Ratzlaff, o gerente encarregado da supervisão desse trabalho, a implantação da interface não parecia apresentar um desafio muito grande. "Colocamos um único designer no OS X", disse ele. "Seu trabalho era bastante chato: fazer uma coisa nova se parecer com a velha, que já tínhamos."

Mas Ratzlaff achou que era uma pena colocar uma fachada feia em um sistema tão elegante, e logo colocou designers para criar modelos não funcionais para uma nova interface. Ratzlaff me disse que os modelos foram projetados para exibir muitas das tecnologias avançadas embutidas no NeXTstep — especialmente suas poderosas capacidades gráficas e de animação.[1]

Ratzlaff, um sujeito tranquilo, é diretor de design na Cisco e trabalhou na Apple durante nove anos. Começando como designer, foi subindo na hierarquia até liderar o grupo de HUI — interface humana — do Mac OS. Nessa posição, Ratzlaff foi responsável pelo *look and feel* dos sistemas operacionais da Apple, indo do Mac OS 8 até a primeira versão do OS X.

As interfaces atuais são coloridas e dinâmicas, mas no final dos anos 1990 tanto os sistemas operacionais da Apple quanto os da Microsoft eram despojados e cinzentos, com janelas quadradonas, cantos retos e muitos chanfros. Então a Apple lançou o iMac, com seu formato de lágrima, um computador com gabinete de plástico transparente e linhas curvas e orgânicas. Foi uma grande inspiração para Ratzlaff e seus colegas. Eles logo fizeram modelos de interfaces coloridas e arejadas com menus transparentes, contornos suaves e botões redondos, orgânicos.

O chefe de Ratzlaff, Bertrand Serlet, hoje vice-presidente sênior de engenharia de software da Apple, apreciava os modelos, mas deixou claro que não havia tempo nem recursos para implementá-los. O solitário designer do OS X continuou a implantar a velha interface do Mac em cima do NeXTstep.

Após vários meses de trabalho, a Apple organizou um seminário externo para todos os grupos de engenharia que estavam trabalhando com o OS X, com o intuito de elaborar um relatório da situação. Foi pedido a Ratzlaff que mostrasse seus modelos, em grande parte por curiosidade e distração. Sua palestra seria um momento leve e relaxante ao final de uma longa e árdua semana. Estava agendado para ser o último a falar no último dia. Secretamente, contudo, ele esperava que houvesse apoio para que os novos designs fossem implementados, embora não acreditasse de fato em suas chances. À medida que os dois dias do evento corriam, foi-se tornando cada vez mais claro quão grande realmente era o projeto do OS X. Todos se indagavam de que forma ele seria concluído. "E então, bem no fim, lá estava eu dizendo: 'Ah, e esta é uma nova interface de usuário. É translúcida, tem animação em tempo real e um canal alfa completo'", lembrou Ratzlaff. "Houve literalmente gargalhadas na sala, porque não havia a menor condição de refazermos a interface de usuário. Fiquei bastante deprimido depois."

"Vocês são um bando de idiotas"

Duas semanas depois, Ratzlaff recebeu um telefonema do assistente de Steve Jobs. Jobs não havia visto os modelos no seminário — não fora ao evento —, mas agora queria dar uma olhada. Naquela época, Jobs ainda estava fazendo seu levantamento de todos os grupos de produtos. Ratzlaff e seus designers estavam sentados em uma sala de reuniões esperando por Jobs, quando ele entrou e imediatamente os chamou de "um bando de amadores".

— Vocês são os caras que projetaram o Mac OS, certo? — perguntou-lhes. Eles timidamente assentiram com a cabeça. — Pois vocês são um bando de idiotas."

Jobs criticou todas as coisas que detestava na velha interface do Mac, o que vinha a ser quase tudo. Uma das coisas que ele mais abominava eram todos os diferentes mecanismos de abertura de janelas e de pastas. Havia no mínimo oito maneiras diferentes de acessar as pastas — de menus suspensos a menus pop-up, o DragStrip, o Launcher e o Finder. "O problema era que havia janelas demais", disse Ratzlaff. "Steve queria simplificar o gerenciamento das janelas." Como Ratzlaff era o principal responsável por essas funções, começou a temer por seu emprego, mas, depois de vinte minutos de críticas severas, Ratzlaff percebeu que seu trabalho provavelmente estava garantido. "Pensei: ele não vai nos demitir, do contrário já o teria feito", disse.

Jobs, Ratzlaff e os designers começaram a discutir em profundidade a velha interface do Mac e a forma como ela poderia ser alterada. A equipe de Ratzlaff mostrou a Jobs seus modelos, e a reunião acabou bem. "Façam protótipos dessas coisas e me mostrem", instruiu-os Jobs.

A equipe de design trabalhou por três semanas, noite e dia, construindo protótipos funcionais usando o Macromedia Director, uma ferramenta multimídia de criação frequentemente utilizada para fazer protótipos de novas interfaces para programas ou sites da web. "Sabíamos que nossos empregos estavam em jogo, de modo que estávamos bem preocupados", disse ele. "Ele [Jobs] veio até nossas salas. Passamos toda a tarde com ele, que ficou profundamente impressionado. A partir daquele momento, ficou claro que haveria uma nova interface de usuário para o OS X."

Jobs ficou tão impressionado que disse a Ratzlaff: "Esta é a primeira prova de inteligência de três dígitos na Apple que vi até o momento." Ratzlaff ficou feliz em receber o elogio. Em se tratando de Jobs, reconhecer que alguém tem um QI mais alto que 100 é um elogio entusiástico. Confiantes em que seus empregos estavam a salvo, Ratzlaff e os designers comemoraram com algumas dúzias de latas de cerveja. Mas ficaram nervosos quando viram Jobs voltando pelo corredor com Phil Schiller, o chefe de marketing da Apple. Felizmente, Jobs estava satisfeito. Quando se aproximou, ouviram-no dizer a Schiller, entusiasmado: "Você tem que ver isto."

"A partir daí não tivemos problemas", disse Ratzlaff.

Não há detalhe pequeno demais

Ao longo dos 18 meses seguintes, os membros da equipe de Ratzlaff tiveram reuniões semanais com Jobs durante as quais mostravam a ele seus últimos protótipos. Para cada elemento da nova interface — os menus, os diálogos, os botões de rádio —, Jobs requisitava diversas variações, para poder selecionar as melhores. Como veremos adiante mais detalhadamente, ele sempre pede muitas variações de produtos em desenvolvimento — tanto hardware quanto software. Durante as reuniões com Ratzlaff, Jobs fornecia bastante feedback para que a equipe refinasse o projeto, e só quando ele estava satisfeito com cada função ela podia ser confirmada.

Os protótipos da equipe de design, no Macromedia Director, eram dinâmicos, mas não eram programas em estado funcional. Jobs podia abrir e fechar janelas, puxar menus suspensos e ver como o sistema iria funcionar. Mas eram apenas animações, e não código em funcionamento. A equipe tinha o código em funcionamento rodando em outra máquina, que foi colocada ao lado do demo feito no Director. Quando o mostravam a Jobs, ele se inclinava para a frente, colava o nariz à tela e examinava atentamente, passando da demonstração para o protótipo e vice-versa.

"Ele os comparava pixel por pixel para ver se combinavam", disse Ratzlaff. "Descia aos menores detalhes. Esquadrinhou tudo, chegando até o nível dos pixels." Se não combinassem, disse Ratzlaff, "algum engenheiro iria levar uma bela bronca".

Por incrível que pareça, a equipe de Ratzlaff passou seis meses refinando as barras de rolagem até Jobs ficar satisfeito. As barras de rolagem são uma parte importante do sistema operacional de qualquer computador, mas não são sequer remotamente o elemento mais visível da interface de usuário. Apesar disso, Jobs insistia em que elas tivessem uma aparência muito específica, e a equipe de Ratzlaff teve que projetar diversas versões. "Tinha que ser feito da maneira certa", disse Ratzlaff, que hoje ri do esforço despendido nesse detalhe aparentemente menor.

A princípio, a equipe de design achou muito difícil fazer com que os detalhes da barra de rolagem ficassem perfeitos. As setas tinham o tamanho errado ou estavam no lugar errado, ou a cor estava errada. As barras tinham que ter uma aparência diferente se a janela estivesse ativa no momento ou se fosse apenas uma das janelas em segundo plano. "Foi bem difícil fazê-las combinar com o resto do design em todos esses estados diferentes", disse Ratzlaff, com um tom de cansaço na voz. "Ficamos refazendo tudo até que ficasse certo. Trabalhamos naquilo durante um longo tempo."

Simplificando a UI

A interface do OS X foi projetada tendo em mente os novos usuários. Já que o sistema seria novo para todo mundo — até para os usuários veteranos do Mac —, Jobs concentrou os esforços em simplificar a interface ao máximo possível. No velho Mac OS, por exemplo, a maior parte das configurações que determinavam o comportamento do sistema estava escondida em mil Extensões do Sistema, em menus do Painel de Controle e em caixas de diálogo especiais dos vários componentes do sistema. Antes, a configuração de uma conexão da internet envolvia fazer ajustes em até meia dúzia de lugares diferentes.

Para simplificar as coisas, Jobs determinou que o maior número possível de ajustes de configuração fosse reunido e colocado em uma só caixa de Preferências de Sistema, que ficaria em um novo elemento de navegação chamado "The Dock". A Dock é uma barra cheia de ícones situada na parte inferior da tela. Abriga os aplicativos comumente usados e a lixeira do sistema. Pode acomodar todo tipo de coisas, desde pastas de uso frequente até miniprogramas chamados *scripts*.

Jobs insistiu em simplificar o maior número possível de elementos de interface, insistindo que o conteúdo das janelas era a coisa mais importante, e não as janelas em si. Seu desejo de despojar e simplificar pôs fim a vários recursos importantes, inclusive um modo de janela única que a equipe de design passou muitos meses elaborando.

Jobs detestava ter muitas janelas abertas. Toda vez que um novo documento ou uma nova pasta era aberta, ele gerava uma nova janela. Rapidamente a tela ficava cheia de janelas superpostas. Então os designers criaram um modo especial de janela única. Tudo era exibido na mesma janela, qualquer que fosse o programa em que o usuário estivesse trabalhando. A janela exibiria uma planilha, depois um arquivo de texto ou uma foto digital. O efeito era como pular de um website para outro em uma só janela do navegador, só que, nesse caso, eram documentos armazenados no HD local.

Às vezes o sistema funcionava bem, mas a janela frequentemente precisava ser redimensionada para exibir diferentes tipos de documentos. Ao trabalhar com um arquivo de texto era melhor que a janela ficasse estreita, para facilitar a rolagem do texto para cima e para baixo. Mas, se o usuário abrisse uma imagem em formato paisagem, a janela teria que ser alargada.

Mas não era esse o maior problema. Jobs considerava crítico que esse sistema exigisse que os designers criassem um botão na barra de ferramentas da janela para ligá-lo e desligá-lo. Ele decidiu, para manter a simplicidade, remover o botão. Podia aceitar as janelas que se redimensionavam, mas não um botão adicional entulhando a barra de menu. "O botão a mais não era justificado pela funcionalidade", disse Ratzlaff. A decisão de Jobs de remover o botão adicional serve para ilustrar sua obsessão por simplicidade, assim como seu permanente desejo de criar os sistemas mais simples possíveis.

Enquanto trabalhava na nova interface, Jobs às vezes dava sugestões que a princípio pareciam ser loucura, mas que depois acabavam se mostrando boas ideias. Em uma dada reunião, ele estava examinando os três minúsculos botõezinhos no canto superior esquerdo de todas as janelas. Os três botões serviam, respectivamente, para fechar, minimizar e maximizar a janela. Os designers haviam feito todos eles no mesmo tom de cinza atenuado, para evitar que distraíssem o usuário, mas ficava difícil saber para que serviam. Foi sugerido que suas funções fossem ilustradas por uma animação exibida quando o cursor do mouse passasse por cima deles.

Então Jobs deu o que parecia uma sugestão estranha — que os botões fossem coloridos como os sinais de trânsito: vermelho para fechar a janela, amarelo para minimizá-la e verde para maximizá-la. "Quando ouvimos aquilo, achamos que era uma coisa estranha para ser associada a um computador", disse Ratzlaff. "Mas trabalhamos um pouco com a ideia e vimos que ele estava certo." A cor do botão implicitamente sugeria a consequência de clicá-lo, especialmente o botão vermelho, que sugeria "perigo" se o usuário o clicasse sem pretender fechar a janela.

Apresentando o OS X

Jobs sabia que o OS X causaria imensos protestos por parte dos desenvolvedores externos de software para a Apple, que teriam que reescrever todo o seu software para rodar no novo sistema. Mesmo com as ótimas ferramentas de programação do OS X, haveria rejeição por parte dos desenvolvedores. Jobs e seus executivos lutaram para encontrar a melhor maneira de abordar a comunidade de software. Até que chegaram a uma estratégia: se conseguissem persuadir apenas as três maiores empresas a abraçar o OS X, todas as demais iriam segui-las. As três grandes eram Microsoft, Adobe e Macromedia.

Acabou funcionando — com um pouco de esforço. A Microsoft apoiou o OS X desde o início, graças ao acordo de Jobs com Bill Gates em 1998, que consolidou cinco anos de apoio de software. Mas a Adobe e a Macromedia não aceitaram tão rapidamente a ideia de converter seus aplicativos pesados como o Photoshop e o Dreamweaver. As duas empresas acabaram portando-os, mas se recusaram a reescrever seus aplicativos para o OS X, uma decisão que teve um impacto fundamental na Apple e em seus negócios: levou a empresa a desenvolver seus conjuntos de aplicativos altamente populares, iLife e iWork, e, indiretamente, acabou levando à invenção do iPod e do iPhone.

Não era segredo que a Apple estivesse trabalhando no OS X, mas o fato de que ele tinha uma nova interface, sim. A interface foi projetada sob intenso sigilo. Muito poucas pessoas na Apple sabiam que a interface estava ao menos sendo revisada — somente o pequeno grupo que trabalhava com isso. Uma das razões declaradas por Jobs para manter segredo era impedir que outras empresas — a Microsoft em particular — a copiassem.

O mais importante, no entanto, era que Jobs não queria prejudicar as vendas do sistema operacional Macintosh então existente. Queria evitar o que se conhece como efeito Osborne, quando uma empresa comete suicídio ao anunciar uma tecnologia avançada que ainda está em desenvolvimento antes que esteja pronta para ser vendida.

Assim que começou o desenvolvimento do OS X, Jobs determinou que todo mundo na Apple parasse de criticar em público o Mac OS. Durante anos, os programadores da Apple foram totalmente francos quanto aos problemas e limitações do sistema. "O sistema OS X era a menina dos olhos dele, e ele sabia quão fantástico era", disse Peter Hoddie. "Mas disse que, durante alguns anos, precisaríamos focar no Mac OS, porque sem ele jamais chegaríamos a lugar algum. Ele parecia o Khrushchev, batendo com o sapato em cima da mesa. 'Vocês têm que apoiar o Mac OS. Ponham isso na cabeça.'"[2]

Jobs revelou o OS X em janeiro de 2000 na Macworld, após quase dois anos e meio de trabalho por parte de aproximadamente mil programadores. O OS X foi um empreendimento colossal. Foi — e sem dúvida ainda é — a mais sofisticada interface para computadores projetada até o momento, com complexos efeitos gráficos em tempo real, como transparências, sombras e animação. Mas ele tinha que rodar em todos os processadores G3 que a Apple tinha no mercado, e tinha que rodar em míseros 8 MB de memória de vídeo. Era um pedido quase impossível.

Ao mesmo tempo em que apresentava o OS X na Macworld, Jobs também anunciou que estava se tornando o CEO permanente da Apple, o que arrancou imensos aplausos do público presente ao discurso de abertura. Vários funcionários da Apple observaram que Jobs só se tornou o CEO permanente da empresa depois que o OS X começou a ser vendido, em março de 2001. A essa altura, Jobs já estava no comando da Apple havia dois anos e meio, tendo substituído quase todos os diretores e o primeiro escalão, estabelecido o marketing e a propaganda, revigorado o hardware com o iMac e reorganizado as vendas. Ratzlaff observou que, com o OS X, Jobs havia reformado a empresa e todos os principais produtos da Apple. "Ele estava esperando que as últimas grandes partes da empresa estivessem funcionando segundo os padrões dele para então assumir o papel de CEO da Apple", disse Ratzlaff.

O processo de design de Jobs

Tendo recriado o OS X, Jobs voltou sua atenção para outros programas da Apple que, em alguns casos, sofreram profundas alterações. Por muitos anos a Apple incentivou uma estrita adesão a suas Diretrizes para a Interface Humana (HIG), um manual de padronização destinado a assegurar a experiência consistente do usuário em todos os aplicativos. O HIG dizia aos designers onde colocar menus, que tipos de comandos eles deveriam conter e orientava o design de caixas de diálogo. A ideia era que todo software para os Macs tivesse um comportamento igual, não importando de que empresa viesse.

As diretrizes foram redigidas pela primeira vez nos anos 1980, quando os computadores eram usados principalmente para produzir coisas, como criar e imprimir documentos. Só que, na era da internet, os computadores são usados para a comunicação e para o consumo de mídia tanto quanto para imprimir documentos e editar vídeo. O software para exibir filmes ou para fazer videoconferências com os amigos pode ser muito mais simples do que aplicativos como o Photoshop ou o Excel. Frequentemente, são necessárias apenas umas poucas funções, de forma que todos os menus suspensos e caixas de diálogo podem ser removidos em favor de uns poucos e simples botões. No final dos anos 1990 e início dos anos 2000, houve uma mudança geral em direção a miniaplicativos de uma só finalidade, tanto no Mac (Widgets) quanto no Windows (Gadgets).

O player QuickTime da Apple foi um dos primeiros exemplos de software que se beneficiou de uma nova forma de pensar interfaces. Usado para tocar arquivos multimídia, principalmente de música e vídeo, o QuickTime precisava apenas de alguns controles para iniciar e fazer uma pausa nos filmes ou para ajustar o som. Ficou decidido que o player QuickTime seria um dos primeiros programas da Apple que teria uma interface simples, com a cara de um equipamento eletrônico.

A interface do player foi desenhada por Tim Wasko, um canadense que mais tarde viria a projetar a interface do iPod. Ele chegou à Apple vindo da NeXT, onde havia trabalhado com Jobs. Wasko é conhecido na empresa como um deus do design. "Ele é um monstro no Photoshop", disse Hoddie. "Você diz 'que tal esta ideia?' e ele já está fazendo clique-clique-clique" — Hoddie imitava o som de dedos voando sobre um teclado — "e pronto, sua ideia é convertida em imagem".

A equipe de design do player QuickTime era composta de meia dúzia de designers e programadores, entre os quais Hoddie e Wasko. Eles se reuniram com Jobs uma ou duas vezes por semana ao longo de seis meses. Cada semana, a equipe apresentava no mínimo uma dúzia de novos designs, muitas vezes variando texturas ou a aparência geral. Entre as primeiras ideias estava uma padronagem em plástico amarelo inspirada no Sport Walkman da Sony — popular naquela época —, além de diversas texturas de madeira ou metal. Qualquer coisa valia. "Steve não é um radical em matéria de design: é aberto a experimentar coisas novas", disse Hoddie.

A princípio, os designs eram apresentados em um computador, mas a equipe acabou concluindo que trocá-los rapidamente na tela dava muito trabalho, de modo que passaram a imprimir os desenhos em grandes folhas de papel brilhante. As imagens eram espalhadas em uma grande mesa de reuniões e podiam ser rapidamente selecionadas. Jobs e os designers acharam fácil tirar os desenhos de que gostavam do meio de uma pilha e dizer que uma certa textura deveria combinar com uma outra forma. O método mostrou-se tão eficiente que é adotado pela maioria dos designers da Apple desde então.

Após as reuniões, Jobs às vezes ficava com algumas pranchas para mostrá-las a outras pessoas. "Ele tem um grande senso de design, mas também sabe ouvir", disse Hoddie.

Após várias semanas testando e alterando diferentes designs, Wasko apareceu com um visual metálico de que Jobs gostou, embora ainda não fosse exatamente o que queria. Na reunião seguinte, Jobs apareceu com um livreto da Hewlett-Packard com o logo HP em metal escovado, como um eletrodoméstico sofisticado. "Gosto deste aqui", disse Jobs ao grupo. "Vejam o que podem fazer."

A equipe voltou com um visual em alumínio escovado para o player QuickTime. Há vários anos esse tem sido o padrão de design predominante, usado extensamente nos programas da Apple e também no hardware mais sofisticado. No início da década de 2000, a maioria dos aplicativos da Apple recebeu o estilo em metal escovado, desde o navegador Safari até o calendário iCal.

Jobs está intimamente envolvido com o processo de design. Sempre apresenta várias ideias e dá sugestões para melhorar os projetos. Sua contribuição não é apenas escolher o que ele gosta e não gosta. "Ele não é do tipo 'isto é ruim, isto é bom'", disse Hoddie. "Ele realmente toma parte no design."

Simplicidade enganosa

Jobs nunca se interessa pela tecnologia por si mesma. Jamais exagera em acessórios desnecessários, sobrecarregando de funções um produto simplesmente porque são fáceis de acrescentar. Ocorre exatamente o contrário. Ele depura a complexidade dos seus produtos até que fiquem tão simples e fáceis de usar quanto possível. Muitos dos produtos da Apple são projetados levando em conta o ponto de vista do usuário.

Vamos tomar como exemplo a loja de música on-line iTunes, lançada em 2001, no auge da popularidade do compartilhamento de arquivos via web. Muita gente perguntou, naquela época, como a loja iria competir com a pirataria. Por que alguém gastaria um dólar por uma música, quando poderia obter a mesma música de graça? A resposta de Jobs foi a "experiência do consumidor". Em vez de perder tempo nas redes de compartilhamento de arquivos, tentando encontrar os arquivos desejados, os fãs de música poderiam entrar no iTunes e comprar músicas com um simples clique. Teriam qualidade e confiabilidade garantidas e a facilidade de comprar on-line. "Não vemos outra maneira de convencer as pessoas a não roubarem a não ser oferecendo-lhes uma recompensa — e não apenas uma punição", disse Jobs. "E a recompensa é: vamos oferecer a você uma experiência melhor... e só vai custar um dólar por música."[3]

Jobs é extremamente centrado no consumidor. Nas entrevistas, ele tem dito que o ponto de partida para o iPod não foi um disco rígido menor que o normal ou um novo chip, mas a experiência do usuário. "Desde o início Steve fez algumas observações muito interessantes sobre o fato de que tudo deveria estar centrado em navegar pelo conteúdo", disse Jonny Ive sobre o iPod. "Além disso, tínhamos também que manter um foco estrito, sem tentar fazer coisas demais com o aparelho — o que só iria complicá-lo e, portanto, contribuir para que não vendesse. As funções mais importantes não são óbvias e evidentes justamente porque o ponto crucial foi jogar coisas fora."[4]

Uma das partes mais importantes do processo de design da Apple é a simplificação. A simplicidade dos produtos da companhia vem de remover opções do consumidor. Para Jobs, menos é sempre mais. "À medida que a tecnologia fica mais complexa, o ponto forte da Apple, que é saber como tornar uma tecnologia muito sofisticada compreensível para os meros mortais, possui um apelo cada vez maior", disse ele à *New York Times Magazine*.[5]

John Sculley, antigo CEO da Apple, disse que Jobs se concentrava tanto naquilo que era deixado de fora quanto no que era incluído. "O que torna a metodologia de Steve diferente das outras é que ele sempre acreditou que as decisões mais importantes que você toma não dizem respeito às coisas que você faz, mas àquelas que você não faz", disse-me Sculley.[6]

Um estudo feito por Elke den Ouden, da Universidade de Tecnologia de Eindhoven, na Holanda, constatou que quase metade dos produtos devolvidos pelos consumidores com restituição integral do dinheiro está em perfeitas condições de funcionamento, mas foram devolvidos porque seus novos proprietários não conseguiram descobrir como usá-los. Ela concluiu que o consumidor americano médio passará no máximo 20 minutos tentando descobrir como usar um novo equipamento antes de desistir e devolvê-lo à loja. Isso dizia respeito a telefones celulares, DVD players e MP3 players. O mais surpreendente é que ela pediu a vários gerentes da Philips (a gigante holandesa da eletrônica é um dos clientes dela) que levassem para casa certo número de produtos e os usassem durante o fim de semana. Os gerentes — muitos dos quais familiarizados com a tecnologia — não conseguiram fazer os produtos funcionarem. "Os desenvolvedores de produtos, que foram observar os esforços feitos por um consumidor médio, ficaram espantados com o caos que haviam criado", escreveu ela.

Den Ouden concluiu que os produtos haviam sido mal definidos no primeiro estágio de projeto: ninguém havia articulado claramente qual seria sua função primária. Como resultado, os projetistas os entupiam de funções e recursos até que o produto virasse uma grande bagunça incompreensível. Essa história é muito comum quando se trata de aparelhos eletrônicos de consumo e de projeto de software. Os engenheiros tendem a criar produtos que só eles próprios entendem. Exemplos disso são os primeiros MP3 players, como o Nomad Jukebox, da Creative Labs, que possuía uma interface impenetrável, da qual somente um nerd poderia gostar.

Muitos produtos eletrônicos de consumo são projetados com a noção de que mais funções significam maior valor. Os engenheiros são muitas vezes pressionados para acrescentar funções às novas versões dos seus produtos que são apresentadas ao mercado como "novas e aperfeiçoadas". Grande parte desse excesso de funções é alimentada pelas expectativas do consumidor. Espera-se que os modelos mais novos tenham novos recursos; do contrário, qual seria o incentivo para uma nova compra? Mais ainda: os compradores tendem a procurar aparelhos com o maior número de funções. Mais funções equivalem a um maior valor. A Apple tenta resistir a essa tendência. O primeiro iPod tinha o hardware para rádio FM e gravador de voz, mas essas funções não foram implantadas, pois complicariam o aparelho. "O que é interessante é que dessa simplicidade, um sentido de simplicidade muito 'declarado', assim como sua forma de expressão, surgiu um produto diferente", disse Ive. "Mas a diferença não era a meta. Na prática é muito fácil criar uma coisa diferente. O que nos entusiasmou foi começar a perceber que a diferença do iPod foi uma consequência da busca para fazer dele algo muito simples."

Muitas empresas gostam de dizer que são "centradas no consumidor". Abordam seus usuários e perguntam-lhes o que querem. Essa inovação, que é tida como "centrada no usuário", é impulsionada pelo feedback e pelos grupos de foco. Mas Jobs evita os estudos elaborados com usuários trancados em uma sala de reuniões. Ele mesmo brinca com a nova tecnologia, observando suas próprias reações, e esse é o feedback que seus engenheiros recebem. Se alguma coisa for muito difícil de usar, Jobs dá instruções para que seja simplificada. Qualquer coisa que seja desnecessária ou confusa deverá ser removida. Se funcionar para ele, funcionará para os clientes da Apple.

John Sculley me contou que Jobs sempre se concentrava na experiência do usuário. "Ele olhava para as coisas pensando no que seria a experiência do usuário", disse Sculley. "Mas, ao contrário de outras pessoas envolvidas com o marketing de produtos naquela época, que fariam testes com consumidores, perguntando às pessoas o que queriam, Steve não acreditava nisso. Ele dizia: 'Como é que eu posso perguntar às pessoas como um computador baseado em uma interface gráfica deveria ser quando elas não têm a menor ideia do que seja um computador baseado em uma interface gráfica? Ninguém jamais viu algo assim.'"[7]

A criatividade na arte e na tecnologia está relacionada à expressão pessoal. Assim como um artista não conseguiria produzir um quadro organizando um grupo de foco, Jobs também não os usa. Não consegue inovar perguntando a um grupo de foco o que ele quer — as pessoas não sabem o que querem. Como disse certa vez Henry Ford: "Se eu perguntasse a meus clientes o que eles queriam, teriam respondido que era um cavalo mais rápido."

Patrick Whitney, diretor do Instituto de Design do Instituto de Tecnologia de Illinois, a maior faculdade de design dos Estados Unidos, disse que os grupos de usuários não são adequados à inovação tecnológica. Tradicionalmente, a indústria de tecnologia tem realizado estudos cuidadosamente controlados sobre novos produtos, especialmente interfaces. Esses estudos sobre a interação entre homem e computador são, de modo geral, realizados depois que um produto é projetado, para ver o que funciona conforme esperado e o que necessita ser aperfeiçoado. Por definição, esses estudos precisam de usuários que não tenham familiaridade com a tecnologia, senão vão distorcer o resultado. "Os grupos de usuários precisam de usuários ingênuos", explicou Whitney. "Mas esses mesmos usuários não podem lhe dizer o que querem. Você tem que observá-los para descobrir o que querem."

Whitney disse que a Sony jamais teria inventado o Walkman se tivesse escutado seus usuários. A empresa, na verdade, realizou muitas pesquisas antes de lançá-lo. "Todos os dados de marketing diziam que o Walkman seria um fracasso. Estava bem claro: ninguém iria comprá-lo. Mas [o fundador Akio] Morita o levou adiante assim mesmo. Ele sabia. Jobs também é assim. Não precisa de grupos de usuários porque ele é um especialista em experiência do usuário."[8]

"Temos muitos clientes e fazemos muitas pesquisas dentro dessa base de clientes já existente", disse Jobs à *Business Week*. "Também observamos com muito cuidado as tendências da indústria. Mas, no final, considerando-se uma coisa tão complicada, é realmente difícil projetar produtos por meio de grupos de foco. Muitas vezes as pessoas só sabem o que querem depois que você mostra a elas."[9]

Jobs é o grupo de foco de um só homem da Apple. Uma das suas maiores vantagens é que ele não é engenheiro. Jobs não tem treinamento formal em engenharia ou programação. Não tem um MBA. Na verdade, não é formado em coisa alguma, pois abandonou a faculdade. Jobs não pensa como um engenheiro, mas sim como um leigo, o que faz dele a mais perfeita bancada de testes para os produtos da Apple. Ele é o Homem Comum da Apple, o cliente ideal da empresa. "Tecnicamente, ele está no nível de um amador sério", disse Dag Spicer, curador sênior do Museu da História do Computador em Mountain View, na Califórnia. "Ele não teve treinamento formal, mas trabalha com tecnologia desde a adolescência. Tem conhecimentos técnicos suficientes para seguir as tendências, como um bom analista do mercado de ações. Tem o ponto de vista do leigo. É uma grande vantagem."[10]

Guy Kawasaki, que já foi o *chief evangelist* da Apple, contou-me que o movimento dentro da empresa por grupos de foco e pesquisas de mercado é um número negativo — e ele estava exagerando muito pouco. A Apple, como a maioria das corporações, gasta dinheiro fazendo pesquisas junto a seus clientes, mas Jobs certamente não faz levantamentos junto aos usuários quando está desenvolvendo novos produtos. "Steve Jobs não faz pesquisa de mercado", disse Kawasaki. "Para ele, pesquisa de mercado é o hemisfério direito falando com o hemisfério esquerdo."[11]

O design do OS X demonstra como Jobs funciona como o grupo de foco de um homem só da Apple. Ao se concentrar na experiência do consumidor, Jobs orienta o design e o projeto em direção à solução mais simples. Um dos instintos mais apurados de Jobs é o de remover recursos e simplificar: seja quanto à lista de produtos fabricados pela Apple ou quanto ao número de botões em uma caixa de diálogo de um aplicativo.

Lições de Steve

Seja um déspota. Alguém tem que dar as ordens. Jobs é o grupo de foco de um só homem da Apple. Não é assim que as outras empresas fazem, mas funciona.

Gere alternativas e escolha a melhor. Jobs insiste em ter opções.

Crie os projetos pixel a pixel. Desça até os mínimos detalhes. Jobs prestava atenção aos detalhes. Você também deve fazer isso.

Simplifique. Simplificar significa despojar. Aí está, mais uma vez, o foco de Jobs: simplificar significa dizer "não".

Não tenha medo de começar do zero. Valeu a pena refazer o Mac OS X, mesmo à custa do trabalho de mil programadores durante três anos a fio.

Evite o efeito Osborne. Mantenha em segredo os lançamentos até que estejam prontos para serem vendidos, sob pena de ver seus compradores pararem de comprar o produto atual enquanto esperam o novo.

Não cuspa no prato em que come. Os engenheiros da Apple detestavam o velho Mac OS, mas Jobs determinou que olhassem para ele de forma positiva.

Quando se trata de ideias, qualquer coisa vale. Jobs não é partidário dos designs radicais, mas está disposto a experimentar coisas novas.

Encontre uma maneira fácil de apresentar novas ideias. Se isso significa espalhar folhas de papel sobre uma grande mesa de reuniões, arranje uma impressora grande.

Não ouça seus compradores. Eles não sabem o que querem.

Capítulo 3
Perfeccionismo

Design de produtos e a busca da excelência

"Seja um padrão de qualidade. Algumas pessoas não estão acostumadas a um ambiente em que se espera excelência."

— *Steve Jobs*

Em janeiro de 1999, na véspera da apresentação de uma nova linha de iMacs multicoloridos, Steve Jobs estava ensaiando sua apresentação do produto em um grande auditório próximo à sede da Apple. Um repórter da *Time* estava sentado no auditório vazio, vendo Jobs ensaiar o grande momento em que os novos iMacs seriam apresentados pela primeira vez ao público. Cinco dessas máquinas, numa série de cores vivas, estavam montadas em um pódio deslizante escondido atrás de uma cortina, prontas para assumir o centro do palco a um sinal de Jobs.

Jobs queria que o momento em que as máquinas deslizassem para fora da cortina fosse projetado em uma grande tela de vídeo que ficava por cima do palco. Os técnicos prepararam tudo, mas Jobs achava que a iluminação não estava fazendo justiça às máquinas translúcidas. Os iMacs tinham uma boa aparência no palco, mas perdiam a presença na tela de projeção. Jobs queria que as luzes fossem mais fortes e que fossem ligadas mais cedo. Ele diz ao produtor que tente outra vez. Falando em seu headset, o produtor passa as instruções à equipe dos bastidores. Os iMacs deslizam para trás da cortina e, quando é dado o sinal, deslizam novamente para fora.

Mas a iluminação ainda não está certa. Jobs vem correndo até a metade do corredor e desaba em uma cadeira, com as pernas penduradas nas costas da cadeira em frente. "Vamos continuar fazendo até ficar bom, o.k.?", determina ele.

Os iMacs deslizam de novo para trás da cortina e saem novamente, mas ainda não está certo. "Não, não", diz ele, balançando a cabeça. "Não está nada bom." Eles fazem de novo. Dessa vez as luzes estão suficientemente fortes, mas são acesas muito tarde. Jobs está começando a perder a paciência. "Já estou ficando cheio desta história", rosna ele.

A equipe repete tudo pela quarta vez e finalmente a iluminação fica ótima. As máquinas cintilam no imenso telão. Jobs fica encantado. "Ah! Agora sim! Está ótimo!", grita ele. "Está perfeito! Uau!"

Tendo acompanhado aquilo tudo, o repórter da *Time* está totalmente perplexo quanto ao porquê de tanto esforço investido em um simples detalhe de iluminação. Parece trabalho demais para uma parte tão pequena do espetáculo. Por que investir tanto suor para fazer com que todos os menores detalhes fiquem certos? Antes, Jobs estava discursando sobre as novas tampas de rosca das garrafas de suco Odwalla, o que representava mais um enigma para o repórter. Que importância têm as tampas de rosca das garrafas ou o fato de que as luzes do palco sejam acesas um segundo antes da abertura da cortina? Que diferença fazem essas coisas?

Mas quando os iMacs entram em cena, luzes reluzentes sobre eles, o repórter fica extremamente impressionado. E escreve: "Sabe do que mais? Ele está certo. Os iMacs ficam com uma aparência muito melhor quando as luzes são acesas um pouco antes. As garrafas de Odwalla ficam melhores com tampas de rosca. O homem comum queria mesmo computadores coloridos com acesso plug-and-play à internet."[1]

Jobs é insistente quanto a detalhes. É minucioso, chato e perfeccionista, enlouquecendo os subordinados com seu detalhismo. Mas onde alguns veem um perfeccionismo exacerbado, outros veem a busca da excelência.

Jobs e sua busca da perfeição

O espírito de intransigência de Jobs inspirou uma abordagem singular de desenvolvimento de produtos na Apple. Sob sua orientação, desenvolvem-se produtos ao longo de rodadas quase infinitas de modelos e protótipos que são constantemente editados e revistos. Isso se aplica tanto ao hardware quanto ao software. Os produtos são passados para lá e para cá entre designers, programadores, engenheiros e gerentes — e depois o processo se repete. Não há uma cadeia definida. Há muitas reuniões e sessões de brainstorming. O trabalho é revisado uma infinidade de vezes, com ênfase na simplificação à medida que evolui. É um processo fluido e interativo, que às vezes significa voltar à prancheta de desenho ou até mesmo abandonar o produto por completo. Como a apresentação dos iMacs, as coisas são feitas repetidas vezes até que fiquem da maneira certa.

Ao longo do processo de design, Jobs insiste em uma atenção inusitada aos detalhes, o que assegura que a Apple apresente produtos com uma adequação e acabamento dignos de um artesão. Os produtos da marca vêm constantemente ganhando prêmios de design, grandes e pequenos, instilando em seus consumidores uma fidelidade que beira a mania.

A busca da excelência por Jobs é o segredo do notável design da Apple. Para Jobs, design não é decoração. Não é a aparência superficial de um produto. Não é apenas a cor ou os detalhes estilísticos. Para ele, design é a maneira como um produto funciona. Design é *função*, não forma. E, para se compreender corretamente como o produto funciona, ele tem que ser totalmente discutido no processo de design. Como explicou Jobs durante uma entrevista para a *Wired*, em 1996: "Design é uma palavra engraçada. Alguns acham que design significa a aparência. Mas é claro que, se você for mais fundo, na verdade diz respeito a como a coisa funciona. O design do Mac não era sua aparência, embora isso também fizesse parte. Era sobretudo como ele funcionava. Para criar um design realmente bom, você tem que compreender a coisa. Tem que internalizar a essência dela. É preciso um envolvimento apaixonado para compreender uma coisa em sua totalidade, mastigá-la completamente, e não apenas engoli-la rápido. A maior parte das pessoas não se permite tempo suficiente para fazer isso."

O primeiro Macintosh levou três anos para ser desenhado. Três anos de trabalho inacreditavelmente árduo. Não foi feito à força dentro da frenética programação que é típica de muitos produtos tecnológicos. Passou por revisões e revisões. Cada aspecto do seu design, desde a tonalidade exata de bege do seu gabinete até os símbolos do teclado, foi exaustivamente trabalhado, retrabalhado e trabalhado novamente, até ficar certo. Como disse o escultor romeno Constantin Brancusi: "Simplicidade é complexidade resolvida."

"Quando você começa a olhar para um problema e acha que ele é simples, você não compreende quão complexo ele realmente é", disse Jobs aos designers do Mac em 1983. "Depois que você mergulha no problema... percebe que ele é complicado e começa a encontrar muitas soluções rebuscadas. É aí que a maior parte das pessoas para e as soluções tendem a funcionar por algum tempo. Mas alguém realmente bom vai continuar, vai descobrir o problema que está por trás de tudo e vai encontrar uma solução elegante que funcione em todos os níveis. É o que queríamos ao fazer o Mac."[2]

No começo

É claro: parte do design *é* a estética. O interesse de Jobs pela estética dos computadores remonta aos tempos do primeiro computador da companhia, o Apple I. Desenhado por Steve Wozniak e montado à mão na garagem dos pais de Jobs, o Apple I era pouco mais do que uma placa-mãe básica coberta com alguns chips. Naquela época, os computadores pessoais eram vendidos para um nicho de público minúsculo: engenheiros barbudos e hobbistas. Eles compravam seus computadores em peças avulsas e as soldavam sobre uma bancada. Acrescentavam-lhe uma fonte elétrica, um monitor e um gabinete. A maioria criava gabinetes em madeira, geralmente usando velhos caixotes de laranja. Um deles colocou a placa-mãe de seu Apple I em uma valise de couro — com um fio de abajur saindo por trás — para criar o que deve ter sido o primeiro laptop.

Jobs não gostava dessa estética amadora e hobbista. Queria vender computadores acabados a consumidores que pagassem por eles — quanto mais, melhor. Para atrair compradores comuns, os computadores da Apple tinham que parecer produtos de verdade, e não kits do tipo "faça você mesmo". O que os computadores precisavam era de bons gabinetes que definissem sua função como produtos de consumo. A ideia era construir utensílios de computação já montados — um utensílio pronto para o uso, que não precisasse de montagem, como uma máquina de fazer café. Era só ligar na tomada e você já estaria pronto para começar a computação.

A cruzada pró-design de Jobs começou com o Apple II, que saiu da prancheta pouco depois da incorporação da empresa, em 1976. Enquanto Wozniak trabalhava no hardware pioneiro (pelo qual ganhou um lugar no National Inventors Hall of Fame, a galeria de honra dos inventores dos Estados Unidos), Jobs concentrava-se no gabinete. "Estava claro para mim que, para cada hobbista de hardware que queria montar seu próprio computador, havia mil pessoas que não sabiam fazer isso, mas queriam mexer com programação... assim como eu quando tinha 10 anos. Meu sonho para o Apple II era vender o primeiro computador realmente completo... Eu cismei que queria o computador dentro de um gabinete de plástico."[3]

Não havia ninguém colocando computadores em gabinetes de plástico. Para ter uma ideia da aparência que ele teria, Jobs começou a frequentar lojas de departamento em busca de inspiração. Encontrou-a na seção de cozinha do Macy's quando examinava processadores de alimentos Cuisinart. Lá estava aquilo de que o Apple II precisava: um belo gabinete de plástico moldado com bordas suaves, cores discretas e uma superfície levemente texturizada.

Como não sabia nada sobre desenho industrial, Jobs começou a procurar um designer profissional. Como sempre, começou de cima. Entrou em contato com duas das melhores empresas de design do Vale do Silício, mas foi rejeitado porque não tinha dinheiro suficiente. Ofereceu-lhes ações da Apple, que naquela época não tinham valor, mas logo valeriam milhões. Mais tarde essas empresas viriam a lamentar aquela decisão.

Perguntando aqui e ali, Jobs acabou encontrando Jerry Manock, um designer freelancer que tinha saído da Hewlett-Packard um mês antes e precisava de trabalho. Foi um encontro feliz. Jobs tinha muito pouco dinheiro e Manock estava quase falido. "Quando Steve me pediu para desenhar o gabinete para o Apple II, não me passou pela cabeça dizer não", disse ele. "Mas pedi o pagamento adiantado."[4]

Manock desenhou um gabinete utilitário cuja forma foi ditada pela placa-mãe de Wozniak. A consideração mais importante era de que ele pudesse ser fundido de forma rápida e barata. Manock pôs na frente uma cunha inclinada para o teclado embutido e fez a parte de trás mais alta, para acomodar os slots de expansão. Jobs queria que ele tivesse uma aparência bonita quando os usuários abrissem o gabinete e pediu a Manock que fizesse os gabinetes cromados por dentro, mas Manock o ignorou, e Jobs não insistiu no ponto.

Para que o gabinete ficasse pronto para a grande estreia do Apple II na primeira West Coast Computer Faire — feira de computadores da Costa Oeste —, em abril de 1977 (hoje considerada o evento que marcou o nascimento da indústria de computadores pessoais), Manock tinha um pequeno lote de gabinetes feitos em uma oficina barata de moldagem de plásticos que havia na cidade. Quando as peças chegaram, eram bastante toscas. Tiveram que ser lixadas para fazer com que as tampas se encaixassem nas bases, e algumas tiveram que ser emassadas e pintadas para ficarem apresentáveis. Manock preparou vinte para a feira, mas apenas três estavam completas, com placas de circuitos dentro. Jobs colocou essas máquinas sobre o balcão. Empilhou as máquinas vazias restantes — muito profissional — no fundo do estande. "Comparadas ao material primitivo que se via pela feira, nosso plástico bem-acabado deixava todos os outros para trás", lembra-se Manock. "Embora a Apple tivesse apenas uns poucos meses de existência, os gabinetes de plástico deram a impressão de que já havíamos alcançado um grande volume de produção."[5]

O gabinete moldado ajudou Jobs a posicionar o Apple II como um artigo de consumo, tal como a Hewlett-Packard havia feito com a calculadora de bolso. Até que Bill Hewlett desenhasse a primeira calculadora "de bolso", a maioria das calculadoras era de modelos grandes, caros e de mesa. Os primeiros estudos de marketing da HP estimaram que havia um mercado total para umas cinquenta mil calculadoras de bolso, se tanto. Mas Bill Hewlett instintivamente pressentiu que os cientistas e os engenheiros adorariam ter uma pequena calculadora em um esguio gabinete de plástico que eles pudessem pôr no bolso. Ele tinha razão. A HP vendeu cinquenta mil das hoje clássicas calculadoras HP-35 logo nos primeiros meses. A embalagem fez toda a diferença.

Da mesma forma, a embalagem do Apple II em um simpático gabinete de plástico fez com que o computador pessoal, antes um projeto para hobbistas excêntricos, se transformasse em um aparelho pronto para o uso dos consumidores comuns. Jobs esperava que o Apple II atraísse os aficionados por software, e não somente os hobbistas interessados em mexer com eletrônica, e foi o que aconteceu. Dois estudantes de programação de Harvard, Dan Bricklin e Bob Frankston, criaram o VisiCalc — a primeira planilha —, que logo se tornou a *Killer app.* (aplicação essencial) do Apple II. O VisiCalc permitiu que entediantes cálculos das empresas fossem automatizados. Os livros-caixa das empresas, cujos cálculos consumiam horas de trabalho dos contadores, de repente ficaram corriqueiramente fáceis de manter. O VisiCalc e o Apple II tornaram-se equipamento obrigatório para todas as empresas. As vendas do Apple II passaram de 770 mil dólares em 1977 para 49 milhões de dólares em 1979 —, fazendo do Apple II o computador pessoal com as vendas mais rápidas de sua época.

Jobs adota a religião do design

Com o sucesso galopante do Apple II, Jobs começou a levar a sério o desenho industrial. O design era um diferencial determinante entre a filosofia "amigável ao consumidor" e "funciona logo que sai da caixa" da Apple e a embalagem utilitária e "básica" dos primeiros rivais, como o PC da IBM.

Em março de 1982, Jobs decidiu que a Apple precisava de um desenhista industrial de "nível mundial", de reputação internacional. Jerry Manock e demais membros da equipe de design da Apple não preenchiam os requisitos. No início dos anos 1980, o design estava se tornando uma força importante na indústria, especialmente na Europa. O sucesso inesperado do Memphis, um grupo italiano de design de produtos e móveis que dominou o design no início dos anos 1980, convenceu Jobs de que aquele era o momento certo para trazer a elegância refinada e a qualidade do melhor design ao negócio dos computadores. Jobs estava especialmente interessado em criar uma linguagem de design uniforme para todos os produtos da companhia. Queria dar ao hardware a mesma consistência de design que a Apple começava a alcançar no software, tornando-o instantaneamente reconhecível como um produto da Apple. A companhia organizou um concurso de design, pedindo aos candidatos tirados de revistas especializadas como a *I.D.* que desenhassem sete produtos, cada um com o nome de um dos anões da Branca de Neve.

O vencedor foi Hartmut Esslinger, um desenhista industrial alemão de 30 e tantos anos que, como Jobs, abandonou a faculdade e tinha muita garra e ambição. Esslinger ganhara visibilidade ao trabalhar para a Sony desenhando TVs. Em 1983, Esslinger emigrou para a Califórnia e abriu seu próprio estúdio, Frog Design, Inc., prestando serviços exclusivos para a Apple pela soma sem precedentes de 100 mil dólares por mês, acrescida de horas trabalhadas e reembolso de despesas.[6]

Esslinger criou para a Apple um estilo característico que veio a ser conhecido como a linguagem de design "Branca de Neve", que dominaria o design dos gabinetes de computador por uma década — e não apenas na Apple, mas em toda a indústria de computadores.

A linguagem "Branca de Neve" de Esslinger caracterizava-se pelo uso inteligente de chanfros, biséis e cantos arredondados. O Macintosh SE, um notório computador autocontido, é um exemplo típico do uso desses elementos pela Apple. O SE tinha um gabinete vertical com uma tela que lembrava um rosto. A máquina era elegante, mas tinha uma personalidade única e amigável.

Como Jobs, Esslinger estava sempre de olho nos detalhes. Um dos elementos de design que se tornou uma verdadeira marca registrada foi o uso de listras verticais e horizontais que inteligentemente quebravam as linhas duras e grandes dos gabinetes, fazendo-os parecer menores do que eram.

Muitas dessas listras também serviam como fendas de ventilação, precisamente fabricadas com seções cruzadas em forma de S, o que impedia que objetos como clipes fossem introduzidos nelas. Esslinger também insistia no uso dos processos de fabricação da mais alta qualidade, e convenceu Jobs a adotar uma técnica especializada de moldagem conhecida como *zero-draft*. Embora dispendiosa, essa modelagem tornava os gabinetes da Apple pequenos e precisos, com o tipo de encaixe e acabamento que Jobs aprovava com entusiasmo. Tornava também os gabinetes muito difíceis de serem copiados por falsificadores — naquela época a Apple tinha problemas com imitações baratas.

Os designs "Branca de Neve" da Apple ganharam dezenas de prêmios, e as ideias foram tão amplamente adotadas pelos concorrentes que se tornaram o padrão não oficial da indústria para o design de gabinetes. Todos os computadores bege vendidos durante os anos 1980 e 1990 pela Dell, IBM, Compaq e outras hoje em dia se parecem muito por conta do design "Branca de Neve".

O Macintosh, o "Volkscomputer" de Jobs

Antes que Ellslinger se tornasse o designer principal, Jobs já estava aperfeiçoando sua sensibilidade profissional. Em 1984, enquanto trabalhava no Macintosh original, Jobs começou a desenvolver um processo de design marcado pela revisão constante dos protótipos. Sob sua orientação direta,

Jobs encarregou Manock de criar a caixa externa para o Mac. Naquela época funcionário em tempo integral da Apple, Manock trabalhou em estreita colaboração com outro talentoso designer da companhia, Terry Oyama, que fez a maior parte do projeto inicial.

Jobs queria que o Mac fosse uma espécie de Volkswagen sem excentricidades — um computador barato e democrático para as massas. Para tornar seu "Volkscomputer" barato de produzir, Jobs tomou como exemplo um dos seus heróis, Henry Ford. Jobs iria oferecer uma só configuração para o Mac, como o Modelo T, a respeito do qual se dizia que podia vir em qualquer cor, contanto que fosse preto. O Mac original viria em bege, não teria slots de expansão e teria uma memória muito limitada. Essas eram decisões muito controversas na época, e muitos apostavam que elas iriam fazer com que a máquina fracassasse. Ninguém compraria um computador tão pouco potente que não fosse facilmente atualizável. Porém, como Ford, Jobs tomou a decisão primeiramente para poupar dinheiro em custos de produção. Mas ela também tinha um efeito secundário que Jobs previa ser benéfico para o consumidor: simplificava a máquina.

Jobs queria que o Mac fosse imediatamente acessível a qualquer pessoa que o comprasse, quer ela já tivesse visto um computador ou não. Insistia em que o novo usuário não deveria ter que configurá-lo antes de usá-lo; não deveria ter que conectar o monitor ao gabinete; e com certeza não deveria ter que aprender nenhum conjunto hermético de comandos para usá-lo.

Para simplificar a instalação do Mac, Jobs e a equipe de design decidiram que a tela, suas unidades de disco e seus circuitos estariam todos alojados no mesmo gabinete, com um teclado destacável e um mouse que era conectado na parte de trás. Esse design autocontido permitiria que eles dispensassem todos os fios e tomadas dos outros PCs. E, para fazer com que ocupasse menos espaço sobre a mesa, o Mac teria uma orientação vertical, pouco comum à época. Isso colocou a unidade de disco abaixo do monitor, em vez de ficar ao lado, como nas outras máquinas daquela época, que tinham a forma achatada de uma caixa de pizza.

O layout vertical deu ao Mac uma aparência antropomórfica: ele parecia um rosto. A fenda para a unidade de disco parecia uma boca, e o recesso do teclado na parte de baixo, o queixo. Jobs tirou proveito disso. Queria que o Mac fosse amigável e fácil de usar, e orientou a equipe de design para tornar o gabinete "amigável". A princípio, os designers não tinham ideia do que ele queria dizer com isso. "Embora Steve não tenha desenhado nenhuma das linhas, suas ideias e sua inspiração fizeram do design o que ele é", disse mais tarde Oyama. "Para ser sincero, no início do projeto não sabíamos o que significava um computador 'amigável', até que Steve nos explicou seu conceito."[7]

Jobs não gostava do design do antecessor do Mac, o Lisa, que tinha uma larga faixa de plástico acima de sua tela. Isso lembrava a Jobs a testa de um Cro-Magnon. Ele insistia em que a testa do Mac deveria ser muito mais esguia e mais inteligente. Jobs também queria que o gabinete fosse durável e resistente a arranhões. Manock selecionou um tipo de plástico ABS rígido — o mesmo tipo usado para os blocos Lego — e deu-lhe uma fina textura que iria disfarçar os arranhões. Manock deu-lhe uma cor bege, Pantone 453, que achou que envelheceria bem sob luz solar. As cores mais claras usadas nas máquinas anteriores acabavam virando um feio alaranjado claro. Além disso, um tom de terra parecia ser a cor que iria combinar melhor com o interior dos escritórios e residências, além de ser parecida com a que a Hewlett-Packard estava usando em seus computadores. E assim começou uma tendência em computadores e equipamentos de escritório que durou aproximadamente vinte anos.

Oyama fez um modelo preliminar em gesso e Jobs reuniu quase toda a equipe de desenvolvimento para criticá-lo. Andy Hertzfeld, um dos mais importantes membros da equipe que escreveu grande parte do software do sistema, achou que ele estava bonito e atraente, e que tinha uma personalidade característica. Mas Jobs disse que ainda era possível fazer melhor. "Depois que todo mundo tinha dado sua opinião, Steve saiu despejando uma torrente de críticas impiedosas. 'Está mais parecido com uma caixa, tem que ter mais curvas. O raio do primeiro chanfro tem que ser maior, e eu não gosto do tamanho do bisel. Mas já é um começo'", rememorou Hertzfeld. "Eu nem sabia o que era um chanfro, mas Steve dominava com evidente fluência a linguagem do desenho industrial e era extremamente exigente com relação a ele."[8]

Jobs prestava muita atenção a cada detalhe. Até o mouse foi desenhado para refletir a forma do computador: tinha as mesmas dimensões, e seu único botão quadrado correspondia à forma e à posição da tela.

Havia apenas um interruptor no Mac — o interruptor para ligar/desligar. Foi colocado na parte de trás, onde o usuário não poderia esbarrar nele por acidente e desligar o computador. Por estar escondido atrás, Manock acertadamente colocou uma área lisa à volta dele para que fosse fácil de encontrar pelo tato. Pela avaliação de Manock, foi esse tipo de atenção aos detalhes que elevou o Mac ao status de objeto de interesse histórico. "Esse é o tipo de detalhe que transforma um produto comum em uma peça de interesse especial", disse Manock.

Jobs também refletiu muito sobre o modo como o design do Mac poderia ser trabalhado para determinar a interação do usuário com ele. Por exemplo, Jobs removeu todas as teclas de função e as setas do cursor, itens que eram padrão nos teclados da época. Ele não queria que os usuários pressionassem teclas de função para interagir com a máquina — para isso, teriam que usar o mouse. A ausência dessas teclas teve um outro efeito, secundário: obrigou os desenvolvedores de software a reescreverem completamente seus programas para a interface Mac, em vez de simplesmente portar seu software do Apple II com alterações mínimas. A GUI — interface gráfica com o usuário — do Mac representou uma nova maneira de interagir com computadores, e Jobs quis obrigar os desenvolvedores de software a adotá-la completamente.

A cada mês, durante vários meses, Manock e Oyama faziam novos modelos e Jobs reunia a equipe para obter seu feedback. Cada vez que havia um novo modelo, todos os anteriores eram enfileirados junto a ele para que houvesse uma comparação. "Já pelo quarto modelo, eu quase não o distinguia do terceiro, mas Steve era sempre crítico e peremptório, dizendo que adorava ou odiava um detalhe que eu mal percebia", recorda Hertzfeld. Manock e Oyama fizeram cinco ou seis protótipos antes que Jobs finalmente desse a sua aprovação, e então voltaram sua atenção para transformá-lo em um gabinete que pudesse ser produzido em massa. Para celebrar — e para reconhecer a arte de todo aquele esforço —, Jobs deu uma "festa da assinatura", que foi comemorada com champanhe e com as assinaturas dos principais membros da equipe na face interna do gabinete. "Os artistas assinam suas obras", explicou Jobs.[9] A equipe do Mac faria o mesmo.

Entretanto, quando o Mac foi finalmente lançado, em janeiro de 1984, era uma máquina muito pouco potente. Para economizar dinheiro, Jobs tinha incluído apenas 128Kb de memória, menos do que a máquina de fato precisava. Operações simples, como copiar arquivos, tornavam-se esforços penosos, exigindo que os usuários ficassem botando e tirando discos do drive. Os primeiros usuários amaram a ideia do Mac, mas não seu uso na prática. "O que me apaixonou (e acho que isso vale para todos que compraram a máquina logo no início) não foi a máquina em si, pois ela era ridiculamente lenta e pouco potente, mas a ideia romântica da máquina", escreveu Douglas Adams, autor de ficção científica.[10]

Desembalando um produto da Apple

Jobs prestava atenção a *todos os detalhes* do design da máquina, inclusive o da embalagem. Na verdade, Jobs decidiu que a embalagem do primeiro Macintosh seria parte integrante da apresentação aos consumidores de sua "revolucionária" plataforma computacional.

Nos idos de 1984, ninguém fora de uns poucos laboratórios de pesquisa havia visto algo remotamente parecido com o Macintosh. Os computadores pessoais eram usados por engenheiros de óculos e hobbistas. Os computadores eram comprados em partes e soldados em uma mesa de oficina. Executavam cálculos matemáticos e eram controlados por misteriosos comandos digitados usando um cursor que piscava na tela.

Em lugar disso, Jobs e a equipe do Mac haviam produzido uma máquina amigável com ícones e menus em inglês claro e simples, tudo controlado por um desconhecido dispositivo para apontar e clicar — o mouse.

Para ajudar os consumidores a familiarizarem-se com o mouse e os demais componentes do Mac, Jobs decidiu que eles deveriam montar o Mac sozinhos assim que o tirassem da caixa. O ato de montar a máquina iria apresentar ao usuário todos os seus componentes e transmitir-lhe uma sensação de como funcionavam.

Todas as peças — o computador, o teclado, o mouse, os cabos, os discos e o manual — eram embaladas separadamente. Jobs ajudou a desenhar a caixa minimalista decorada com uma foto em branco e preto do Mac e alguns rótulos na fonte Apple Garamond. Naquela época, Jobs falava em "elegância" e "gosto", mas suas ideias sobre embalagem apresentaram à indústria da tecnologia a "rotina de desembalagem", um ritual de familiarização que tem sido adotado por todos, da Dell aos fabricantes de telefones celulares.

A Apple ainda desenha cuidadosamente suas embalagens tendo em mente as lições introdutórias.

Em 1999, Jonathan Ive disse à revista *Fast Company* que a embalagem do primeiro iMac foi cuidadosamente desenhada para apresentar a máquina ao novo consumidor. Os acessórios do iMac, teclado e manual eram todos embalados em uma peça de espuma que também servia como uma mesa para segurá-los. Quando o consumidor retirava essa primeira peça de embalagem de espuma, via a alça do topo do iMac — o que indicava claramente que ele deveria erguer a máquina de dentro da caixa e colocá-la em uma mesa. "É isso que alças têm de bom", disse Ive. "A gente sabe para que servem."[11]

A pessoa voltava-se então, naturalmente, para a caixa dos acessórios, que ao ser aberta continha três cabos: um para a energia elétrica, um para a internet e o outro para o teclado. Ive disse que a apresentação dos itens precisamente nesta ordem — a alça do iMac e depois os cabos para ligá-lo — foi cuidadosamente pensada de modo a deixar muito claros para o consumidor, que talvez nunca houvesse comprado um computador, os passos necessários para que a máquina pudesse funcionar. "Parece simples e óbvio", disse Ive. "Só que, muitas vezes, para se chegar a esse nível de simplicidade é necessária uma enorme iteração no design. Você tem que gastar uma energia considerável compreendendo os problemas que existem e as queixas que as pessoas têm — mesmo quando elas próprias acham difícil articular essas queixas e esses problemas."[12]

Esse tipo de atenção aos detalhes pode às vezes parecer maníaco — e às vezes de fato o é. Pouco antes do lançamento do iPod, Jobs estava decepcionado com o fato de que o plugue do headphone não fazia um clique satisfatório quando ele era conectado e desconectado. Dezenas de amostras de iPods iam ser dadas aos repórteres e aos VIPs na apresentação do produto. Jobs deu instruções a um engenheiro para que instalasse em todos os iPods uma nova tomada que gerasse um clique satisfatório.

Mais um exemplo: a certa altura, Jobs quis que a placa-mãe do Mac original fosse redesenhada por motivos *estéticos*. Algumas partes da placa-mãe eram "feias", na sua opinião, e ele queria que ela fosse reconfigurada para obter um arranjo mais agradável de chips e de circuitos. Naturalmente, seus engenheiros ficaram chocados. As placas-mães são peças de tecnologia extremamente complexas. Seu layout é cuidadosamente desenhado para assegurar conexões robustas e confiáveis entre os componentes. São meticulosamente projetadas para evitar que os chips fiquem frouxos e que haja cargas elétricas passando de um circuito para outro. Redesenhar uma placa-mãe para dar-lhe uma aparência bonita não seria coisa fácil. Naturalmente, os engenheiros protestaram, dizendo que ninguém jamais iria vê-la. Mais ainda: predisseram que um novo arranjo não funcionaria, eletronicamente. Mas Jobs persistiu. "Um grande carpinteiro não vai usar madeira ordinária para a parte de trás de um armário, ainda que ninguém a veja", disse Jobs. A contragosto, os engenheiros de hardware criaram um novo projeto, investindo milhares de dólares para produzir uma placa de circuitos mais bonita. Conforme previsto, entretanto, a nova placa-mãe não funcionou e Jobs foi forçado a abandonar a ideia.[13]

A insistência de Jobs em excelência às vezes atrasa os produtos; e ele não tem a menor dificuldade de abortar projetos em que sua equipe trabalhou durante anos. Mas sua dificuldade em fazer concessões assegura que os produtos da Apple nunca sejam apressadamente enviados portas afora antes que estejam refinados a um ponto que o satisfaça. Como um grande carpinteiro, ele usa uma abordagem artesanal para a produção em massa.

O grande debate da máquina de lavar

É fato conhecido que no início dos anos 1980 Jobs morou em uma mansão com pouquíssimos móveis porque ele não suportava mobiliário abaixo do padrão. Ele dormia em um colchão, rodeado por algumas fotografias gigantescas. Mais tarde comprou um piano de cauda alemão, embora não tocasse, porque admirava seu design e o esmero de sua construção. Quando o ex-CEO da Apple, John Sculley, visitou Jobs, ficou chocado com a aparência desleixada da casa. Parecia abandonada, principalmente em comparação com os palácios meticulosamente cuidados que a circundavam. "Desculpe por eu não ter muita mobília", justificou-se Jobs a Sculley. "Ainda não tive tempo para isso."[14]

Sculley disse que Jobs não estava disposto a aceitar nada que não fosse o melhor. "Lembro-me de ter ido à casa de Steve e ele não tinha móveis, só tinha uma foto de Einstein, que ele admirava muito, e uma luminária da Tiffany, uma cadeira e uma cama", disse-me Sculley. "Ele simplesmente não acreditava em ter muitas coisas por perto, mas era incrivelmente cuidadoso com o que escolhia."[15]

Jobs tem muita dificuldade em fazer compras. Em dado momento, quando procurava um novo telefone celular, não conseguia se decidir, já que não gostava de nenhum deles. "Acabo não comprando muitas coisas", disse ele ao responder a uma pergunta sobre os aparelhos e tecnologias que compra, "porque eu as acho ridículas".[16]

Quando finalmente vai às compras, o processo pode ser trabalhoso. Procurando uma nova máquina de lavar e uma secadora, ele prendeu sua família inteira em um debate durante duas semanas sobre que modelo escolher. A família Jobs não baseou sua decisão em uma rápida olhada nas funções e no preço, como a maioria das famílias faria. Em vez disso, a discussão girou em torno do design americano versus o europeu, a quantidade de água e detergente consumida, a velocidade da lavagem e a longevidade das roupas.

"Gastamos algum tempo na nossa família falando sobre qual concessão desejávamos fazer. Acabamos conversando bastante sobre design, mas também sobre nossos valores. O mais importante para nós seria que nossa roupa fosse lavada em uma hora em vez de uma hora e meia? Ou o mais importante seria que nossas roupas ficassem bem macias e durassem mais? Seria importante usar apenas um quarto da água? Passamos cerca de duas semanas falando sobre isso toda noite à mesa do jantar. Sempre voltávamos para aquela velha discussão sobre a máquina de lavar e a secadora. E a conversa era sobre design."[17]

No final, Jobs optou por aparelhos alemães, que ele achou que eram "caríssimos" mas que lavavam bem as roupas com pouca água e pouco detergente. "Eles são, com certeza, maravilhosamente benfeitos e são alguns dos poucos produtos que compramos nos últimos anos com que estamos todos realmente contentes", disse Jobs. "Esse pessoal realmente pensou muito no processo. Fizeram um grande trabalho no projeto dessas lavadoras e secadoras. Fiquei mais entusiasmado com elas do que com qualquer exemplar de alta tecnologia em muitos anos."

O grande debate da máquina de lavar parece exagerado, mas Jobs leva os mesmos valores — e o mesmo processo — para a tarefa de desenvolver produtos na Apple. O desenho industrial na empresa não é tratado como o verniz final de um produto que já está com sua engenharia pronta, como ocorre em muitas outras. Um número enorme de companhias trata o design como a pele colada por fora no último minuto. Na verdade, em muitas companhias, o design é totalmente terceirizado. Uma firma separada irá tratar da aparência do produto — assim como uma firma separada provavelmente irá tratar da fabricação.

"É triste e frustrante que estejamos cercados de produtos que parecem ser provas de uma completa falta de cuidado", disse o líder da equipe de design da Apple, Jonathan Ive. "É isso que é interessante em um objeto. Um objeto diz muitas coisas sobre a empresa que o produziu, sobre seus valores e prioridades."

A Apple terceiriza a maior parte da sua fabricação, mas não o design de seus produtos. Exatamente ao contrário. Os desenhistas industriais da Apple estão intimamente envolvidos desde a primeira reunião.

Jonathan Ive, o designer

Inglês, com 30 e tantos anos, Ive tem o porte musculoso de um lutador e seu cabelo é cortado bem curto. Embora se pareça com um *skinhead*, Jonathan Ive é amistoso e acessível. Fala com extrema delicadeza, quase com timidez, o que é bastante inusitado para uma pessoa da sua posição no topo de uma corporação competitiva como a Apple. Ele é tão tímido e reservado que uma vez já fez Jobs subir ao palco para receber um prêmio por ele, embora estivesse lá, sentado na plateia. Os prêmios têm vindo com frequência e em grande número.

Ive já foi duas vezes indicado Designer do Ano pelo prestigiado Design Museum de Londres. Em 2006, recebeu o título de Comandante do Império Britânico, uma honra outorgada pela rainha britânica.

Pode ser difícil obter de Ive uma afirmação clara e específica. Ele tem tendência a falar de forma abstrata, e às vezes recai no jargão corporativo. Esquiva-se das perguntas pessoais, mas se começar a falar de design será difícil fazê-lo calar. Fala do assunto com grande entusiasmo, gesticulando com paixão e estalando os dedos para enfatizar algum ponto.

Em uma das apresentações de produto da Apple, pedi-lhe que fizesse alguns comentários rápidos sobre o design do gabinete de alumínio que aloja as sofisticadas estações de trabalho profissionais da Apple (o mesmo gabinete vem sendo usado há vários anos em uma série de produtos, do Power Mac G5, de 2003, ao atual Mac Pro), que são feitas de austeras chapas de alumínio bruto tão simples quanto o monolito alienígena do filme *2001, uma odisseia no espaço.*

Ele estava simplesmente encantado ao descrever a filosofia — e todo o trabalho árduo — por trás do design da máquina. Assim como seu chefe, Ive é movido pelo desejo de simplificar. Descreveu o processo de design como uma simplificação através de sucessivas iterações. "Acho que, ao fazer qualquer coisa, você se sente especialmente satisfeito com algo que acabou de desenvolver", disse ele. "Este aqui foi realmente difícil." Ive caminhou até um modelo que estava em exposição por perto. Indicou seu despojado gabinete de alumínio. "Há um estilo utilizado para ser minimalista e simples, e, por outro lado, há a verdadeira simplicidade", disse ele. "Isso parece simples porque realmente é simples."

Ive disse que mantê-lo simples foi a filosofia geral de design para a máquina. "Queríamos nos livrar de tudo que não fosse absolutamente essencial, mas não se vê esse esforço", disse. "Muitas vezes começamos do zero. 'Precisamos dessa peça? Podemos fazê-la desempenhar a função das outras quatro peças?' Reduzir e reduzir acabou se tornando um exercício, mas isso torna mais fácil a construção, e, para as pessoas, torna mais fácil trabalhar."

Então Ive lançou-se em uma apaixonada descrição de vinte minutos sobre o design do novo computador. Ele ainda se estenderia mais, se não tivesse sido interrompido por um membro da equipe de RP da Apple, que lhe lembrou que ele tinha outros compromissos. Para Ive, aquilo era mais forte que ele. O design é sua vocação. É só fazê-lo começar e ele vai falar extensamente, com grande sinceridade e entusiasmo, sobre o design de algo tão ilusoriamente simples quanto um fecho para um painel de acesso. Antes de nos despedirmos, pedi a Ive que comparasse o Power Mac G5 aos computadores de alto design do mundo dos PCs que rodam Windows, como os da Alienware ou da Falcon Northwest. Essas máquinas às vezes se parecem com carros customizados de alta potência, decoradas com labaredas pintadas ou grades cromadas.

"As coisas se tornam realmente mais potentes quando você não sobrepõe um verniz fingindo que são potentes", disse ele. "Eu o vejo como uma ferramenta. Ele é uma ferramenta extremamente potente. Não existe fachada de plástico que reforce o fato de que é uma ferramenta realmente potente. É muito, muito óbvio que ele é o que é." E continuou: "Do ponto de vista de um designer, não estamos em um jogo de aparências. Ele é muito utilitário. É o uso do material de uma forma bastante minimalista."

A explicação improvisada de Ive sobre o gabinete de alumínio do computador revela muita coisa sobre o processo de design que o produziu: o impulso de reduzir e simplificar, a atenção aos detalhes e o respeito aos materiais. Além disso, há a paixão e a garra de Ive. Todos esses fatores contribuem para o singular processo de design de Ive.

Uma queda por protótipos

Ive e sua mulher, Heather, moram com seus pequenos gêmeos em uma casa próxima ao alto de Twin Peaks, com a vista de São Francisco. A casa é descrita como "sem ostentação", mas Ive dirige o carro favorito de James Bond — um Aston Martin de 200 mil dólares.

No início, ele queria projetar carros. Fez um curso na Central Saint Martins Art School, em Londres, mas achou os alunos estranhos demais. "Eles faziam 'vrum, vrum' quando estavam desenhando", disse ele.[18] Preferiu, então, matricular-se em um curso de design de produtos na Newcastle Polytechnic.

Foi em Newcastle que Ive adquiriu uma queda por protótipos. Clive Grinyer, estudante como ele e mais tarde um de seus colegas, lembra uma visita ao apartamento de Ive em Newcastle. Ficou perplexo ao vê-lo cheio de centenas de modelos em *foamcore* do seu projeto final: uma combinação de aparelho para surdez com microfone para auxiliar os professores a comunicarem-se com alunos surdos. A maioria dos estudantes de design construía cinco ou seis modelos do seu projeto. Ive "se concentrava naquilo que estava tentando realizar com mais intensidade do que qualquer pessoa que já conheci", disse Grinyer.[19]

Parece estranho, mas Ive não tinha a menor afinidade com computadores quando era estudante. "Todo o tempo que passei na faculdade, tive sérios problemas com os computadores", disse Ive. "Estava convencido de que era tecnicamente inepto."[20] Mas, pouco antes de sair de Newcastle, em 1989, ele descobriu o Mac. "Lembro-me de ter ficado estupefato com o fato de ser tão melhor do que qualquer outra coisa que eu já tivesse tentado usar", disse. "Fiquei impressionado com o cuidado com que era tratada toda a experiência do usuário. Tive uma sensação de conexão, por meio do objeto, com seus designers. Comecei a me informar mais sobre a empresa: como havia sido fundada, seus valores e sua estrutura. Quanto mais eu ficava sabendo sobre essa companhia ousada — quase rebelde —, mais ela me atraía, por apontar, muito claramente, para uma alternativa em uma indústria complacente e criativamente falida. A Apple defendia ideais e tinha uma razão de ser que não era apenas obter lucros."

Com o passar dos anos, os computadores o impressionavam cada vez mais. Em uma entrevista para a revista *Face*, explicou que é fascinado por sua natureza multifuncional. "Nenhum outro produto muda de funções como um computador", disse. "O iMac pode ser uma jukebox, uma ferramenta para editar vídeos, um modo de organizar fotografias. Você pode desenhar com ele, escrever com ele. Como o que ele faz é tão novo e tão mutável, nos permite usar materiais novos, criar novas formas. As possibilidades são infinitas. Eu adoro isso."

Em 1989, depois de sair de Newcastle, Ive cofundou, em Londres, a organização coletiva de design Tangerine, onde trabalhou em uma ampla gama de produtos, de vasos sanitários a pentes de cabelo. Mas achou frustrante o trabalho por encomenda. Por estar do lado de fora, tinha pouca influência sobre o resultado de suas ideias dentro da empresa.

Em 1992, recebeu um telefonema da Apple pedindo-lhe que apresentasse alguns conceitos para os primeiros laptops. A companhia ficou tão impressionada que Ive foi contratado como designer e mudou-se para a Califórnia. Mas, como a Apple entrou em declínio durante esse período, o design foi relegado a um porão empoeirado. Os gerentes da empresa começaram a observar os concorrentes em busca de inspiração. Queriam grupos de foco. Ive esteve perto de pedir demissão. Trabalhava independentemente e sozinho. Continuava a projetar protótipos de produtos, mas frequentemente ficavam restritos a uma prateleira em sua sala. Jobs descobriu Ive enquanto ele trabalhava sozinho em seu escritório, reconheceu seu talento e o promoveu.

É claro que as coisas ficaram muito diferentes depois do retorno de Jobs. Ive continuava sendo o mesmo designer de antes, mas os resultados eram absolutamente inversos.

Ive lidera uma equipe relativamente pequena, de uns 12 designers industriais, que trabalham juntos na Apple há muitos anos. "Reunimos uma equipe de design celestial", diz Ive.[21] O grupo trabalha em um estúdio muito particular, afastado das demais instalações da Apple. Alojado em um prédio sem nada de especial, o estúdio é vedado à maioria dos funcionários da Apple para que não revelem os produtos que estão sendo projetados. O acesso é franqueado a alguns poucos e seletos detentores de passes eletrônicos autorizados; portas e janelas têm sua privacidade resguardada por vidro fumê. Até Sculley era proibido de entrar. "Tínhamos um executivo furioso naquela época", disse Robert Brunner, chefe do grupo de design na época.[22]

Dentro do estúdio há muito pouco espaço pessoal. Não há baias ou escritórios. É um grande espaço aberto com várias áreas comuns de design. É cheio de máquinas caras e de última geração para fazer protótipos: impressoras 3D, potentes estações de trabalho para CAD (Design Assistido por Computador) e ferramentas de máquina CNC (Controle Numérico por Computador). Há também um possante sistema de som despejando o dia inteiro música eletrônica, parte da qual é enviada da Grã-Bretanha pelos amigos de Ive. Ele é, confessadamente, louco por música, e amigo íntimo de John Digweed, DJ e um dos grandes nomes da música techno.

No quesito ferramentas, não há economia alguma. Em vez de contratar mais e mais designers, Ive aloca seus recursos para os equipamentos de criar protótipos. "Mantendo uma equipe central pequena e investindo significativamente em ferramentas e processos, podemos trabalhar com um nível de colaboração que parece particularmente raro", disse Ive. "Na verdade, a lembrança de como nós trabalhamos vai permanecer além dos produtos do nosso trabalho."[23]

Ive diz que a equipe, pequena e íntima, é crucial para a criatividade e a produtividade. Ele nega que as inovações da Apple venham individualmente de um ou outro designer: são resultado da equipe trabalhando em conjunto. É um processo de "aprender coletivamente as coisas e de melhorar naquilo que fazemos. Uma das marcas registradas da equipe é a curiosidade, é ficar entusiasmado quando erra porque isso significa que você descobriu algo de novo".[24]

Sempre que fala do seu trabalho, Ive ressalta a equipe. Ele não tem ego. Quando Digweed conheceu Ive, levou meses para descobrir qual sua verdadeira função na Apple. "Jonathan me dizia como eles tinham projetado diversas coisas, e eu ficava pensando: 'Meu Deus, o trabalho dele é usado por pessoas criativas no mundo inteiro todos os dias, mas ele não tem a menor vaidade por isso.'"[25]

O processo de design de Ive

Ive sempre diz que a simplicidade dos designs da Apple é ilusória. Para muita gente, os produtos parecem óbvios. São tão simples e despojados que parece não haver um design envolvido. Não há babados nem adereços chamando atenção para o design. Porém, para Ive, é justamente aí que está a questão. Nossa tarefa, disse ele, é "resolver problemas incrivelmente complexos e fazer com que sua solução pareça inevitável e incrivelmente simples, de modo que as pessoas não percebam como a coisa foi difícil".[26]

A simplicidade é o resultado de um processo de design caracterizado por gerar um monte de ideias e depois refiná-las — do mesmo modo como o software da Apple é projetado. Na Apple, o processo envolve inúmeras equipes, não apenas designers. Engenheiros, programadores e até o pessoal de marketing também estão envolvidos. Os desenhistas industriais de Ive participam desde o ponto de partida de todos os projetos. "Estamos envolvidos desde o princípio", disse Ive. "Há uma colaboração muito natural e constante com Steve, com o pessoal de hardware e de software. Acho que essa é uma das coisas que são diferentes na Apple. Quando estamos desenvolvendo ideias, não há uma arquitetura final estabelecida. Acho que é nesses primeiros estágios, quando ainda está muito aberto à exploração, que você encontra as oportunidades."[27]

Para encontrar essas oportunidades, Jobs geralmente evita uma sequência definida ou um design passo a passo, no qual os produtos são passados de uma equipe para a próxima e há poucas idas e vindas entre os diversos departamentos. Não é o que costuma ocorrer nas outras empresas. Jobs diz que é como ver um protótipo de um carro superlegal em uma feira de automóveis e, quando o modelo de produção é lançado, quatro anos depois, é uma porcaria. "E você diz: o que aconteceu? Eles já tinham um modelo! Já o tinham na palma da mão! Jogaram tudo por água abaixo!... O que aconteceu foi que os designers tiveram uma ideia brilhante. Então a levam para os engenheiros, que dizem: 'Não, não podemos fazer isso. Isso é impossível.' Então ela já fica muito pior. Em seguida a levam para o pessoal de fabricação e eles dizem: 'Não podemos construir isso!' E fica ainda pior."[28]

Nas entrevistas, Ive fala sobre "profunda colaboração", "polinização cruzada" e "engenharia concorrente." Os produtos em fase de desenvolvimento não são passados de uma equipe à próxima, seguindo dos designers para os engenheiros, depois aos programadores e finalmente ao pessoal de marketing. O processo de design não é sequencial. Em vez disso, os produtos são trabalhados simultaneamente por todos esses grupos, e há rodadas e mais rodadas de revisões.

As reuniões são infinitas. São parte integrante do processo "profundamente colaborativo", e, sem elas, não haveria a mesma quantidade de "polinização cruzada". "O modo histórico de desenvolver produtos simplesmente não funciona quando você é tão ambicioso quanto nós somos", disse Ive à *Time*. "Quando os desafios são assim tão complexos, você tem que desenvolver um produto de um modo mais colaborativo e integrado."

O processo de design começa com muitos esboços. A equipe de Ive trabalha junta, uns criticando as ideias dos outros e incorporando o retorno dos engenheiros e, é claro, do próprio Jobs. A equipe então desenvolve modelos 3D em computador usando diversos aplicativos de CAD, que são utilizados para fazer modelos físicos em *foamcore* e outros materiais para protótipos. A equipe frequentemente constrói vários modelos, testando não apenas a forma externa do novo produto, mas também a forma interna. Protótipos modelando com precisão o espaço interno e a espessura das paredes são enviados aos engenheiros de hardware, que verificam se os componentes internos cabem. Eles também asseguram que haja um fluxo de ar suficiente pelo gabinete e que os componentes internos, como portas e compartimentos de baterias, se alinhem.

"Fazemos muitos modelos e protótipos, depois voltamos e repetimos", disse Ive. "Acreditamos firmemente em prototipar e em fazer coisas em que você possa pegar e tocar." O número de modelos feitos é exaustivo. "Fazemos montes de protótipos: o número de soluções que criamos para chegar a uma solução chega a ser embaraçoso, mas é uma parte positiva do que fazemos", disse Ive.[29]

Robert Brunner, um dos sócios da Pentagram Design e ex-chefe do Grupo de Design da Apple, disse que o que é crucial nos protótipos da Apple é que eles são sempre projetados tendo sempre em mente o processo de fabricação. "Os designers da Apple passam 10% do seu tempo fazendo desenho industrial tradicional: tendo ideias, desenhando, fazendo modelos, fazendo brainstorms", disse ele. "Passam 90% do seu tempo trabalhando com o pessoal de fabricação, descobrindo como implementar suas ideias."

O método de design por iterações da Apple é semelhante a uma técnica conhecida como "gerar e testar" pelos psicólogos que estudam solução de problemas. Para resolver um problema, todas as soluções possíveis são geradas e depois testadas para ver se oferecem mesmo uma solução. É uma forma de tentativa e erro, mas não tão aleatória: é direcionada e objetiva. Os designers da Apple criam dezenas de soluções possíveis, constantemente testando seu trabalho para ver se está mais próximo de uma solução. O processo é essencialmente o mesmo que as técnicas empregadas em muitos movimentos criativos, desde escrever até fazer música. Um escritor muitas vezes começa por um rascunho, pondo para fora palavras e ideias sem pensar muito em estrutura ou coesão, e depois volta e edita seu trabalho repetidas vezes. "Tentar simplificar e refinar é algo muito desafiador", disse Ive.[30]

A atenção aos detalhes: o design invisível

A equipe de Ive presta atenção a um nível de detalhes que outras empresas muitas vezes não consideram, como simples luzes indicadoras de ligado/desligado e adaptadores de eletricidade. O cabo de energia do primeiro iMac era translúcido — como o computador ao qual se ligava —, revelando os três fios torcidos dentro dele. Há poucos fabricantes que prestam tanta atenção a detalhes aparentemente insignificantes. Mas é esse o fato que distingue a Apple das outras empresas. Esse tipo de atenção às pequenas coisas é geralmente reservado a produtos artesanais. Os produtos da Apple têm esses pequenos toques que são mais característicos de ternos sob medida ou cerâmica feita à mão do que de objetos produzidos em massa nas fábricas. "Acho que algo típico de nosso trabalho na Apple é o cuidado com os menores detalhes", disse Ive. "Acho que algumas vezes isso é visto como mais próprio a uma atividade artesanal do que a uma atividade de produção em massa. Mas creio que é muito importante."[31]

Mesmo as entranhas das máquinas são cuidadosamente elaboradas. Em uma mostra no Museu do Design de Londres, Ive expôs um laptop desmontado para que os visitantes pudessem ver o cuidadoso design do seu layout interno. "É possível notar nossa preocupação com uma parte do produto que você nunca vê", disse Ive.[32]

Muitos dos produtos da Apple caracterizam-se por esse tipo de design invisível. Os modelos mais recentes dos iMacs são grandes telas planas com o computador alojado atrás. A tela é fixa a um pedestal feito de uma peça única de alumínio curvada em um ângulo para formar um suporte. O pedestal de alumínio permite que a tela se incline para trás e para a frente a uma leve pressão. Mas conseguir que ela se movesse com tão pouco esforço e que ficasse no lugar foi o resultado de meses de trabalho. O computador tinha que estar perfeitamente equilibrado para assegurar que a tela ficasse no lugar. "Isso foi muito difícil de acertar", disse Ive em uma convenção sobre design.

O pé da base de alumínio do iMac é feito de um material especial não deslizante, para que a máquina não se mexa quando a tela é inclinada. Por que um material especial? Porque Ive não gosta de pés de borracha. Teria sido trivialmente simples acrescentar pés de borracha à base, e pouca gente iria notar se estavam ali ou não. Para Ive, contudo, o uso de pés de borracha não faz avançar o estado da arte. Ive é movido pelo desejo de aprender ao criar cada novo produto e sempre aperfeiçoar novos processos de fabricação.

Tomemos como exemplo o horror de Ive a adesivos. Muitos produtos da Apple têm suas informações gravadas a laser direto no gabinete, até seus números de série individuais. É obviamente mais simples grudar um adesivo em cima de um produto, mas a gravação a laser é mais uma forma pela qual a Apple avançou o modo como os produtos são feitos.

Materiais e processos de fabricação

Houve vários estágios distintos no design dos produtos da Apple nos últimos anos, desde os iMacs com cores de frutas até os laptops MacBook pretos. Mais ou menos a cada quatro anos, a "linguagem" do design da Apple muda. No final dos anos 1990, os produtos se distinguiam pelo uso de plástico translúcido vivamente colorido (o eBook e o primeiro iMac Bondi-blue). Depois, no início dos anos 2000, a Apple começou a fazer produtos de plástico policarbonato branco e cromados reluzentes (o iPod, o iBook, o iMac "lâmpada Luxo"). Depois vieram os laptops em metais como titânio e alumínio (o PowerBook e o MacBook Pro). Recentemente, a Apple começou a usar plástico negro, alumínio escovado e vidro (o iPhone, o iPod nano, os iMacs com processadores Intel e os laptops MacBook).

As transições entre as diferentes fases de design não são planejadas de antemão — pelo menos não conscientemente. São mais graduais — primeiro um produto exibe um novo design, depois outro. E em geral decorre naturalmente da experimentação com novos materiais e métodos de produção. À medida que aprendem como trabalhar com um novo material, os técnicos da Apple começam a usá-lo em um número cada vez maior de produtos. Por exemplo, o alumínio, um metal difícil de se trabalhar, que fez sua primeira aparição na estrutura e chassi do PowerBook, em janeiro de 2003. Depois o metal foi usado para o gabinete do Power Mac, em junho de 2003, e no iPod míni, em janeiro de 2004. O material é hoje usado em muitos produtos da Apple, dos iPods ao teclado do iMac.

Ive tem dito várias vezes que o design da Apple nunca é forçado. Os designers nunca dizem uns aos outros "vamos fazer um computador orgânico, com jeito feminino". O iMac pode parecer amigável e acessível, mas isso não fazia parte dos requisitos iniciais de projeto da máquina. O que os designers disseram foi: "Vamos ver o que conseguimos fazer com plásticos: talvez possamos fazer um computador translúcido." E a coisa parte daí.

Ive e seus designers prestam muita atenção aos materiais e à ciência dos materiais. Para muitas empresas, os materiais são uma consideração posterior no processo de produção. Mas para Ive e sua equipe de design, eles vêm primeiro. O primeiro iMac, por exemplo, sempre foi pensado como "um produto despudoradamente plástico", explica Ive. Mas plástico é geralmente associado a algo barato. Para tornar o iMac classudo em vez de brega, a equipe resolveu fazer uma casca transparente para o computador. Só que de início eles encontraram problemas com manchas e ranhuras — os gabinetes de plástico translúcido não estavam saindo da linha de produção uniformemente transparentes. Para assegurar a consistência da cor, a equipe de design visitou uma fábrica de doces e balas, onde aprenderam sobre processos de coloração na produção em massa. Que outra empresa no setor da eletrônica de consumo iria procurar aprender algo com fabricantes de doces?

Nos últimos tempos, Ive e sua equipe se interessaram por outros materiais — em particular o alumínio, amplamente usado em toda a linha de produtos da Apple. Desde o início, Ive mostrou um empenho especial em trabalhar com esse metal. Falando sobre o pé de alumínio do modelo recente do iMac com tela plana, Ive disse: "Adoro o fato de termos pegado uma peça bruta de material — uma lâmina grossa de alumínio — e chegado àquele tipo de utilidade: você o dobra, estampa um buraco nele e o anodiza... Passamos um tempo no norte do Japão conversando com um mestre de formagem em metal para conseguir um certo tipo de detalhe. Adoramos desmontar as coisas, compreender como elas são feitas. A arquitetura do produto começa a ser informada quando realmente se compreende o material."[33]

Além dos materiais, Ive e sua equipe são entusiásticos estudantes de novos processos de fabricação. O grupo está constantemente atento a novas maneiras de fazer as coisas, e alguns dos designs mais famosos da Apple são produto de novas técnicas de fabricação. As primeiras gerações do iPod, por exemplo, tinham uma película fina e transparente colada por cima de seu corpo plástico. Esse fino revestimento de plástico transparente dava ao iPod uma aparência de maior peso e profundidade sem, no entanto, acrescentá-los. Dava-lhe, também, uma aparência muito mais sofisticada do que uma simples superfície plana de plástico.

A fina lâmina de plástico transparente é produzida por *twin shot* (dupla injeção), uma técnica de moldagem cara e difícil em que dois diferentes tipos de plástico são injetados simultaneamente dentro de um molde e aderem um ao outro sem deixar marcas. Como resultado, a frente do iPod parece ser feita de dois materiais diferentes, mas não há uma junção visível conectando-os.

"Agora podemos fazer coisas com plástico que antes nos diziam ser impossíveis", disse Ive ao Museu do Design. "A dupla injeção de materiais nos dá uma amplitude de oportunidades em relação a forma e função que antes realmente não existia. O iPod é feito de plástico duplamente injetado sem prendedores e sem aberturas para baterias, permitindo-nos criar um design denso e completamente selado."[34]

Antes do iPod, a equipe de Ive tinha feito experiências com essas novas técnicas de moldagem em uma série de produtos feitos de plástico transparente, entre os quais o Cube, vários monitores de estúdio de painel plano e um conjunto de alto-falantes e subwoofer para a Harman Kardon. O iPod parecia novinho em folha, mas sua aparência foi, na verdade, o resultado de vários anos de experiências com novas técnicas de moldagem. "Alguns dos produtos brancos que fizemos são apenas uma extensão disso", diz Ive.

A capacidade de fazer objetos sem junções aparentes levou a uma decisão de design com relação ao iPod que foi severamente criticada pelos consumidores — a incapacidade de mudar a bateria. A bateria está hermeticamente fechada dentro do corpo do aparelho, inacessível à maioria dos seus donos, a menos que se disponham a arrancar a parte traseira de metal. A Apple e várias outras empresas oferecem serviços de troca da bateria, mas cobram por isso.

A Apple disse que a bateria é projetada para durar muitos anos, às vezes mais do que a vida útil do iPod, mas para alguns consumidores a bateria selada cheira a obsolescência planejada, ou pior ainda — faz o iPod parecer descartável.

A pesquisa realizada pela Apple com outros dispositivos eletrônicos de consumo, sobretudo laptops, revelou que poucos usuários de fato trocam baterias. Talvez eles gostem da ideia de poder trocar a bateria, mas, na prática, não o fazem. E, para Ive, fazer um player elegante e fino, que deslize facilmente para dentro do seu bolso, é mais importante do que tornar o compartimento da bateria acessível.

Na Apple, um bom design surge da fascinação por matérias-primas e novos processos de fabricação. O design diz respeito a como um produto deve funcionar como um todo, e é um processo de alto envolvimento e aprofundamento, que muitas vezes requer começar tudo de novo, do zero, muitas vezes antes que esteja pronto. O design é uma obsessão pela excelência, é a busca da perfeição. O design demonstra uma recusa fanática de abrir mão dos mais altos padrões, garantindo que os produtos da Apple tenham forma e acabamento tão bons quanto os dos melhores produtos feitos à mão.

Lições de Steve

Não faça concessões. A obsessão de Jobs pela excelência criou um singular processo de desenvolvimento que gera produtos verdadeiramente incríveis.

Design é função, *e não forma*. Para Jobs, o design é a maneira pela qual o produto *funciona*.

Troque ideias. É durante o processo de design que Jobs compreende, por inteiro, a forma de funcionamento do produto.

Inclua todo mundo. O design não é só para os designers. Engenheiros, programadores e profissionais de marketing podem ajudar a descobrir como um produto funciona.

Evite um processo sequencial. Jobs faz com que os protótipos dos produtos circulem constantemente entre as equipes, não apenas de uma equipe para a próxima.

Gere e teste. Use o método de tentativa e erro — criar e editar — para gerar um número "vergonhoso" de soluções a fim de selecionar uma única solução.

Não force. Jobs não tenta, de forma consciente, desenhar um produto "amigável". A "amigabilidade" surge do processo de design.

Respeite os materiais. O iMac era plástico. O iPhone é vidro. Suas formas seguem os materiais de que são feitos.

Capítulo 4
Elitismo

Contrate apenas jogadores nota 10, demita os idiotas

"No nosso setor, uma única pessoa não consegue mais fazer as coisas. Você cria uma equipe de pessoas à sua volta."

— *Steve Jobs, histórias orais em vídeo da Smithsonian Institution*

Quando Steve Jobs estava fazendo sua revisão dos produtos após retornar à empresa, ele "stevou" muitos produtos da Apple. Contudo, manteve os melhores talentos na equipe, entre eles pessoas como Jonathan Ive e Cordell Ratzlaff. Quando Jobs quis abrir uma cadeia de lojas de varejo para a Apple em 2001, a primeira coisa que fez — *a primeiríssima coisa* — foi procurar um conselheiro. Jobs estava com medo de dar um passo em falso e, portanto, foi contratar um especialista no assunto, Mickey Drexler, que na época trabalhava para a Gap. Jobs convidou Drexler a tomar parte na diretoria da Apple e dar consultoria à empresa enquanto trabalhavam para montar a rede de lojas de varejo.

Jobs vê os talentos que possui na equipe da Apple como uma vantagem competitiva que coloca a empresa à frente de suas rivais. Ele tenta encontrar as melhores pessoas de cada área e colocá-las a serviço da empresa.

Jobs tem a fama de ser um chefe dos infernos, um capataz que infunde terror, que está sempre gritando com os funcionários e aleatoriamente demitindo subordinados desafortunados. Ao longo de sua carreira, contudo, Jobs formou uma longa série de parcerias produtivas — tanto pessoais como com outras corporações. Seu sucesso sempre dependeu, em grande parte, de atrair pessoas geniais para fazer trabalhos igualmente geniais para ele. Sempre escolheu grandes colaboradores — desde seu amigo e cofundador da Apple, Steve Wozniak, até o gênio do design Jonathan Ive, responsável pelo iMac, pelo iPod e por outros designs marcantes, além de John Lasseter, o gênio dos roteiros da Pixar.

Jobs tem mantido relações profissionais bem-sucedidas com algumas das pessoas mais criativas de sua área, relações que frequentemente duram muitos anos. Ele também formou parcerias (geralmente) harmoniosas com algumas das principais marcas mundiais — Disney, Pepsi e as grandes gravadoras de música. Ele não apenas escolhe grandes parceiros criativos, mas também traz à tona o que neles há de melhor. Através do uso judicioso tanto de incentivos quanto de punições, Jobs tem conseguido manter e motivar muitos dos talentos de primeira linha.

Na visão de Jobs, não há muita diferença entre um motorista de táxi bom ou ruim, ou entre um cozinheiro de restaurante bom ou ruim. Ele diz que um bom motorista de táxi talvez seja duas ou três vezes melhor que um ruim. Na profissão de dirigir táxis não há tantos níveis de habilidades para distinguir alguém que é bom de quem é ruim. Mas, quando se trata de desenho industrial ou de programação, há uma vasta diferença entre os dois extremos. Um bom designer é cem ou duzentas vezes melhor do que um fraco. Em programação, há muitos e muitos níveis de habilidade separando os grandes programadores dos medíocres, acredita Jobs.[1]

Jobs é o tipo de pessoa que quer o melhor — o melhor carro, o melhor jatinho particular, a melhor caneta e os melhores empregados. "Ele tem tendência a polarizar as coisas", disse-me Jim Oliver, ex-assistente pessoal de Jobs. "As pessoas são gênios ou antas. Havia uma caneta Pilot que era a favorita dele. Todas as demais eram 'uma porcaria'." Na época em que estavam trabalhando no desenvolvimento do Mac, todos os que não pertenciam à equipe do Mac — mesmo dentro da Apple — eram "antas". "Havia muito elitismo na empresa", disse Daniel Kottke, amigo íntimo de Jobs que viajou com ele pela Índia. "Steve sem a menor dúvida cultivava a ideia de que todos os outros do setor eram antas."[2]

A estratégia de Jobs é contratar os mais inteligentes programadores, engenheiros e designers disponíveis. Ele faz grandes esforços para manter a fidelidade deles por meio de opções de compra de ações e incentivo à identidade de pequenos grupos de trabalho. "Sempre considerei parte das minhas funções manter muito alto o nível de qualidade das pessoas nas organizações com que trabalho", disse Jobs. "É isso que considero uma das poucas coisas para as quais posso de fato contribuir individualmente — realmente tentar infundir na organização a meta de só ter profissionais nota 10. Em tudo que já fiz, de fato valeu a pena buscar as melhores pessoas do mundo."[3]

Jobs é um elitista que acredita que uma pequena equipe nota 10 é muito mais eficiente do que exércitos de engenheiros e designers. Ele sempre buscou a mais alta qualidade em pessoas, produtos e publicidade.

Ao contrário de muitas empresas que recrutam um número cada vez maior de funcionários à medida que vão crescendo, Jobs tem mantido o núcleo da Apple relativamente pequeno, especialmente a equipe nota 10 de seletos designers, programadores e executivos. Muitos dessa equipe nota 10 de Jobs já trabalham na Apple, e para Jobs, há anos. Depois que ele voltou à companhia, a maior parte do primeiro escalão da administração foi composta por executivos que ele trouxe consigo da NeXT. Não é fácil trabalhar para Jobs, mas aqueles que conseguem aguentar geralmente são fiéis.

O primeiro parceiro de Jobs, e talvez o mais importante, foi seu colega de ginásio Steve Wozniak. Wozniak era um nerd e gênio do hardware que fez o seu próprio PC porque não tinha condições de comprar um. Foi Jobs que pensou em fazer e vender os projetos de Wozniak, foi ele que ajeitou as coisas de forma que fossem montados em uma garagem por seus amigos adolescentes. Tomou, também, as providências para que fossem vendidos em uma loja local de eletrônica para hobbistas. Em pouco tempo Jobs já estava recrutando talentos externos para fazer a empresa crescer e desenvolver seus produtos. Como era de se esperar, ele tentou convencer as duas principais empresas de design do Vale do Silício a desenharem os primeiros computadores da Apple, mas não tinha como pagá-las. Desde então, Jobs tem seguido o mesmo *modus operandi* — recrutar e conservar os melhores, da equipe original do Mac aos roteiristas da Pixar.

Pixar: a arte é um esporte de equipe

A dedicação de Jobs à formação de uma equipe nota 10 é claramente ilustrada pela Pixar, o estúdio de animação que ele vendeu à Disney em 2006 por 7,4 bilhões de dólares. Em 1995, a Pixar lançou *Toy Story*, o primeiro longa-metragem de animação feito inteiramente em computadores, que veio a tornar-se a maior bilheteria do ano e ganhou um Oscar. Desde então, a Pixar vem lançando um sucesso a cada ano — *Vida de inseto, Toy Story 2, Monstros S.A., Procurando Nemo.* Os filmes arrecadaram 3,3 bilhões de dólares, além de um monte de Oscars e Globos de Ouro. É uma marca impressionante, nunca alcançada por nenhum outro estúdio de Hollywood. Ainda mais impressionante é o fato de que ela foi obtida virando de cabeça para baixo o método tradicional de trabalho de Hollywood.

A Pixar está sediada em vários prédios de aço e vidro fumê em uma área arborizada de Emeryville, antiga cidade portuária do outro lado da baía de São Francisco. O campus da empresa tem uma atmosfera descontraída. Dispõe de todas as prerrogativas de um local de trabalho high-tech do século XXI: piscinas, cinemas, uma lanchonete com forno a lenha. Há detalhes criativos por toda parte: estátuas em tamanho natural de personagens de animação, portas disfarçadas de estantes de livros giratórias, um balcão de recepção que vende brinquedos. Em vez de baias, os animadores da empresa trabalham em cabanas privativas, literalmente cabanas de jardim montadas em fila, como uma série de vestiários de praia, cada qual idiossincraticamente decorada — uma cabana em estilo polinésio, por exemplo, pode estar ao lado de um minicastelo medieval com um fosso de mentira.

A Pixar é dirigida por Ed Catmull, um simpático pioneiro de CGI (imagens geradas por computador), inventor de algumas das principais tecnologias que tornam possível a animação por computador. Desde a aquisição da Pixar pela Disney, em janeiro de 2006, Catmull tornou-se presidente da combinação Pixar e Disney Animation Studios. O grande contador de histórias da empresa é John Lasseter, gênio criativo da Pixar premiado com um Oscar. Lasseter, um homem grande e jovial, normalmente vestido com coloridas camisas havaianas, dirigiu quatro megassucessos da Pixar: *Toy Story 1* e *2*, *Vida de inseto* e *Carros*. É hoje "diretor de criatividade" da Disney, onde se encarrega de espalhar um pouco da magia da Pixar pela desgastada divisão de animação da Disney.

Na Apple, Jobs é um microgerente com participação ativa. Mas na Pixar ele se mantém bastante afastado, deixando os detalhes do dia a dia nas mãos capacitadas de Catmull e Lasseter. Seu papel foi, durante anos, mais o de um benfeitor benevolente que pagava as contas e negociava acordos. "Se em 1986 eu soubesse qual seria o custo de manter a Pixar em operação, não sei se teria comprado a empresa", queixou-se Jobs à *Fortune* em setembro de 1995.

"Refiro-me a esses três como sendo o Pai, o Filho e o Espírito Santo", brinca Brad Bird, diretor de *Os Incríveis*, da Pixar. "Ed, que inventou essa mídia fantástica e é o projetista dessa máquina humana que é a Pixar, é o Pai. John, a força criadora que a move, é o Filho. E você-sabe-quem é o Espírito Santo."[4]

Segundo os escritores Polly LaBarre e William C. Taylor, que traçaram o perfil da Pixar para seu livro *Inovadores em ação*, a cultura da Pixar funciona ao contrário de Hollywood, cujo modo de funcionamento básico é empregar cineastas *por contrato*. Na "cidade dos sonhos", os estúdios contratam como freelancers os talentos de que precisam. O produtor, o diretor, os atores e a equipe trabalham em função de um contrato. Todos são autônomos e assim que o filme termina eles partem para a próxima empreitada. "O problema do modelo de Hollywood é que geralmente no dia em que você termina a produção é que percebe que finalmente descobriu o jeito de trabalharem juntos", disse Randy S. Nelson, reitor da Universidade Pixar,[5] a Taylor e LaBarre.

A Pixar funciona usando um modelo oposto. Os diretores, os roteiristas e a equipe técnica são todos empregados assalariados com grandes concessões de opção de compra de ações. Os filmes da Pixar podem ter diferentes diretores, mas em todos eles a equipe básica de escritores, diretores e animadores é a mesma, trabalhando como empregados da companhia.

Em Hollywood, os estúdios financiam ideias para roteiros — a famosa "sacada" de Hollywood, o grande conceito. Em vez de financiar "sacadas" e ideias para roteiros, a Pixar financia o desenvolvimento da carreira de seus empregados. Como explica Nelson: "Demos o salto de um negócio centrado em ideias para um negócio centrado em pessoas. Em vez de desenvolver ideias, nós desenvolvemos pessoas. Em vez de investir em ideias, nós investimos em pessoas."

No cerne da cultura de "investimento em pessoas" da empresa está a Universidade Pixar, um programa de treinamento no próprio local de trabalho que oferece centenas de cursos de arte, animação e produção de filmes. Todos os empregados da Pixar são incentivados a fazer cursos naquilo que desejarem, seja ou não relevante para seu trabalho. Em outros estúdios há uma clara distinção entre o pessoal "de criação", o pessoal "de tecnologia" e a equipe de filmagem. Mas a cultura peculiar da Pixar não faz distinções entre eles — todo mundo que trabalha nos filmes é considerado artista. Todos trabalham juntos para contar histórias e, portanto, todos são incentivados a dedicarem às aulas pelo menos quatro horas da semana de trabalho. As aulas ficam cheias de pessoas de todos os níveis da organização: faxineiros sentam-se ao lado de chefes de departamento. "Estamos tentando criar uma cultura de aprendizagem, cheia de pessoas que aprendem ao longo de toda a sua vida", disse Nelson.[6]

Na Pixar, diz-se que "a arte é um esporte de equipe". É um mantra, frequentemente repetido. Ninguém consegue fazer um filme sozinho, e uma equipe de bons contadores de histórias pode endireitar uma história ruim, mas uma equipe fraca não pode. Se um roteiro não está funcionando, a equipe trabalha em conjunto para consertá-lo. Os escritores, os animadores e o diretor, todos apresentam ideias, sem levar em conta seu papel oficial ou o título de sua função. "Esse modelo ataca um dos mais persistentes problemas humanos em qualquer setor: como, após atrair pessoas ultratalentosas para trabalhar em uma empresa, é possível fazer também com que essas pessoas incrivelmente talentosas continuem a produzir juntas um trabalho diferenciado?", disse LaBarre.

A resposta é que a Pixar criou um lugar tranquilo e divertido para se trabalhar. Em Hollywood, os diretores e produtores gastam um tempo enorme manobrando para ocupar posições, apunhalando colaboradores pelas costas para obter vantagens e preocupando-se o tempo todo se estão dentro ou fora. É um ambiente hipercompetitivo, cheio de insegurança e exaustivo. Na Pixar, o processo gira todo em torno da colaboração, do trabalho em equipe e da aprendizagem. É claro que existe pressão, especialmente quando os filmes se aproximam do prazo final, mas o local de trabalho geralmente oferece compensações e apoio. A oportunidade de aprender, de criar e, acima de tudo, de trabalhar com outras pessoas talentosas é a recompensa. Além das generosas opções de compra de ações, é claro. Na Pixar, os animadores estão ficando ricos e também se divertem. Como diz a inscrição em latim na insígnia da Universidade Pixar, *Alienus Non Diutius*: Não Mais Sozinho.

Como resultado, a Pixar atraiu alguns dos maiores talentos em animação de Hollywood. Entre eles estão Andrew Stanton (*Procurando Nemo*), Brad Bird (*Os Incríveis, Ratatouille*) e Pete Docter (*Monstros S.A.*), que têm sido, todos eles, agressivamente caçados pelos concorrentes. Durante muitos anos Lasseter teve uma oferta da Disney à sua espera para que ele abandonasse o barco e passasse para lá, mas resistiu por causa do incomparável ambiente de trabalho criativo da Pixar. Nenhum dos outros estúdios poderia competir, nem mesmo a Disney. Jobs se gabou dizendo: "A Pixar tem, de longe, os melhores talentos em computação gráfica do mundo inteiro, e agora tem também os melhores talentos artísticos e de animação de todo o mundo para fazer os seus filmes. Não há mais ninguém no mundo que possa fazer essas coisas. É verdadeiramente fenomenal. Estamos provavelmente uns dez anos à frente de qualquer outro."[7]

A equipe do Mac original

A primeira equipe nota 10 de Jobs — Bill Atkinson, Andy Hertzfeld, Burrell Smith e outros — foi montada em 1980 para construir o Mac original, e trabalhava sob uma bandeira pirata na sede da Apple.

Jobs foi diretamente responsável por boa parte do trabalho de recrutamento. Trouxe talentos de toda a Apple e do Vale do Silício, sem levar em conta qual era o cargo ou a experiência da pessoa. Se ele julgasse que alguém estava apto a contribuir, faria o possível para recrutá-lo. Bruce Horn, por exemplo, o programador que criou o Finder do Mac — o coração do sistema operacional do Mac —, de início não queria trabalhar na Apple, até ser seduzido por Jobs. Horn acabara de assumir um emprego em outra empresa, a VTI, que lhe prometera um bônus de ingresso de 15 mil dólares, uma grande soma de dinheiro à época. Então Jobs ligou.

Horn disse a Jobs que havia aceitado um emprego na VTI, mas Jobs convenceu-o a dar uma olhada na unidade de criação e projeto do Mac. "Steve ligou o Campo de Distorção da Realidade com força total", recorda-se Horn. "Na segunda-feira liguei para Doug Fairbairn da VTI e disse-lhe que tinha mudado de ideia."[8]

Era um exemplo do irresistível apelo de Jobs. Além disso, demonstra sua dedicação em encontrar os melhores. Seu instinto estava certo: Horn acabou tornando-se um dos principais colaboradores do projeto do Mac.

Uma vez montada a sua equipe, Jobs deu a ela liberdade para ser criativa e resguardou-a da crescente burocracia na Apple, que tentou várias vezes acabar com o projeto do Mac porque o via como uma distração sem importância em relação ao Apple II, na época o principal produto da Apple. "As pessoas que estão fazendo o trabalho são a força motriz por trás do Macintosh. Meu trabalho é criar um espaço para elas, afastar o resto da organização e mantê-la longe disso",[9] escreveu Jobs em um texto de 1984 publicado no número inaugural da revista *Macworld*. Hertzfeld disse o mesmo de maneira mais crua: "A coisa mais importante que Steve fez foi erguer um gigantesco guarda-chuva defletor de merda que protegia o projeto dos executivos malignos do outro lado da rua."[10]

Assim como faz ao recrutar os melhores talentos, Jobs é rápido em livrar-se daqueles que não estão à altura. Contratar apenas empregados absolutamente geniais e demitir as antas tem sido um dos mais constantes princípios gerenciais de Jobs. "É doloroso quando você tem algumas pessoas que não são as melhores do mundo e tem que se livrar delas; mas descobri que meu trabalho às vezes tem sido exatamente este — livrar-me de algumas pessoas que não chegaram à altura, e sempre tentei fazê-lo de forma digna. Mas, seja como for, tem que ser feito, e nunca é divertido", disse Jobs em uma entrevista em 1995.[11]

Pequeno é bonito

Jobs gosta de trabalhar em equipes pequenas. Não quis que a equipe do Mac original excedesse cem pessoas, caso contrário perderia o foco e seria inadministrável. Jobs acredita firmemente que pequenas equipes de funcionários talentosos são muito melhores do que grupos maiores. Na Pixar, Jobs sempre tentou evitar que a empresa passasse de algumas centenas de pessoas. Quando lhe pediram que comparasse a Apple e a Pixar, ele atribuiu grande parte do sucesso dessa última ao seu pequeno tamanho. "A Apple tem pessoas incríveis, mas o grupo de pessoas na Pixar é a mais alta concentração de indivíduos notáveis que já vi", disse Jobs à *Fortune* em 1998. "Tem um cara com um Ph.D. em plantas geradas por computador — grama, árvores e flores em 3D. Há outro que é o melhor do mundo em colocar imagens em filmes. A Pixar é, também, mais multidisciplinar do que a Apple jamais será. O mais importante, porém, é que ela é muito menor. A Pixar tem 450 pessoas. Jamais seria possível ter o grupo de pessoas que a Pixar tem hoje caso ela crescesse até duas mil pessoas."

A filosofia de Jobs data dos velhos tempos em que ele, Wozniak e alguns amigos adolescentes montavam computadores à mão em uma garagem. De certa forma, sua preferência por pequenas equipes de desenvolvimento na Apple de hoje é a mesma coisa: uma simulação de uma startup em uma garagem dentro de uma grande empresa com mais de 21 mil funcionários.

Ao retornar à Apple, em 1997, Jobs começou a montar uma equipe nota 10 para ressuscitar a empresa. Vários dos executivos de primeiro escalão que ele indicou já haviam trabalhado com ele na NeXT, inclusive Jon Rubinstein, encarregado do hardware; Avie Tevanian, chefe do desenvolvimento de software; e David Manovich, encarregado das vendas. Jobs tem fama de ser um microgerente, porém na NeXT ele aprendeu a confiar nesses assessores. Não supervisiona mais cada decisão, como antes. Na Pixar, Jobs delegou quase tudo a Catmull e Lasseter. Na Apple, cede grande parte da administração do dia a dia a Tim Cook, o diretor de operações, um mestre em operações e logística que é amplamente considerado o número 2 na Apple. Quando Jobs tirou um período de licença, em 2005 e, novamente, em 2009, por motivos de saúde, Cook assumiu como CEO. Ron Johnson, chefiando o varejo, administra quase tudo referente à cadeia de lojas de varejo da Apple; enquanto o diretor financeiro, Peter Oppenheimer, lida com as finanças e com Wall Street. Delegar tarefas na Apple libera Jobs para fazer o que mais adora — desenvolver novos produtos.

O trabalho de Jobs

Trabalhando com parceiros como Jonathan Ive e Jon Rubinstein, Jobs desempenha um papel singular. Não desenha placas de circuitos impressos nem escreve códigos, mas imprime seu selo sobre o trabalho de cada equipe. Ele é o líder que provê a visão, orienta o desenvolvimento e toma muitas das principais decisões. "Na verdade ele não criou nada, mas criou tudo", escreveu Sculley sobre a contribuição de Jobs para o Mac original.

Jobs atua como diretor da equipe, o árbitro que rejeita ou aceita as ideias de seus parceiros criativos, orientando-os à medida que trabalham em direção a uma solução. Uma fonte me contou que certa vez Ive lhe confidenciou que não conseguiria fazer o trabalho que faz sem a contribuição de Jobs. Ive pode ser um gênio criativo, mas precisa da mão de Jobs para orientá-lo.

Jobs é o "escolhedor de produtos", no jargão do Vale do Silício. Escolhedor de produtos é uma expressão usada pelos capitalistas de risco do Vale do Silício para identificar a pessoa-chave quanto aos produtos nas startups. Por definição, uma startup tem que ser bem-sucedida com seu primeiro produto: do contrário, afundará. Mas nem todas as novas empresas começam com um produto. Algumas são formadas por um grupo de engenheiros com muito talento e muitas ideias, mas que ainda não descobriram que produto querem desenvolver. Isso acontece o tempo todo no Vale. Para garantir o sucesso de uma startup nesses moldes, é necessário um indivíduo que tenha faro para dizer qual será o produto a ser desenvolvido. Nem sempre é o CEO ou um executivo de primeiro escalão, e eles podem não ter expertise em administração ou marketing: sua competência é escolher o produto-chave em meio a uma torrente de ideias.

"Os produtos vão surgindo, mas tem que haver um czar", explicou Geoffrey Moore, capitalista de risco e consultor em tecnologia. Moore é o autor de *Crossing the Chasm* [Atravessando o abismo], o livro campeão de vendas sobre como levar produtos de alta tecnologia para o mercado mais amplo, reverenciado como a bíblia do Vale do Silício. "O sucesso ou o fracasso de uma empresa iniciante depende do seu primeiro produto", continuou Moore. "É um setor de sucessos. As startups têm que ter um sucesso, do contrário fracassarão. Aqueles capazes de escolher o produto certo obtêm um grande ganho."[12]

Moore disse que Jobs é o escolhedor de produtos consumado. Uma das principais coisas que Moore procura nas reuniões de apresentação, quando as startups estão buscando capital de risco, é o escolhedor de produtos na empresa recém-nascida. A escolha de produtos não funciona em grupo — tem que haver um indivíduo que seja capaz de atuar como tomador de decisões.

Bob Lutz, vice-presidente da General Motors, o legendário "czar dos automóveis", é um bom exemplo. Ex-executivo da Chrysler, da Ford e da BMW, Lutz é famoso por uma série de carros de destaque e design marcante que foram sucessos, como o Dodge Viper, o Plymouth Prowler e o BMW 2002. Ele é a quintessência do "aficionado por carros" que arrasa com os veículos de destaque dos concorrentes, e não com os que são todos parecidos e desenhados por um comitê. Outro exemplo é Ron Garriques, ex-executivo da Motorola responsável pelo vitorioso telefone celular Razr. Em 2007, Garriques foi recrutado por Michael Dell — que retornara havia pouco à sua empresa, então em dificuldades — para dirigir o negócio para consumidores da Dell e escolher produtos de sucesso, sem dúvida alguma.

"É como atravessar uma corda bamba", disse Moore. "Fica muito óbvio quando você fracassa. Você tem que arriscar tudo cada vez que o faz. É como jogar na quadra central de Wimbledon. E você tem que ter muita energia para fazer isso. Não há muitos que têm a energia ou a determinação para impor à organização sem que seja editado ou comprometido ou diluído. A coisa não funciona se a escolha for feita por uma comissão."

Na Apple, Jobs tem sido capaz de escolher e orientar o desenvolvimento de um produto de sucesso a cada dois ou três anos — o iMac, o iPod, o Mac Book, o iPhone. "A Apple é uma empresa impulsionada pelos produtos de sucesso", disse Moore. "Ela tem um campeão depois do outro."

Durante grande parte do século passado, houve uma infinidade de empresas dirigidas por czares de produtos igualmente possuidores de uma forte determinação, de Thomas Watson Jr., da IBM, a Walt Disney. Mas o número de companhias bem-sucedidas com czares de produto ao leme, como a Sony sob Akio Morita, vem declinando nos últimos anos. Muitas empresas contemporâneas são dirigidas por comitês. "O problema hoje é que esse tipo de empreendedor já não existe", lamentou Dieter Rams, o gênio do design que ajudou a levar a Braun à proeminência por várias décadas. "Hoje existem apenas a Apple e, em menor escala, a Sony."[13]

Parceiros pugilísticos

Durante o desenvolvimento de um produto, Jobs fica envolvido em muitas decisões importantes, desde a necessidade ou não de haver ventoinhas para resfriamento das máquinas até a tipografia a ser usada na embalagem. Embora Jobs seja o comandante supremo, a tomada de decisões na Apple não é totalmente de cima para baixo. As discussões e debates são cruciais para o pensamento criativo de Jobs. Ele quer parceiros que critiquem suas ideias, e cujas ideias possam ser criticadas por ele, muitas vezes vigorosamente. Jobs toma decisões entrando em um combate intelectual direto. É exaustivo e agressivo, porém rigoroso e criativo.

Por exemplo, a definição do preço do Mac em 1984. Jobs lutou com Sculley durante várias semanas pelo preço da máquina. Não foram apenas uma ou duas reuniões. Eles discutiram as questões envolvidas noite e dia durante semanas. A fixação do preço do Mac apresentava um grande problema. As receitas da Apple estavam em declínio e o desenvolvimento do Mac fora dispendioso. Sculley queria recuperar o investimento em P&D e queria levantar dinheiro suficiente para, estrategicamente, superar a publicidade dos concorrentes. Se o preço do Mac fosse fixado muito alto, contudo, poderia assustar os compradores e eles perderiam em volume de vendas. Os dois se revezavam, debatendo o argumento do oponente — a tese e a antítese —, fazendo o advogado do diabo para ver aonde os argumentos iriam levar. Sculley eufemisticamente chamava as discussões com Jobs de "contendas". "Steve e eu gostávamos de assumir uma posição para em seguida nos voltarmos contra ela e adotar o argumento do outro", escreveu Sculley. "Constantemente lutávamos sobre o que cada um pensava de novas ideias, colegas e projetos."

Dia a dia, na Apple, as reuniões com Jobs podem frequentemente ser discussões longas e combativas. Jobs adora o combate intelectual. Ele quer uma discussão de alto nível — uma briga, que seja — porque é a maneira mais eficaz de chegar ao fundo de um problema. E, contratando os melhores profissionais que encontra, ele assegura que o debate se dê no nível mais alto possível.

Uma reunião com Jobs pode ser uma prova de fogo. Ele irá questionar tudo o que se disser, às vezes de forma extremamente rude. Mas é um teste. Ele força as pessoas a defenderem suas posições. Quando eleva as apostas e a pressão sanguínea das pessoas, está testando para ver se elas estão bem informadas quanto aos fatos que defendem e se têm argumentos fortes. Quanto mais firmes elas se mostrarem, maior a probabilidade de que estejam certas. "Se você for daqueles que concordam com tudo, está perdido com Steve, porque ele tem bastante confiança no que sabe e, portanto, precisa de alguém que o desafie", disse-me Peter Hoddie, ex-programador da Apple. "Às vezes ele diz: 'acho que precisamos fazer isso' — é um teste para ver se alguém irá desafiá-lo. São pessoas desse tipo que ele está procurando."[14]

Mesmo que Jobs esteja blefando, é extremamente difícil enganá-lo. "Se você não sabe do que está falando, ele vai descobrir", disse Hoddie. "Ele é realmente brilhante. E extremamente bem-informado. Tem acesso a algumas das pessoas mais capazes do planeta."

Apesar de sua fama de chefe temperamental, ele tem se mostrado muito capaz de trabalhar bem com outros profissionais. Ao longo dos trinta anos de sua carreira, Jobs manteve uma série de parcerias criativas, a começar com seu amigo Steve Wozniak. A lista inclui a equipe de design do Mac original, desde o gênio de hardware Burrell Smith a luminares da programação como Alan Kay, Bill Atkinson e Andy Hertzfeld. Nos dez anos em que Jobs trabalha com o gênio do design Jonathan Ive, a Apple esteve à frente do mundo todo em desenho industrial. Entre os parceiros dele na Apple estão Jon Rubinstein, que supervisionou uma série de produtos de sucesso, do iMac ao iPod; e Ron Johnson, que dirigiu as lojas de varejo da Apple, uma das mais rentáveis e bem-sucedidas cadeias de todos os tempos. E na Pixar, a equipe que formou com Ed Catmull e John Lasseter criou uma usina de fazer cinema.

Uma das parcerias de trabalho mais produtivas de Jobs é com Lee Clow, um publicitário alto, barbudo e hippie, e sua agência, a TBW\A\Chiat\Day. A parceria de Jobs com Clow e sua agência já abrange várias décadas, tendo produzido algumas das campanhas publicitárias mais memoráveis e influentes, desde o spot de TV que apresentou o Macintosh em 1984 até os outdoors com a silhueta do iPod espalhados pelo mundo inteiro.

Sediada em Los Angeles, a TBWA\Chiat\Day é considerada uma das agências de publicidade mais criativas do planeta. Cofundada em 1968 por Guy Day, um veterano da publicidade de Los Angeles, e Jay Chiat, um nova-iorquino cheio de garra que se mudou para o ensolarado sul da Califórnia em meados dos anos 1960, a companhia é hoje dirigida por seu antigo diretor de criação, Lee Clow. A empresa já foi considerada "bizarra" por sua abordagem controversa, por vezes impetuosa, da publicidade, mas amadureceu e hoje pode orgulhar-se de clientes corporativos sóbrios como Nissan, Shell e Visa.

Para a Apple, a empresa tem produzido campanhas amplamente aclamadas e premiadas, frequentemente consideradas mais eventos culturais do que meros trabalhos publicitários. Anúncios como "Pense diferente", "Switchers" e "Sou um Mac" têm sido amplamente discutidos, criticados, parodiados e copiados. Quando uma campanha desencadeia centenas de paródias no YouTube e se torna um quadro nos programas humorísticos de fim de noite é sinal de que os anúncios transcenderam o nível puramente comercial e se tornaram parte da cultura.

A associação de Jobs com a agência de publicidade começou no início dos anos 1980, quando a agência — então conhecida como Chiat\Day — estava produzindo uma série de anúncios populares para os computadores da Apple. Em 1983, a agência começou a trabalhar no que viria a se tornar um dos mais celebrados anúncios da história da publicidade: o comercial de TV que apresentou o Macintosh em um dos intervalos do Super Bowl em janeiro de 1984.

O spot começava com um slogan tirado de outro anúncio em que a agência trabalhava e que fora descartado: "Por que 1984 não será como *1984*" — uma referência ao romance distópico de George Orwell. Era uma frase boa demais para ser jogada fora, de modo que a agência vendeu a ideia para a Apple. E com certeza ela se ajustava perfeitamente ao lançamento do Mac. A agência contratou o diretor britânico Ridley Scott, que acabara de filmar *Blade Runner*, para filmar o anúncio em um estúdio de Londres. Usando um elenco de *skin-heads* britânicos, Scott retratou um futuro orwelliano sombrio, em que uma estridente propaganda política do Grande Irmão, saindo de uma imensa TV, induz as massas à submissão. De repente, entra correndo uma mulher atlética com uma camiseta do Macintosh, que arrebenta a tela arremessando uma marreta. O spot de sessenta segundos não mostra o Mac em momento algum, mas a mensagem era clara: o Mac iria libertar os oprimidos usuários de computador da hegemonia da IBM.

O spot foi exibido para a diretoria da Apple apenas uma semana antes da data prevista para que ele fosse ao ar e causou um certo pânico. Deram ordem de tirar o anúncio do Super Bowl, mas a Chiat\Day não conseguiu vender o espaço a tempo e ele foi ao ar.

Acabou sendo um grande acerto: o anúncio gerou mais atenção e mais comentários na imprensa do que o próprio jogo. Embora mostrado apenas duas vezes (durante o Super Bowl e, antes, em uma obscura estação de TV tarde da noite para que pudesse concorrer a prêmios de publicidade), o anúncio foi retransmitido em inúmeros noticiários e no *Entertainment Tonight*. A Apple calculou que mais de 43 milhões de pessoas o viram nos noticiários e programas de TV, o que valeu milhões de dólares de publicidade gratuita, segundo estimativa de John Sculley.

"O comercial mudou a publicidade; o produto mudou a forma de anunciar; a tecnologia mudou o mundo", escreveu Bradley Johnson, colunista da *Advertising Age* em uma retrospectiva de 1994. "Transformou o Super Bowl de um jogo de futebol americano em Superevento publicitário do ano, abrindo uma era da publicidade como notícia."[15]

O anúncio "1984" é típico de Jobs. Foi ousado, impetuoso e diferente de qualquer outro comercial de seu tempo. Em vez de uma convencional apresentação de produto, "1984" foi um minifilme com personagens, narrativa e altos padrões de produção. Jobs não o pensou, não o escreveu nem o dirigiu, mas foi inteligente o bastante para se juntar a Lee Clow e Jay Chiat e dar-lhes espaço para serem criativos.

"1984" acabou ganhando pelo menos 35 prêmios para a Chiat\Day, inclusive o Grand Prix, em Cannes, gerando milhões de dólares em novos trabalhos e clientes. Foi também o princípio de uma era de publicidade versando sobre um estilo de vida, valorizando menos as funções do produto para realçar seu apelo. Ninguém mais estava pensando em publicidade do mesmo modo, especialmente na indústria de computadores; e muito poucas empresas dispunham-se a comunicar-se com o público de uma forma tão original e não ortodoxa. Jobs deixou a Apple em 1985, e a empresa mudou de agência pouco tempo depois de sua partida. Mas quando Jobs retornou, em 1997, trouxe de volta a agência para criar uma campanha que iria "recolocar em foco" a Apple.

"Pense diferente"

Jobs estava preocupado com a falta de foco da Apple. Queria uma campanha que lembrasse ao mundo — e à própria Apple — quais eram seus valores centrais. Jobs pediu à Chiat\Day que criasse uma campanha que falasse dos valores centrais da empresa. "Eles nos pediram que viéssemos para conversar sobre o que a Apple necessitava para recuperar seu foco", disse Clow. "Na verdade, não foi difícil; foi só voltar às raízes da Apple."[16]

Clow, que está normalmente vestido de camiseta, bermuda e sandálias, disse que a ideia para o "Pense diferente" surgiu quando pensaram na base de usuários do Mac — designers, artistas e criadores que permaneceram compradores fiéis durante os dias mais sombrios da empresa. "Todo mundo aceitou imediatamente a ideia de que essa campanha deveria versar sobre ser criativo e pensar de forma independente", disse Clow. "Tornou-se ainda mais importante quando dissemos: por que não celebrar pessoas que sempre pensaram em maneiras de mudar o mundo?, e foi aí que Gandhi e Edison começaram a surgir na conversa."[17]

A campanha se configurou muito rapidamente e apresentou uma série de fotos em preto e branco de cerca de quarenta iconoclastas, entre os quais Muhammad Ali, Lucille Ball e Desi Arnaz, Maria Callas, Cesar Chavez, Bob Dylan, Miles Davis, Amelia Earhart, Thomas Edison, Albert Einstein, Jim Henson, Alfred Hitchcock, John Lennon e Yoko Ono, Martin Luther King Jr., Rosa Parks, Picasso, Jackie Robinson, Jerry Seinfeld, Ted Turner e Frank Lloyd Wright. A Apple colocou os anúncios em revistas e outdoors, e levou ao ar um anúncio de TV celebrando "os desajustados, os rebeldes, os agitadores... os malucos".

"As pessoas que são loucas o bastante para pensar que podem mudar o mundo são aquelas que mudam o mundo", proclamava o anúncio.

O comercial chegou em uma época crítica na história da Apple. A empresa precisava de uma declaração pública dos seus valores e da sua missão: tanto para os seus funcionários como para os seus compradores. A campanha "Pense diferente" apregoava as virtudes da Apple: sua criatividade, as características que a faziam única e suas ambições. Mais uma vez, foi uma grande e ousada declaração — a Apple estava associando ela própria e seus usuários a alguns dos mais celebrados líderes, pensadores e artistas da humanidade.

As fotos saíram sem legendas para identificá-las, uma estratégia anteriormente usada pela agência para uma campanha da Nike em 1984 em que figuravam atletas famosos. A falta de legendas desafiava o espectador a descobrir quem era cada pessoa. Essa estratégia tornou os anúncios inclusivos e envolventes. Recompensa aqueles que "estão por dentro". Se você soubesse quem aparecia no anúncio, ele o saudava como alguém que era um participante, um dos "conhecedores". Funcionou maravilhosamente bem. As pessoas adoravam identificar quem era quem no anúncio e começavam a colecionar os pôsteres da campanha para pendurar no quarto e no escritório.

Jobs esteve envolvido desde o início, propondo heróis pessoais como Buckminster Fuller e Ansel Adams. Também usou seus extensos contatos e formidáveis poderes de persuasão para obter permissões de pessoas como Yoko Ono, a viúva de John Lennon, e o espólio de Albert Einstein. Mas recusou a sugestão da agência de incluir a si próprio, Jobs, em um dos anúncios.

Superando a concorrência com anúncios

Uma das coisas que sempre diferenciaram a Apple foi sua forma de fazer publicidade. A publicidade sempre foi extremamente importante para Jobs, ficando atrás apenas da tecnologia. A ambição declarada de Jobs é tornar os computadores acessíveis a todos, o que para ele significa que precisam ser anunciados ao público. Os anúncios fazem parte da comunicação da Apple com seus consumidores. "Meu sonho é que todas as pessoas do mundo um dia tenham seu próprio computador da Apple. Para isso, temos que ser uma grande empresa de marketing", disse ele,[18] ainda nos primórdios da empresa. Jobs tem um imenso orgulho das publicidades da Apple. Ele frequentemente estreia novos anúncios durante seus discursos de abertura na Macworld. Se está fazendo a apresentação de um produto, geralmente há um anúncio acompanhando o novo produto, e Jobs sempre o exibe ao público. Se o anúncio for especialmente bom, ele o mostrará duas vezes, obviamente encantado.

Mais do que qualquer outro na indústria dos PCs, Jobs lutou para criar uma imagem singular e não nerd para os computadores. No final dos anos 1970, Jobs contratou Regis McKenna, um pioneiro da publicidade no Vale do Silício, para ajudar a fazer com que as primeiras máquinas da Apple tivessem um apelo para o consumidor comum. Os anúncios tinham que comunicar aos consumidores o motivo pelo qual eles precisavam de um desses novos PCs. Não havia uma demanda inerente para os computadores domésticos: os anúncios teriam que criá-la. McKenna desenhou anúncios coloridos mostrando computadores em ambientações domésticas. Os anúncios foram escritos em uma linguagem simples, fácil de entender, sem nada do jargão técnico que dominava os anúncios dos concorrentes, que, afinal de contas, tentavam atrair um mercado completamente diferente — os hobbistas.

O primeiro anúncio de revista do Apple II mostra um jovem universitário brincando com a máquina sobre uma mesa na cozinha, enquanto sua esposa, que lavava os pratos, olha para ele com ar de adoração. A política sexual do anúncio pode ter sido antiquada, mas ele transmitiu uma mensagem de que os PCs da Apple eram máquinas úteis, utilitárias. O cenário da cozinha fazia-o parecer apenas mais um aparelho para poupar trabalho.

Para Jobs, a importância da publicidade está claramente ilustrada em sua escolha de um CEO para dirigir a Apple nos primeiros tempos: John Sculley, um executivo de marketing da PepsiCo que usara anúncios para transformar a Pepsi em uma das empresas listadas na *Fortune 500*.

Na época, a Apple era uma das empresas de crescimento mais rápido nos Estados Unidos, mas precisava de um executivo experiente para administrar seu crescimento. Com apenas 26 anos, Jobs foi considerado, pela diretoria da Apple, muito jovem e inexperiente para assumir o posto, então lhe deram a tarefa de encontrar um CEO para dirigir a empresa. Jobs passou muitos meses buscando um executivo mais velho com o qual pudesse trabalhar.

Escolheu Sculley, de 38 anos e presidente da PepsiCo, o cérebro da campanha publicitária da "Geração Pepsi", que ajudou a destronar a Coca como a marca número 1 pela primeira vez na história. Jobs passou vários meses cortejando Sculley, um executivo experiente e extraordinário homem de marketing, para dirigir a companhia.

Durante as "Guerras das Cola" dos anos 1970, Sculley aumentou maciçamente a fatia de mercado da Pepsi gastando imensas somas de dinheiro em inteligentes comerciais de TV. Campanhas dispendiosas e benfeitas como o "Desafio Pepsi" transformaram a Pepsi de uma empresa de segunda em um gigante dos refrigerantes, no mesmo nível da Coca-Cola. Jobs queria que Sculley aplicasse o mesmo tipo de publicidade ao recém-nascido mercado dos computadores pessoais. Jobs estava especialmente preocupado com o Macintosh, que seria lançado em poucos meses. Ele sentia que a publicidade seria um dos mais importantes fatores do seu sucesso. Queria que o Mac fosse atraente para o público em geral — não somente para fãs da eletrônica —, e anunciar um novo produto estranho e desconhecido seria crucial para isso. Sculley não tinha experiência alguma na área de tecnologia, mas isso não importava. Jobs queria sua expertise em marketing. Em suas próprias palavras, ele queria criar a "Geração Apple".

Sculley dirigiu a Apple em parceria com Jobs. Tornou-se mentor e professor de Jobs, aplicando sua expertise em marketing ao nascente, mas rapidamente crescente, mercado de PCs. A estratégia de Sculley e Jobs na Apple foi de fazer as vendas crescerem rapidamente e depois superar a concorrência com anúncios. "A Apple ainda não tinha percebido que, sendo uma corporação avaliada em mais de um bilhão de dólares, tinha imensas vantagens que ainda não havíamos explorado", escreveu Sculley em sua autobiografia, *Odyssey*. "É quase impossível, para uma empresa com vendas de 50 milhões de dólares, ou até de 200 milhões, investir nos tipos eficazes de campanha publicitária na televisão que são necessários para deixar uma impressão nas pessoas."[19]

Jobs e Sculley imediatamente aumentaram o orçamento de publicidade da Apple de 15 milhões para 100 milhões de dólares. Sculley disse que seu objetivo era fazer da Apple "em primeiro lugar e antes de mais nada uma empresa de marketing de produtos". Muitos críticos desprezaram o estilo de publicidade da Apple, rejeitando-o como trivial e desimportante. Pura aparência sem substância. Mas o marketing sempre foi, para a Apple, uma de suas principais estratégias. A companhia usou a publicidade como um modo extremamente importante e eficiente de distinguir-se dos concorrentes. "Steve e eu estávamos convencidos de que tínhamos uma fórmula secreta — uma combinação de tecnologia revolucionária e marketing", escreveu Sculley.[20]

Suas ideias tiveram muita influência sobre Jobs, servindo de alicerce para muitas das técnicas de marketing de Jobs na Apple de hoje.

Na PepsiCo, Sculley foi responsável por alguns dos primeiros e mais bem-sucedidos exemplos de publicidade de um estilo de vida — spots carregados de emoção que tentavam atingir a mente das pessoas pelo coração. Mais do que tentar comercializar atributos específicos da Pepsi em relação aos demais refrigerantes, o que não teria muita importância, Sculley criou anúncios que articulavam um "estilo de vida invejável".

Para tanto, os anúncios de Sculley da "Geração Pepsi" retratavam moças e rapazes americanos saudáveis e esportivos em atividades de lazer idealizadas: brincando com filhotes de cachorros em um campo ou comendo melancia em um piquenique. Retratavam vinhetas simples dos momentos mágicos da vida, ambientados em míticos Estados Unidos de classe média. Foram feitos para apelar aos *baby-boomers* — a faixa rapidamente crescente dos consumidores mais ricos na economia do pós-Segunda Guerra —, retratando um estilo de vida a que aspiravam. Foram os primeiros anúncios do tipo "estilo de vida".

Os comerciais da Pepsi eram tratados como filmes em miniatura, gravados com sofisticados recursos de produção por cineastas de Hollywood. Enquanto as demais empresas estavam gastando 15 mil dólares para rodar um comercial, a Pepsi gastava entre 200 mil e 300 mil em um único spot.[21]

Jobs faz exatamente a mesma coisa, hoje, na Apple. A Apple é famosa por sua publicidade de "estilo de vida". Jamais enche seus anúncios com velocidades e conexões, funções e detalhes técnicos, como todos os outros. Em vez disso, retrata jovens em dia com as últimas tendências, com "estilos de vida invejáveis" graças ao uso dos produtos da Apple. Sua campanha publicitária altamente bem-sucedida para o iPod mostra jovens curtindo a música em suas cabeças. Não se faz nenhuma menção à capacidade do disco rígido do iPod.

Sculley também aperfeiçoou a arte de realizar grandes e festivos eventos de marketing e persuadir a mídia a tratá-los como notícias. As famosas apresentações de abertura de Jobs na Macworld, por exemplo, durante as quais ele muitas vezes lança novos produtos, têm como origem as campanhas do "Desafio Pepsi" que Sculley realizou nos anos 70. Para atacar sua rival, a Coca-Cola, Sculley idealizou o "Desafio Pepsi" — um teste de paladar com os olhos vendados que colocava a Pepsi contra a Coca, filmado em mercados, shoppings e grandes eventos esportivos. Esses desafios frequentemente causavam tal rebuliço que atraíam as equipes de TV locais. É claro que um spot no noticiário da TV local naquela noite valia muito mais do que qualquer comercial de trinta segundos. Sculley aumentou a aposta, organizando desafios entre celebridades em grandes jogos esportivos que, com frequência, rendiam uma publicidade maciça. "Afinal de contas, marketing é, na verdade, uma peça teatral", escreveu ele. "É como encenar uma peça. A maneira de motivar as pessoas é fazer com que elas se interessem pelo seu produto, entretê-las e tornar o seu produto um evento incrivelmente importante. A campanha da Geração Pepsi fez tudo isso ao elevar a Pepsi a proporções épicas e tornar sua marca maior do que a vida."[22]

Mais uma coisa: campanhas de marketing coordenadas

Jobs usa essencialmente a mesma técnica para apresentar novos produtos na Macworld Expo anual. Ele transformou seu famoso "*one more thing*" (mais uma coisa), sempre presente nos discursos de abertura na Macworld, assim como em apresentações especiais de produtos, em enormes eventos de mídia. A Apple fez seis apresentações especiais de produtos em 2006 e sete em 2007. São um teatro de marketing, encenado para a imprensa mundial.

As apresentações de produtos conduzidas por Jobs estão integradas em campanhas maiores e coordenadas que são executadas com uma precisão que impressionaria um general. As campanhas combinam boatos e surpresas com marketing tradicional, e, para garantir sua eficiência, dependem de um grande sigilo. Por fora, as coisas podem parecer caóticas e descontroladas, mas são estritamente planejadas e coordenadas. É assim que funcionam...

Alguns dia antes da apresentação de um produto, o departamento de RP da Apple manda convites à imprensa e a VIPs. O convite diz a hora e o local de um "evento especial", mas contém pouca informação sobre sua natureza ou sobre quaisquer produtos que venham a ser revelados. É uma isca. Jobs, na verdade, está dizendo: "Eu tenho um segredo, adivinhe qual é."

O burburinho começa imediatamente em seguida. Vai haver uma explosão de comentários em blogs e em artigos na imprensa especulando sobre o que Jobs vai anunciar. No passado, a especulação limitava-se aos sites especializados na Apple e aos fóruns de fãs, mas recentemente a grande imprensa também noticia os boatos. O *Wall Street Journal*, o *New York Times*, a CNN e o *International Herald Tribune* têm escrito artigos cheios de expectativa, ansiosos pelas apresentações de produto de Jobs. A boataria em torno do Macworld 2007 — no qual Jobs apresentou o iPhone — chegou até os noticiários da noite em todas as cadeias de TV a cabo e canais abertos, o que é inédito para qualquer empresa de qualquer setor. Nem mesmo Hollywood consegue angariar tanta atenção para as estreias de seus filmes.

Esse tipo de publicidade mundial vale muitas centenas de milhões de dólares em termos de exposição gratuita. O lançamento do iPhone, em janeiro de 2007, foi o maior até hoje. De pé no palco em São Francisco, Jobs sozinho eclipsou o Consumer Electronics Show, em Las Vegas, um evento muito maior que estava acontecendo ao mesmo tempo. O CES é economicamente mais importante do que o Macworld, e no entanto Jobs e o iPhone habilmente roubaram seu impacto. O lançamento do iPhone de

Jobs também ofuscou anúncios de empresas muito maiores, entre os quais a apresentação da versão para o consumidor do Vista da Microsoft, e tornou-se a maior matéria de tecnologia do ano. O professor David Yoffie, da Harvard Business School, calculou que as notícias sobre o rumor do iPhone e as matérias que se seguiram equivaleram a 400 milhões de dólares em publicidade gratuita. "Nenhuma outra empresa jamais recebeu esse tipo de atenção para o lançamento de um produto", diz Yoffie. "É inédito."[23]

O sucesso foi tamanho que a Apple não gastou um centavo para anunciar o iPhone antes do seu lançamento. "Nosso programa secreto de marketing para o iPhone foi nenhum", disse Jobs aos funcionários da Apple em uma fala dirigida à empresa. "Não fizemos nada."

É claro que não haveria esse tipo de atenção se os planos para o produto fossem conhecidos com antecedência. O evento todo depende do sigilo, que é rigorosamente mantido. No Moscone Center de São Francisco, o estande da Apple está envolvido por uma cortina negra de 6 metros de altura. A única entrada na cortina, nos fundos, é protegida por um guarda que verifica atentamente as credenciais de todos os que tentam entrar. Dois outros guardas ficam em cantos opostos do estande retangular, monitorando suas laterais. Tudo dentro da cortina também está embrulhado, inclusive o topo dos pedestais de exposição. Até o palco principal de apresentação, que se situa no centro do estande, é completamente envolvido com tecido por todos os lados. Todos os banners de publicidade pendentes do teto estão embrulhados de todos os lados. Seus envoltórios possuem elaborados mecanismos com polias para retirar as cortinas depois que Jobs fizer seu anúncio. Há grandes banners de publicidade no andar de cima, na entrada, que também estão envolvidos por lona negra. Eles são protegidos 24 horas por dia, sete dias por semana, por guardas. Houve um ano em que os guardas pegaram alguns blogueiros tirando fotos e obrigaram-nos a apagar seus cartões de memória. "A ânsia de controlar as informações às vezes beira a paranoia", escreveu Tom McNichol na revista *Wired*.

Várias semanas antes do lançamento, o departamento de RP da Apple envia o novo *gadget* sob um estrito acordo de confidencialidade para três dos mais influentes jornalistas da área de produtos de tecnologia: Walt Mossberg, do *Wall Street Journal*, David Pogue, do *New York Times*, e Edward Baig, do *USA Today*. São sempre esses mesmos três jornalistas, por terem a fama de ditar o sucesso ou o fracasso de um produto. Uma crítica negativa pode acabar com um dispositivo, mas uma positiva pode torná-lo um grande sucesso. Mossberg, Pogue e Baig preparam suas críticas para que sejam publicadas na data do lançamento do produto.

Enquanto isso, o departamento de RP da Apple contata as revistas de notícias e negócios que possuem circulação nacional nos Estados Unidos oferecendo uma olhadela no *making of* do produto. Esse *making of* geralmente é tudo menos isso — a maior parte dos detalhes não é revelada —, no entanto, é melhor que nada, e as revistas sempre aceitam a proposta de Jobs. O repórter passa alguns dias na Apple e recebe alguns detalhes sobre o processo de criação do produto para que possa escrever sua história. Colocar o rosto de Jobs na capa mexe com as revistas nas bancas. Jobs se aproveita de velhas rivalidades. Ele joga a *Time* contra a *Newsweek* e a *Fortune* contra a *Forbes*. A revista que prometer uma cobertura mais completa ganha a exclusiva. Jobs usa esse mesmo truque repetidas vezes e sempre dá resultado. Ele começou essa prática com o Mac original, e chamou-a de "olhadela", como uma olhadela furtiva. O fato de familiarizar um repórter com um novo produto antes da hora geralmente tem garantido uma matéria mais favorável. Quando Jobs lançou um novo iMac, em 2002, a revista *Time* ganhou a matéria exclusiva de bastidores e Jobs ganhou em troca a capa e um brilhante encarte de sete páginas do lado de dentro. O *timing* foi perfeito para a apresentação da máquina na Macworld.

Durante o discurso, ele sempre guarda o maior anúncio para o último lugar. No final, ele diz "mais uma coisa", quase como se só então se lembrasse de dizê-lo.

Assim que Jobs revela o produto, a máquina de marketing da Apple começa a sua blitz de publicidade. Os banners secretos na Macworld são colocados à mostra e imediatamente as páginas de entrada do website da Apple exibem em destaque o novo produto. Aí começa a campanha coordenada em revistas, jornais, rádio e TV. Dentro de algumas horas, novos anúncios serão colocados nos outdoors e pontos de ônibus por todo o país. Os anúncios da Apple estão em toda parte. É o velho adágio da propaganda: percepção = vendas. Todos os anúncios refletem um estilo e uma mensagem consistentes. A mensagem é simples e direta: "Mil músicas em seu bolso" é tudo o que você precisa saber sobre o iPod. "Não dá para ser fino demais. Ou potente demais" envia uma mensagem clara sobre os laptops MacBook da Apple.

O segredo do sigilo

Em janeiro de 2007, um juiz ordenou à Apple que pagasse 700 mil dólares em honorários jurídicos a dois websites que relataram detalhes de um produto não lançado cujo codinome era "Asteroid". A Apple havia movido uma ação contra os sites na tentativa de saber a identidade do funcionário que havia deixado vazar a informação, mas perdeu a causa.

Alguns especularam que Jobs acionou os sites para manter a imprensa na linha. O processo foi visto como intimidação à imprensa, uma tática de terror destinada a desestimular a mídia a publicar boatos. Grande parte da discussão pública girou em torno da liberdade de imprensa e da questão de os blogueiros terem ou não os mesmos direitos dos repórteres profissionais, que gozam de alguma proteção das leis que defendem os jornalistas. É por isso que a Electronic Frontier Foundation pegou o caso e transformou-o em uma "grande causa" — para proteger a liberdade de imprensa. Do ponto de vista de Jobs, contudo, o caso nada tinha a ver com a liberdade de imprensa. Ele processou os blogueiros para apavorar seus próprios funcionários. Estava menos preocupado em amordaçar a imprensa do que em amordaçar funcionários que vazassem para a imprensa — e qualquer pessoa que viesse a pensar em fazer o mesmo no futuro. O marketing de boatos da Apple vale centenas de milhares de dólares, e Jobs queria parar os vazamentos.

A Apple de Jobs é excessivamente sigilosa. É quase tão sigilosa quanto uma agência governamental secreta. Como os agentes da CIA, os funcionários da Apple não falam do que fazem, nem mesmo com as pessoas mais próximas: esposas, namorados, pais. Os funcionários certamente não conversam sobre seu trabalho com pessoas de fora. Muitos sequer se referem à empresa pelo nome. Como gente de teatro supersticiosa que chama *Macbeth* de "a peça escocesa", alguns funcionários da Apple a chamam de "a empresa da fruta".

Conversar com quem não é da empresa é delito passível de demissão. Mas muitos empregados não sabem de nada, mesmo. Os funcionários da Apple recebem apenas as informações que realmente precisam saber. Os programadores escrevem software para produtos que nunca viram. Um grupo de engenheiros projeta uma fonte elétrica para um novo produto enquanto outro grupo trabalha na tela. Nenhum dos dois grupos chega a ver o projeto final. A empresa tem uma estrutura celular, em que cada grupo é isolado do outro, como uma agência de espionagem ou uma organização terrorista.

Nos velhos tempos, as informações fluíam para fora da Apple com tal rapidez que a legendária revista *MacWeek* era conhecida como MacLeek (MacVazamento). Todos, de engenheiros a gerentes, passavam informações para a imprensa. Desde que Jobs retornou, os 21 mil funcionários, assim como dezenas de fornecedores, estão totalmente de boca fechada. Apesar das dezenas de repórteres e de blogueiros xeretando por toda parte, vaza muito pouca informação a respeito dos planos da empresa ou de futuros produtos.

Algumas das medidas de sigilo de Jobs chegam a ser um tanto extremas. Quando ele contratou Ron Johnson, da Target, para chefiar o esforço varejista da Apple, pediu-lhe que usasse um nome fictício durante vários meses, para que ninguém soubesse que a Apple estava planejando abrir lojas de varejo. Johnson foi introduzido na lista telefônica da Apple sob um nome falso que ele usava para se registrar em hotéis.

O chefe de marketing da Apple, Phil Schiller, disse que não tem permissão para contar a sua esposa ou a seus filhos aquilo em que está trabalhando. Seu filho adolescente, um ávido fã do iPod, ficou desesperado para saber em que seu pai estava trabalhando, mas papai teve que ficar de bico calado para não ser despedido. O próprio Jobs está submetido a suas restrições: ele levou para casa um iPod com um sistema de alto-falantes de alta fidelidade para testar, mas o manteve coberto por um pano preto. Só o ligava quando ninguém estava por perto.

O sigilo obsessivo da Apple não é um capricho das tendências controladoras de Jobs: é um elemento crucial da máquina de marketing extremamente eficiente da Apple. A empresa ganha milhões de dólares em publicidade gratuita cada vez que Jobs pisa em um palco para revelar um novo produto. Muitos já se perguntaram por que não há blogueiros na Apple. É porque língua solta na Apple afunda navios. Mas há dezenas de blogueiros na Pixar, mesmo antes que Jobs a vendesse para a Disney. Os blogueiros da Pixar tagarelam alegremente sobre todos os aspectos dos projetos da empresa e sobre suas vidas profissionais. A diferença é que os filmes da Pixar não se baseiam na surpresa de uma revelação para conseguir espaço na imprensa. Os novos filmes são normalmente comentados nas publicações profissionais de Hollywood. Jobs não é maníaco pelo controle como um fim em si: há um método em sua loucura. Um novo produto não será novo se for revelado. O segredo mantém o elemento surpresa.

Personalidade plus

Além de apresentar novos produtos bacanas, Jobs tem tido muito sucesso em criar uma persona para a Apple. Através da publicidade, tem criado uma imagem das coisas que ele e a companhia representam. No final dos anos 1970, era a revolução através da tecnologia. Mais tarde, foi ser criativo e pensar diferente. A personalidade de Jobs permite que a Apple se coloque diante do mercado como humana e "bacana". Sua personalidade é a matéria bruta da publicidade da Apple. Nem uma agência como a Chiat\Day seria capaz de fazer Bill Gates parecer "bacana e antenado".

A publicidade da Apple tem feito um bom trabalho ao apresentar a empresa como um ícone de mudança, de revolução e de ideias arrojadas. Mas isso é feito de uma forma sutil, indireta. A Apple raramente se gaba. Jamais diz: "Somos revolucionários. De verdade." Ela usa as narrativas de sua publicidade para transmitir essa mensagem, frequentemente como subtexto.

Por exemplo, a publicidade da silhueta do iPod. As imagens da campanha eram novas e inéditas — não se pareciam com nada que já tivesse sido visto. "Eles sempre têm esse ineditismo no design gráfico. A aparência é muito simples e muito marcante. É tão diferente que possui um visual próprio", disse-me em uma entrevista telefônica o jornalista de publicidade Warren Berger, autor de *Advertising Today* e *Hoopla*.[24]

Berger disse que o melhor modo de se obter uma publicidade criativa é contratando a agência mais criativa. A Chiat\Day é uma das mais criativas agências do mundo, mas o verdadeiro segredo é comunicar o que a marca expressa. "Lee Clow e Jobs se entenderam tão bem que ficaram amigos", disse Berger. "Clow realmente captou a cultura da Apple, sua cabeça. Ele realmente entendeu o que eles estavam tentando fazer. E Jobs deu a Clow total liberdade criativa. Deixou que ele lhe mostrasse o que quisesse, por mais louco que parecesse. Isso permite que as pessoas ultrapassem os limites. A IBM nunca conseguiu fazer isso. Eles jamais dariam à Chiat\Day a liberdade que Jobs lhe deu."

Em 2006, a Hewlett-Packard começou a fazer uma publicidade muito boa, com campanhas que mostravam pessoas, e não computadores, em spots que pareciam ter vindo da Apple. Em um dos spots de TV da campanha que a HP intitulou de "O computador é novamente pessoal", o astro do hip-hop Jay-Z mostra aos espectadores o conteúdo do seu computador, que aparece como um efeito especial em 3D em meio aos gestos de suas mãos. Seu rosto nunca é mostrado.

A Hewlett-Packard contratou a Goodby Silverstein, outra agência superstar. Os anúncios eram interessantes e muito benfeitos, mas nunca tiveram a força de personalidade dos anúncios da Apple, porque *a empresa* não tem a força de personalidade. Por mais que anúncios tentassem personalizar a corporação HP através de celebridades como Jay-Z, ela ainda assim era percebida como uma empresa. A Apple é mais um fenômeno do que uma empresa. A Hewlett-Packard jamais conseguirá ser assim tão mágica porque não tem uma personalidade. O mesmo aconteceu com a Apple quando Jobs a deixou, em 1985. "Quando Steve foi embora, a Apple tornou-se novamente uma empresa", disse Berger.

"A publicidade era boa, mas não tinha aquela magia. Não parecia a mesma empresa. Não era um fenômeno. Não dava a sensação de ser uma revolução. Ela estava só tentando estabilizar as coisas." A Apple corre o mesmo risco se Jobs parar de trabalhar. Será difícil encontrar uma personalidade que possa substituí-la.

Entre as campanhas grandes, arrojadas e construtoras de marca, como a "Pense diferente" e a das silhuetas do iPod, a Apple mistura anúncios de produtos mais tradicionais. Essas promoções focalizam produtos específicos, como a campanha "Sou um Mac/Sou um PC", que dramatizou os bons motivos para se comprar um computador da Apple.

As campanhas representavam as plataformas rivais Mac e Windows como duas pessoas. O promissor ator Justin Long personificava o Mac, calmo e descontraído, enquanto o comediante e escritor John Hodgman representava o PC, nerd e sempre propenso a acidentes. Em um spot, Hodgman estava gripado. Havia pegado um vírus. Oferece um lenço a Long, o Mac, e ele educadamente o recusa porque os Macs são essencialmente imunes a vírus de computador. Em trinta segundos, de forma inteligente e econômica, o spot transmitiu uma mensagem sobre vírus de computador. Os anúncios criam uma situação memorável, dramática — mais do que as pessoas contratadas pela HP mostrando os conteúdos de seus computadores.

Como a "Pense diferente", a campanha teve um grande impacto. Fez muito sucesso e foi amplamente parodiada — uma boa medida do impacto cultural de uma campanha.

"Eles criam essas coisas que entram na cultura", disse Berger. "Na mesma hora as pessoas começam a falar sobre aquilo e a coisa entra na publicidade dos outros. Você vê os mesmos layouts e os mesmos padrões em outros anúncios, em layouts de revistas e de jornais. Há todo um estilo de design gráfico; de repente, os outros anunciantes já o adotaram. Os cartazes do 'Pense diferente'. As pessoas os colocam na parede. Isso é uma publicidade realmente bem-sucedida. Os anúncios tornam-se um fenômeno; não foi preciso pagar a ninguém para que as pessoas os repassassem."

Nem todos adoram a publicidade da Apple. Seth Godin, autor de vários best-sellers sobre marketing, disse que a publicidade da Apple muitas vezes foi medíocre. "A maior parte da publicidade da Apple me deixa indiferente", disse-me ele por telefone de seu escritório em Nova York. "Não tem sido eficiente. A publicidade da Apple trata mais de agradar quem já é usuário de seus produtos do que de atrair novos usuários. Se você tem um Mac, vai adorar a publicidade da Apple porque ela diz: 'Eu sou mais esperto do que você.' Se você não tem um Mac, ela diz: 'Você é burro.'"[25]

Os anúncios "Sou um Mac/Sou um PC" foram descritos como insuportavelmente convencidos. Muitos críticos não conseguiram aturar o personagem de Justin Long, o Mac seguro e tranquilamente superior, com uma pose e autoconfiança que aborrecem algumas pessoas. A barba por fazer e o agasalho informal com capuz aumentaram ainda mais a irritação. Muitos consumidores que fazem parte do público-alvo identificaram-se mais com o personagem de Hodgman, o tímido PC, que era afetuosamente sem jeito.

"Odeio os Macs", escreveu o humorista britânico Charlie Booker em uma crítica aos anúncios. "Sempre odiei os Macs. Odeio as pessoas que usam Macs. Odeio até as pessoas que não usam os Macs mas que às vezes gostariam de usar... Os PCs têm charme; os Macs exalam pretensão. Quando eu me sento para usar um Mac, a primeira coisa em que penso é: 'Odeio os Macs', e depois penso: 'Por que será que esta droga de ornamento aspiracional só tem um botão no mouse?'"

Booker disse que o maior problema da campanha é que ela "perpetua a noção de que os consumidores de certa forma 'se definem' pela tecnologia que escolhem".

E continua: "Se você realmente acredita que precisa escolher um telefone celular que 'diga alguma coisa' sobre a sua personalidade, não se preocupe. Você não tem uma personalidade. Uma doença mental, talvez — mas não uma personalidade."[26]

Ao contrário, a campanha dos "Switchers", veiculada no início dos anos 2000, foi duramente criticada porque retratava os compradores de produtos da Apple como perdedores. A campanha, filmada por Errol Morris, documentarista ganhador do Oscar, apresentava uma série de pessoas comuns que haviam recentemente passado de Windows para Macs. Olhando de frente para a câmera de Morris, explicavam os motivos pelos quais haviam mudado, os problemas que vinham tendo com o Windows e teciam elogios a seu novo caso de amor com o Mac. O problema é que a maioria parecia estar fugindo dos seus problemas. Não conseguiram lidar com eles, então desistiram.

"A Apple não podia ter escolhido uma coleção melhor de incompetentes para promover o Macintosh", escreveu o jornalista Andrew Orlowski.[27] "A mensagem é um amálgama de sinais conflitantes. Tendo retratado o Mac como o computador das pessoas acima da média, agora está sugerindo que ele é uma espécie de campo de refugiados para os mais amargos perdedores na vida."

A campanha "Pense diferente" foi criticada por usar figuras não comerciais, pessoas que patentemente não acreditavam na cultura comercial. Entre elas havia até não materialistas militantes, como Gandhi e o

Dalai Lama, que ativamente se opunham ao comercialismo. Essas figuras jamais endossariam um produto em um comercial — e, naquele caso, a Apple as estava usando para apoiar produtos. Muitos críticos não puderam acreditar na insolência da Apple e acharam que a empresa havia ultrapassado os limites.

Em defesa da companhia, Clow disse ao *New York Times* que a Apple pretendeu homenagear as personalidades da campanha, e não as explorar. "Não estamos querendo dizer que essas pessoas usam um Apple ou que, se pudessem, teriam usado um. Buscamos, em vez disso, a celebração emocional da criatividade, que deve sempre fazer parte da maneira pela qual falamos sobre a marca."[28]

Allen Olivo, na época porta-voz da Apple, disse: "Jamais associaríamos essas pessoas a nenhum produto — a Apple quer festejá-las, não usá-las. Dizer que Albert Einstein teria usado um computador seria passar dos limites. Por que ele precisaria de um computador? Mas é diferente dizer que ele olhava o mundo de outra forma."[29]

Berger, o crítico de publicidade, disse que adorou a campanha "Pense diferente". "A cultura americana é muito comercial. A coisa acaba ficando toda misturada. Quentin Tarantino fala sobre o Burger King. A Apple faz um pôster de Rosa Parks. Essa é a nossa cultura. As pessoas são livres para usar qualquer coisa de onde quer que elas tenham vontade."

A publicidade sempre teve uma importância central para Jobs — tão importante quanto o design e uma tecnologia fácil de usar —, e ele tem tido sucesso através das parcerias com as melhores e mais criativas agências.

Lições de Steve

Só estabeleça parcerias com atores nota 10 e demita os idiotas. Funcionários talentosos são uma vantagem competitiva que coloca você à frente dos seus rivais.

Busque a mais alta qualidade — nas pessoas, nos produtos e na publicidade.

Invista em pessoas. Quando Jobs eliminou produtos após retornar à Apple, ele "stevou" muitos projetos, mas manteve as melhores pessoas.

Trabalhe em equipes pequenas. Jobs não gosta de equipes de mais de cem pessoas, que correm o risco de perder o foco e se tornar inadministráveis.

Não dê ouvidos aos que só dizem "sim". As discussões e os debates promovem o pensamento criativo. Jobs quer parceiros que desafiem suas ideias.

Trave combates intelectuais. Jobs toma decisões brigando para defender ideias. É difícil e exaustivo, porém rigoroso e eficaz.

Dê total liberdade a seus parceiros. Jobs dá muito espaço a seus parceiros criativos.

Capítulo 5
Paixão

Deixando uma marquinha no universo

"Quero deixar uma marquinha no universo."

— *Steve Jobs*

Na primavera de 2000, Jobs havia lançado uma série de produtos de sucesso e estabilizado a empresa. Tinha cuidado das melhorias no sistema operacional da Apple, OS X, e em poucos meses lançaria a cadeia de lojas de varejo. A Apple estava sobrevivendo, mas ainda não estava crescendo. Tudo iria mudar com o lançamento do iPod, em outubro de 2001.

O iPod é muitas coisas. É um ótimo MP3 player. É uma excelente mistura de hardware, software e serviços on-line. Foi o produto que impulsionou o retorno da Apple. Para Jobs, contudo, trata-se essencialmente de enriquecer a vida das pessoas com música. Como ele disse à revista *Rolling Stone* em 2003: "Tivemos muita sorte — crescemos em uma geração da qual a música foi uma parte incrivelmente íntima. Mais íntima do que havia sido antes e talvez mais íntima do que é hoje, porque agora há muitas alternativas. Não tínhamos videogames. Não tínhamos computadores pessoais. Hoje há muitas outras coisas competindo pelo tempo da garotada. No entanto, a música está sendo realmente reinventada nesta era digital, e isso a está trazendo de volta à vida das pessoas. É uma coisa maravilhosa. E, do nosso jeitinho, é assim que estamos trabalhando para tornar o mundo um lugar melhor."[1]

Entenda bem esta última parte: "É assim que estamos trabalhando para tornar o mundo um lugar melhor." Em tudo que Jobs faz, há um sentido de missão. Ao longo de sua carreira, Steve Jobs motivou funcionários, atraiu desenvolvedores de software e cativou compradores invocando um chamado superior. Para ele, os programadores não trabalham para criar programas fáceis de usar: estão tentando mudar o mundo. Os clientes da Apple não compram Macs para trabalhar em planilhas: estão tomando uma posição moral contra o monopólio maligno da Microsoft. E, como qualquer fanático, ele é apaixonado pelo seu trabalho. Sim, sua dedicação produz um bocado de gritos e berros. Jobs não é exatamente um cordeiro ao lidar com seus subordinados. Ele sabe o que quer e está disposto a dar ataques para obtê-lo. É estranho, mas muitos dos seus colaboradores gostam de ouvir seus gritos. Ou, pelo menos, gostam do efeito que têm sobre seu trabalho. Apreciam a paixão dele, pois ela os impulsiona à grandeza, e, embora possam ficar esgotados, aprendem bastante ao longo do caminho. O segredo de Jobs: não tem importância ser um idiota, contanto que você seja apaixonado pelo que faz.

Tornar o mundo um lugar melhor tem sido o mantra de Jobs desde o início. Em 1983, a Apple tinha seis anos de existência e crescia explosivamente. De uma clássica startup do Vale do Silício administrada por jovens hippies, estava se tornando uma grande corporação com uma clientela de primeira linha. Precisava de um empresário experiente para geri-la.

Jobs passara meses tentando seduzir John Sculley, o presidente da PepsiCo, para administrar a companhia. Mas Sculley não estava convencido de que fosse uma escolha sensata descer do cargo de chefe de uma firma grande e bem estabelecida para uma arriscada iniciante hippie como a Apple. Ainda assim, ficou tentado. Os computadores pessoais eram o futuro. Os dois encontraram-se inúmeras vezes no Vale do Silício e em Nova York. Finalmente, em um fim de tarde, contemplando o Central Park da varanda do luxuoso apartamento de Jobs no edifício San Remo, Jobs virou-se para seu interlocutor, que era mais velho do que ele, e ousadamente lhe lançou o desafio: "Você quer vender água açucarada pelo resto da sua vida ou quer mudar o mundo?"

Esse talvez seja o mais famoso desafio da história empresarial contemporânea: é um insulto, um elogio e um desafio filosófico que chega às profundezas da alma, tudo isso embutido em uma interrogação. É claro que a pergunta atingiu Sculley em cheio. Ela o perturbou até o âmago e ele ficou remoendo o assunto durante dias. Finalmente, não conseguiu resistir ao desafio que Jobs propusera. "Se eu não aceitasse, teria passado o resto da vida me perguntando se havia tomado a decisão errada", disse-me Sculley.

Noventa horas por semana e adorando

A equipe que desenvolveu o primeiro Mac era uma trupe desordenada de ex-acadêmicos e técnicos trabalhando em um projeto secreto fora do mapa empresarial que tinha poucas chances de ver a luz do dia — até que Jobs assumiu. Desde o início, ele convenceu os membros da equipe de que estavam criando algo revolucionário. Aquele não era apenas um computador superlegal ou um instigante problema de engenharia. A interface gráfica fácil de usar do Mac iria revolucionar a informática. Pela primeira vez, os computadores seriam acessíveis a um público não técnico.

Os membros da equipe do Mac trabalharam como escravos durante três anos, e, embora Jobs gritasse com eles, mantinha seu moral elevado, dando-lhes a convicção de que tinham uma missão superior. O trabalho que estavam fazendo nada mais era do que uma 'obra de Deus'. "A meta nunca foi vencer a concorrência ou ganhar um monte de dinheiro; era fazer a coisa mais grandiosa que fosse possível, ou talvez algo além disso", escreveu Andy Hertzfeld, um dos principais programadores.

Jobs disse à equipe do Mac que eles eram artistas, fundindo tecnologia com cultura. Ele os convenceu de que estavam diante de uma rara oportunidade de mudar a face da informática e de que eram privilegiados por estarem criando um produto tão pioneiro. "Em um momento muito especial, todos nos reunimos para criar esse novo produto", escreveu Jobs em um artigo para a edição inaugural da revista *Macworld*, em 1984. "Sentimos que essa pode ser a melhor coisa que faremos em nossas vidas."

Olhando em retrospecto, isso acabou sendo verdade. O Mac foi uma criação pioneira e revolucionária na informática. Mas talvez tenha sido uma questão de fé. O Mac era apenas um dentre dezenas de computadores concorrentes que foram desenvolvidos àquela época. Não havia garantia de que seria melhor, ou mesmo de que chegaria a ser lançado no mercado. A equipe abraçou a convicção de Jobs na base da fé. Brincavam dizendo que sua crença na visão de Jobs era o mesmo tipo de fé instigada por gurus carismáticos.

Mas Jobs insuflou em sua equipe a paixão pelo trabalho, o que é crucial quando se tenta inventar novas tecnologias. Sem ela, os funcionários poderiam perder a fé em um projeto que leva vários anos para ser finalizado. Sem um compromisso apaixonado com seu trabalho, eles poderiam perder o interesse e abandoná-lo. "Se você não tiver muita paixão por isso, não sobreviverá", disse Jobs. "Vai acabar desistindo. Então, é preciso ter uma ideia ou uma questão ou um erro que você queira corrigir, pelo qual você esteja apaixonado; do contrário, não vai ter perseverança para continuar até o fim. Acho que metade da batalha está aí."

A paixão de Jobs é uma estratégia de sobrevivência. Muitas vezes, quando ele e a Apple tentaram algo novo, havia verdadeiros fiéis, mas a reação do mundo como um todo tem sido, muitas vezes, de desdém. Em 1984, a primeira interface gráfica de usuário do Mac foi amplamente ridicularizada como sendo "um brinquedo". Bill Gates ficou surpreso que as pessoas quisessem computadores coloridos. Os críticos a princípio pediram que a Apple abrisse o iPod. Sem uma forte crença em sua visão, uma paixão pelo que estava fazendo, teria sido muito mais difícil para Jobs resistir aos críticos. "Sempre me senti atraído pelas mudanças mais revolucionárias", disse ele à *Rolling Stone*. "Não sei por quê. Porque são mais difíceis. São muito mais estressantes, em termos emocionais. E você geralmente passa por um período em que todo mundo lhe diz que fracassou totalmente."

O fato de instigar nos funcionários uma paixão pelo que a empresa está fazendo tem uma aplicação muito prática: a equipe geralmente fica feliz por trabalhar durante períodos extremamente longos, até mesmo para os padrões exagerados do Vale do Silício. A equipe do Mac trabalhava por longas e árduas horas, porque Jobs a fez acreditar que o Mac era seu produto. Eram a criatividade e o trabalho dela que estavam trazendo o produto à vida, e ele a fez acreditar que criaria um profundo impacto. O que poderia ser mais motivante? Na Apple, a tecnologia é um esporte de equipe. A equipe de desenvolvimento do Mac trabalhou tão arduamente que passou a ser medalha de honra. Todos ganharam camisetas em que se lia: "90 HORAS POR SEMANA E ADORANDO".

A montanha-russa um herói/um idiota

Muitos dos funcionários da Apple acreditam sinceramente que a companhia está deixando uma marquinha no universo. Sentem fortemente que a empresa lidera em tecnologia, estabelece tendências e cria novos terrenos. Ser parte disso é muito tentador. "As pessoas acreditam mesmo que a Apple está mudando o mundo", disse um ex-funcionário. "Nem todos acreditam nisso 100%, mas todos acreditam ao menos um pouco. Como engenheiro, acho que o que a Apple está fazendo é muito entusiasmante. Sempre havia alguma coisa interessante para acontecer. A empresa tem um pique incrível."

Na Apple, a cultura da empresa emana de Jobs. Assim como Jobs é extremamente exigente com seus subordinados diretos, os gerentes de médio escalão exigem o mesmo nível de alto desempenho de seu pessoal. O resultado é um reinado de terror. Todo mundo vive com medo constante de perder o emprego. O fenômeno é conhecido como "a montanha-russa um herói/um idiota". Um dia você é um herói, no outro você é um imbecil. "As pessoas viviam para os dias em que seriam heróis e tentavam passar rápido pelos dias em que eram idiotas", disse um ex-funcionário. "Havia profundos altos e baixos."

Segundo vários funcionários com quem falei, há uma tensão constante, na Apple, entre o medo de ser demitido e um zelo messiânico por deixar uma marquinha no universo. "Mais do que em qualquer outro lugar em que tenha trabalhado antes da Apple ou desde então, há muita preocupação em torno de ser demitido", explicou Edward Eigerman, ex-engenheiro da Apple. "Você pergunta aos colegas: 'Posso mandar este e-mail ou apresentar este relatório?' E eles dizem: 'Você pode fazer o que quiser no seu último dia na Apple.'"[2]

Eigerman passou quatro anos na Apple trabalhando como engenheiro em um escritório de vendas em Nova York. Todos com quem trabalhou acabaram sendo demitidos por um motivo ou por outro, disse ele, em geral por questões relacionadas ao desempenho, como não atingir as metas. Mas, por outro lado, ninguém pediu demissão. Embora o trabalho na Apple fosse estressante e muito exigente, todo mundo adorava o emprego e era extremamente leal à empresa e a Steve Jobs.

"As pessoas adoram trabalhar lá", disse Eigerman. "Ficam animadas por estarem lá. Há muita paixão. As pessoas amam os produtos. Realmente acreditam neles e adoram o que estão fazendo."

Apesar do zelo, os empregados evitam assumir uma postura de "culto". Deliberadamente evitam as pessoas ligadas à Apple que querem fazer parte disso. Em uma entrevista de emprego, a pior coisa que um candidato pode dizer é: "Eu sempre quis trabalhar na Apple", ou "Sempre fui um fã". Essa é a última coisa que querem ouvir. Os funcionários gostam de se referir uns aos outros como sendo "centrados".

O estresse de estar na montanha-russa um herói/um idiota seria intolerável se muitos dos funcionários não achassem fabuloso trabalhar na Apple. Tanto quanto o desejo de deixar uma marquinha no universo, vários empregados descreveram outros benefícios indiretos de trabalhar na Apple, como, por exemplo, o alto nível dos colegas e o desafio de trabalhar com a tecnologia mais avançada.

Uma riqueza em opções de compra de ações

Um dos melhores benefícios indiretos são as opções de compra de ações que os funcionários da Apple possuem. É algo muito valioso, já que as ações da empresa, após desdobramento, subiram 1.250% desde que Jobs voltou como CEO, segundo a *Business Week*. Na Apple, há poucos benefícios corporativos. Jobs tem seu próprio jatinho pessoal, um Gulfstream V, mas a maioria dos diretores e executivos voa na classe econômica. Não há enormes coberturas de gastos. Os luxuosos retiros dos primeiros tempos da Apple — em que centenas de vendedores eram recebidos em um resort no Havaí durante uma semana — são coisa do passado.

Mas a maioria dos funcionários em tempo integral da Apple recebe opções de compra de ações como recompensa no momento em que ingressa na empresa. Após um período de carência — um ano, geralmente —, os membros da equipe têm permissão para comprar lotes de ações a preço reduzido, normalmente referente à época em que foram contratados. Quando as vendem, a diferença entre o preço de compra e o de venda é mantida como lucro. Quanto mais as ações subirem, mais dinheiro eles ganham. As opções de compra de ações são uma forma popular de compensar os empregados no setor de tecnologia. É uma compensação que não é feita em dinheiro, o que a torna mais barata para a empresa, e que, de uma forma ou de outra, assegura que os empregados irão trabalhar duro para elevar o preço das ações.

Engenheiros, programadores, gerentes e outros funcionários de médio escalão que compõem grande parte da folha de pagamento da Apple geralmente recebem vários milhares de opções de compra de ações. A preços de 2007, isso seria algo entre 25 mil e 100 mil dólares — ou consideravelmente mais, dependendo do preço das ações e do período de carência de cada funcionário.

Os gerentes e os executivos de escalões mais elevados têm concessões muito maiores. Em outubro de 2007, o vice-presidente sênior de varejo da Apple, Ron Johnson, vendeu 700 mil ações, recebendo cerca de 130 milhões de dólares brutos. Segundo as declarações legais feitas junto à SEC, Johnson exerceu suas opções a aproximadamente 24 dólares por ação, vendendo-as em seguida a cerca de 185 dólares cada. Em 2005, ele ganhou cerca de 22,6 milhões de dólares em opções e, em 2004, 10 milhões, ainda de acordo com os relatórios.

A Apple tem também um concorrido plano de compra de ações. Os funcionários podem comprá-las a preços reduzidos em lotes que variam de acordo com seus salários. O preço das ações é fixado no seu mais baixo patamar nos últimos seis meses, mais um percentual de desconto, o que garante que se ganhe algum dinheiro e, muitas vezes, bastante dinheiro. Obtive relatos de funcionários da Apple terem comprado carros de luxo, terem comprado casas e terem depositado grandes somas em dinheiro em suas contas bancárias.

"A Apple deu opções de compra de ações a todos os funcionários bem cedo", disse Jobs à *Fortune* em 1998. "Fomos uma das primeiras empresas a fazer isso no Vale do Silício. E, quando eu voltei, tirei a maior parte dos bônus em dinheiro e os substituí por opções de compra. Nada de carros, nada de aviões, nada de bônus. Basicamente, todo mundo recebe um salário e ações... É um modo muito igualitário de administrar uma companhia — a Hewlett-Packard foi uma pioneira nisso, e eu diria que a Apple ajudou a firmar essa prática."

A Apple de fato ajudou a estabelecer as opções de compra de ações como procedimento padrão de compensação no Vale do Silício. Durante o *boom* da web, elas tornaram-se a norma em todas as empresas do setor tecnológico. Tal foi sua importância que, ao retornar à Apple em 1997, Jobs logo pôs-se a lutar ferrenhamente para estabelecer um novo preço para as opções que afundavam, a fim de evitar o êxodo de funcionários para outras empresas. Como a revista *Time* relatou em agosto daquele ano: "Para restabelecer o moral, diz Jobs, ele comprou briga com a diretoria para baixar o preço dos incentivos de opções de compra de ações. Quando os diretores resistiram, ele fez pressão para que pedissem demissão."

Depois, Jobs teve problemas com suas próprias opções de compra de ações. Em 2006, a SEC iniciou uma investigação em mais de 160 empresas, entre as quais a Apple e a Pixar, que haviam supostamente pré-datado as opções de compra de ações. Segundo a SEC, as empresas vinham rotineiramente alterando os preços das opções para uma data anterior àquela em que elas haviam sido realmente concedidas — geralmente quando o preço das ações estava mais baixo, o que aumentava seu valor. A pré-datação das opções não é tecnicamente ilegal, mas não declarar de forma correta as opções pré-datadas, sim, e, segundo a SEC, era prática disseminada.

No início da década de 2000, Jobs foi premiado com duas grandes concessões de opções de compra de ações que estavam pré-datadas, segundo a SEC. Em junho de 2006, a Apple iniciou uma investigação interna chefiada por dois membros da diretoria: o ex-vice-presidente dos Estados Unidos, Al Gore, e o ex-diretor financeiro da IBM e da Chrysler, Jerry York. Em dezembro de 2006, Gore e York apresentaram um relatório que não encontrou "nenhuma conduta inadequada" por parte de Jobs, embora o relatório admitisse que ele tinha conhecimento parcial da pré-datação. No entanto, Jobs não compreendia as implicações de ordem contábil, disse o relatório. O texto colocava a culpa pela pré-datação em dois diretores que já não estavam mais na empresa, mais tarde identificados como a ex-diretora jurídica Nancy Heinen e o ex-CFO Fred Anderson. Em dezembro, a Apple retificou sua declaração de ganhos a um custo de 84 milhões de dólares.

Em 2008 tudo havia sido resolvido: o Departamento de Justiça dos EUA encerrou a investigação sobre as opções de compra de ações e a Apple negociou um acordo para encerrar uma ação pública iniciada por acionistas descontentes.

Devido às repetidas concessões de opções de compra de ações, os funcionários que já estão na Apple há muitos anos têm muito dinheiro amarrado à companhia. Para a maior parte da equipe, não há melhor motivador para proteger os interesses da empresa. Como resultado, vários funcionários me disseram que ficam satisfeitos em marchar em fileira cerrada e cumprir as regras à risca. Uma fonte que não quis ser identificada disse que tranquilamente delataria colegas que vazassem esboços de projetos para a imprensa. O funcionário citou o blog Engadget, que em 2006 publicou um boato de que o iPhone seria adiado. A falsa afirmativa causou uma queda de 2,2% nas ações da Apple — eliminando 4 bilhões de dólares da capitalização de mercado. "Tenho interesse pessoal em impedir esse tipo de coisa", disse o funcionário.

Na mesma linha, Eigerman disse saber que há alguém dentro da Apple que manda dicas e fotos para um site de boatos sobre a companhia. Ele se diz perplexo com as razões para alguém arriscar seu emprego, e possivelmente se arriscar a processos cíveis e criminais, para enviar esboços e fotos de produtos para um website. É pouco provável que essa pessoa esteja sendo paga para passar informações. "Não consigo entender", disse

Eigerman. "O risco é enorme. Quem faria isso? Não consigo entender a psicologia da coisa."

Recompensa e punição

Jobs é famoso por seu temperamento difícil, mas seu grande charme é pouco mencionado. Jobs usa tanto recompensas quanto punições para fazer a sua equipe dar o melhor de si. Ele é intransigente e o trabalho tem que ser do mais alto padrão. Às vezes insiste em coisas aparentemente impossíveis, sabendo que no final até o mais espinhoso problema é solucionável. Mas também sabe ser sedutor, sendo capaz de persuadir as pessoas a fazerem quase tudo. Sculley ficou impressionado com o poder de persuasão de Jobs: "Steve fornecia uma inspiração fenomenal e altos padrões para fazer com que os membros de sua equipe fizessem algumas coisas", escreveu Sculley. "Ele os levava até seus limites, até um ponto em que eles mesmos se espantavam com o que haviam conseguido realizar. Possuía um sentido inato de saber exatamente como extrair o melhor das pessoas. Ele as bajulava, admitindo as suas próprias vulnerabilidades; ele as repreendia até que também elas adotassem sua ética intransigente; ele as acariciava com orgulho e elogios, como um pai que mostra sua aprovação."[3]

Sculley descreveu a maneira como Jobs celebrava as realizações da equipe com "inusitado talento". Abria garrafas de champanhe para marcar etapas atingidas e frequentemente presenteava os membros com visitas educacionais a museus ou exposições. Pagava fartos e ruidosos "retiros" em caros resorts. Para comemorar o Natal de 1983, Jobs deu uma festa a rigor no principal salão de baile do elegante St. Francis Hotel, em São Francisco. A equipe valsou a noite inteira aos acordes de Strauss executados pela orquestra San Francisco Symphony. Ele insistiu em que o grupo assinasse a parte interna do gabinete do Mac, como os artistas assinam suas obras. Quando o Mac foi finalmente concluído, Jobs presenteou cada um dos membros da equipe com uma máquina que possuía uma placa personalizada. Recentemente estendeu sua liberalidade a toda a empresa, ou pelo menos ao pessoal de tempo integral. Deu iPods Shuffle a todos os funcionários da Apple e, em 2007, todos os 21.600 empregados em tempo integral ganharam de brinde um iPhone.

Entretanto, Jobs também pode ser extremamente ferino e cruel. Há inúmeros relatos seus dizendo que o trabalho de alguém está "uma merda", atirando-o em cima da pessoa num acesso de fúria. "Fiquei perplexo com o comportamento dele, até quando a crítica procedia", disse Sculley.[4] "Ele constantemente forçava as pessoas a elevarem suas próprias expectativas com relação ao que conseguiam fazer", disse-me Sculley. "As pessoas produziam um trabalho de que elas mesmas não se julgavam capazes, em grande parte porque Steve alternava entre ser altamente carismático e motivador. Ele fazia com que ficassem entusiasmadas, sentissem que eram parte de algo incrivelmente grande. Mas, por outro lado, podia ser quase impiedoso ao rejeitar o trabalho delas, até sentir que fora atingido o nível de perfeição desejável."[5]

Um dos grandes intimidadores

Jobs é um dos "grandes intimidadores", uma categoria de temíveis chefes de empresa caracterizada por Roderick Kramer, psicólogo social de Stanford. Segundo Kramer, os grandes intimidadores inspiram as pessoas através do medo e da intimidação, mas não são meros tiranos. São mais como duras figuras paternas, que inspiram as pessoas por meio do medo, mas também pelo desejo de agradar. Entre outros exemplos estão Harvey Weinstein, da Miramax, Carly Fiorina, ex-CEO da Hewlett-Packard, e Robert McNamara, secretário de Defesa dos Estados Unidos durante a guerra do Vietnã.

Os grandes intimidadores tendem a se agrupar em indústrias com altos riscos e altas compensações: Hollywood, tecnologia, finanças e política.

A maior parte do aconselhamento empresarial nos últimos 25 anos tem sido focada em questões como a empatia e a compaixão. Os livros de aconselhamento incentivam a construção de trabalho em equipe através da gentileza e da compreensão. Muito pouco tem sido escrito sobre apavorar os empregados para melhorar os resultados. Mas, como disse Richard Nixon, "as pessoas reagem ao medo e não ao amor — isso não é ensinado no catecismo, mas é verdade".

Tal como outros grandes intimidadores, Jobs é enérgico. Ele empurra e bajula, às vezes com bastante força. Pode ser brutal e impiedoso. Está disposto a usar o "poder" — infundir o temor de Deus nas pessoas — para que as coisas sejam feitas. Esse tipo de liderança é mais eficiente em situações de crise, como grandes reviravoltas na empresa, quando alguém precisa tomar as rédeas e fazer mudanças gerais. Mas, como Jobs tem mostrado, é muito eficaz para levar produtos ao mercado rapidamente. Kramer descobriu que muitos chefes de empresa aspiram a esse poder. Sim, eles tratam os empregados com justiça e compaixão — e os funcionários podem gostar deles —, mas de vez em quando eles adorariam poder dar-lhes um chute no traseiro para fazer as coisas andarem.

Jobs frequentemente dá chutes em traseiros e muitas vezes passou dos limites, especialmente quando era mais jovem. Larry Tessler, ex-cientista chefe da Apple, disse que Jobs inspirava medo e respeito na mesma medida. Quando Jobs deixou a Apple, em 1985, as pessoas na empresa tinham sentimentos contraditórios a esse respeito. "Todo mundo já havia sido aterrorizado por Steve Jobs, de uma forma ou de outra, então havia um certo alívio de que o terrorista fosse embora", disse Tessler. "Por outro lado, acho que havia um incrível respeito por ele por parte das mesmas pessoas, e ficamos todos preocupados com o que aconteceria à empresa sem o visionário, sem o fundador, sem o carisma."[6]

Parte disso é puro teatro. Jobs já criticou severamente subordinados em público apenas pela repercussão no resto da organização. O general

George S. Patton costumava ensaiar sua "cara de general" no espelho. Reggie Lewis, um empreendedor, também admitiu que aperfeiçoava uma cara feia diante do espelho para usar em negociações difíceis. A raiva deliberada é comum entre os políticos e tem sido chamada de "raiva de porco-espinho", relata Kramer.

Jobs possui uma aguda inteligência política, que Kramer chama de "uma forma característica e poderosa de inteligência do líder". Ele é um bom juiz de caráter. Avalia as pessoas, fria e clinicamente, como instrumentos de ação, meios de fazer com que as coisas funcionem. Kramer descreveu uma entrevista de emprego conduzida por Mike Ovitz, o temível agente de Hollywood que transformou a Creative Artists Agency em uma potência. Ovitz fazia os entrevistados sentarem-se sob um sol tórrido e ficava o tempo todo chamando sua secretária para lhes passar instruções. Ovitz combinava de antemão essas interrupções para testar os entrevistados. Queria mantê-los em estado de alerta e ver como lidavam com distrações. Jobs faz a mesma coisa: "Muitas vezes, em uma entrevista, eu perturbo as pessoas de propósito: critico seu trabalho anterior. Faço meu dever de casa, vejo em que já trabalharam, e digo: 'Nossa, isto acabou se tornando uma bomba, um produto idiota. Por que você trabalhou nele?...' Quero ver como as pessoas ficam quando estão sob pressão. Quero ver se simplesmente se curvam ou se têm firme convicção, crença e orgulho do que fizeram."[7]

Uma executiva sênior de RH da Sun certa vez descreveu, para a revista *Upside*, uma entrevista com Jobs. Ela já havia aguentado mais de dez semanas de entrevistas com os executivos seniores da Apple antes de chegar a Jobs. Imediatamente, Jobs a colocou sob crítica: "Ele me disse que meu currículo não era adequado à posição. A Sun é um bom lugar, disse ele, mas 'a Sun não é a Apple'. Disse que teria me eliminado de cara como candidata."

Jobs perguntou-lhe se tinha alguma pergunta e ela o inquiriu sobre a estratégia da empresa. Jobs desprezou a pergunta: "Só revelamos nossa estratégia quando necessário", disse-lhe. Então ela lhe perguntou para que queria uma executiva de RH. Grande erro. Jobs respondeu: "Jamais conheci um de vocês que não fosse um cretino. Jamais conheci uma pessoa de RH que tivesse algo além de uma mentalidade medíocre." Então atendeu a uma ligação telefônica e a mulher saiu arrasada.[8] Se ela tivesse se defendido, teria se saído muito melhor.

Veja o exemplo de uma vendedora da Apple que tomou uma bronca de Jobs em público, em uma das reuniões anuais de vendas da empresa. Todo ano, várias centenas de representantes de vendas da Apple reúnem-se durante alguns dias, geralmente na sede de Cupertino. Em 2000, cerca de 180 representantes estavam no auditório do Town Hall da Apple esperando a palestra de motivação do líder. A Apple acabara de anunciar sua primeira perda em três anos. Imediatamente, Jobs ameaçou demitir toda a equipe de vendas. Toda ela. Ele repetiu a ameaça pelo menos quatro vezes durante a palestra de uma hora. Também destacou a executiva de vendas que negociava com a Pixar — sua outra empresa, na época — e, na frente de todo mundo, disparou sobre ela: "Você não está fazendo um bom trabalho", vociferou. Lá na Pixar, seu outro emprego, ele acabara de assinar uma ordem de compra de 2 milhões de dólares com a Hewlett-Packard, uma das rivais da Apple, disse ele. A representante da Apple vinha competindo pelo contrato, mas perdeu. "Ele desafiou aquela mulher na frente de todo mundo", recordou Eigerman. Mas a vendedora levantou-se e se defendeu. Começou a berrar de volta. "Fiquei muito impressionado com ela", disse Eigerman. "Ela estava furiosa. Defendeu-se, mas ele não queria saber. Mandou que ela se sentasse. A vendedora ainda está na Apple e está indo muito bem... É a montanha-russa idiota/herói."

O mais significativo, talvez, é que a humilhação pública da infeliz representante incutiu o temor de Deus em todos os outros representantes de vendas. Aquilo mandou um recado claro: na Apple, todos são considerados pessoalmente responsáveis.

Dois anos depois, na reunião anual de vendas, Jobs foi extremamente agradável e cortês. (Ele não foi à reunião de vendas de 2001, que se realizou fora da empresa.) Agradeceu a todos os representantes de vendas por estarem desempenhando um ótimo trabalho e respondeu a perguntas durante meia hora. Foi genuinamente simpático. Como outros intimidadores, Jobs pode ser imensamente encantador quando precisa. Robert McNamara tinha fama de ser frio e distante, mas sabia ligar um brilhante spot de charme quando queria. "Os grandes intimidadores podem ser também grandes sedutores", escreveu Kramer.

Jobs é famoso por seu campo de distorção da realidade — uma aura de carisma tão forte que distorce a realidade para qualquer um que esteja sob sua influência. Andy Hertzfeld entrou em contato com esse campo de distorção logo após juntar-se à equipe de desenvolvimento do Mac: "O campo de distorção da realidade foi uma mistura confusa de um estilo retórico carismático, uma vontade altiva e uma presteza em dobrar de tamanho qualquer fato, de modo que estivesse de acordo com as necessidades do momento. Se uma linha de argumentação não era suficiente para persuadir alguém, ele agilmente passava para outra. Às vezes, pegava você desprevenido ao adotar, de repente, a sua posição como se fosse a dele, sem nunca reconhecer que já tivesse pensado de outra forma. Espantosamente, o campo de distorção da realidade parecia eficaz, mesmo se a pessoa estivesse totalmente consciente dele, embora os efeitos se desfizessem depois que Steve partia. Muitas vezes discutíamos possíveis técnicas para neutralizá-lo, mas a maioria acabava desistindo e aceitando aquilo como uma força da natureza."

Alan Deutschman, um biógrafo de Jobs, deixou-se dominar pelo encanto dele em seu primeiro encontro. "Ele usa o (primeiro) nome da pessoa com frequência. Olha direto em seus olhos com aquele olhar de laser. Tem aqueles olhos de estrela de cinema, muito hipnóticos. Mas o que conquista você de verdade é o modo como ele fala — há algo no ritmo de sua fala e no incrível entusiasmo que transmite em relação a qualquer coisa que diga que é simplesmente contagiante. No final da minha entrevista, eu disse para mim mesmo: 'Tenho que escrever um artigo sobre este cara só para estar perto dele mais vezes — é tão divertido!' Quando Steve quer ser charmoso e sedutor, ninguém é mais encantador."[9]

Trabalhando com Jobs: só há um Steve

Graças a sua temível reputação, muitos funcionários tentam evitar Jobs. Vários empregados, no passado e no presente, contaram essencialmente a mesma história: fique de cabeça baixa. "Como muita gente, tentei evitá-lo o máximo possível", disse um ex-funcionário. "Você quer ficar fora do radar dele e evitar que fique zangado com você." Até os executivos tentam ficar longe do caminho de Jobs. David Sobotta, ex-diretor de vendas federais da Apple, descreve como foi, certa vez, ao andar dos executivos buscar um vice-presidente para uma reunião. "Ele rapidamente sugeriu um caminho para sair daquele andar que não passava em frente à sala de Steve", escreveu Sobotta em seu website. "Ele explicou sua opção dizendo que era mais seguro."[10]

Em contrapartida, Jobs mantém distância dos funcionários não graduados. Afora os demais executivos, ele mantém a sua privacidade no campus da Apple. Kramer escreve que se manter isolado incute um misto de medo e paranoia que deixa os funcionários em estado de alerta. Os empregados estão sempre trabalhando com afinco para agradá-lo, e isso também permite que ele reverta suas decisões sem perder a credibilidade.

Mas nem sempre é fácil evitar Jobs. Ele tem o hábito de aparecer em diferentes departamentos sem se fazer anunciar e perguntar às pessoas em que estão trabalhando. De vez em quando elogia os empregados. Não o faz com muita frequência nem exageradamente. Sua aprovação é comedida e refletida, o que amplifica o efeito por ser rara. "É algo que realmente deixa você convencido, porque é muito difícil extrair um elogio dele", disse um funcionário. "Ele sabe muito bem como chegar ao ego das pessoas."

É claro, o desejo de evitar Jobs não é universal. Há muitos empregados da Apple ansiosíssimos por obter sua atenção. A Apple tem uma boa quantidade de funcionários agressivos e ambiciosos cheios de vontade de serem notados e promovidos.

Jobs é, com frequência, o centro das conversas no local de trabalho. O assunto Steve aparece bastante. Ele recebe os créditos por tudo o que dá certo na Apple, mas também leva a culpa por tudo o que dá errado. Todo mundo tem uma história. Os empregados adoram falar sobre suas explosões e suas eventuais manias.

Como o bilionário texano Ross Perot, que proibiu o uso de barba entre seus empregados, Jobs tem algumas idiossincrasias. Um ex-gerente que frequentava reuniões regularmente no escritório de Jobs tinha sempre um par de tênis de lona embaixo de sua mesa. Sempre que era chamado para uma reunião com Jobs, ele tirava seus sapatos de couro e punha os tênis. "Steve é veganista militante", explicou a fonte.

Dentro da companhia, Jobs é conhecido simplesmente como "Steve" ou "S.J." Qualquer outro cujo nome seja Steve é conhecido pelo primeiro e último nomes. Na Apple, só há um Steve.

Há também os F.O.S. — Friends of Steve (amigos do Steve) —, pessoas importantes que devem ser tratadas com respeito e, às vezes, com cautela: nunca se sabe o que poderá ser passado adiante. Os funcionários avisam uns aos outros sobre os F.O.S. da área com os quais se deve ter cuidado. Eles não são necessariamente dos escalões da alta administração — são às vezes colegas programadores ou engenheiros que têm alguma ligação com ele.

Abaixo de Jobs, a Apple é uma organização muito plana. Há poucos níveis de administração. Jobs tem um conhecimento excepcionalmente abrangente da organização — quem faz o que e onde. Embora tenha uma equipe pequena de administração executiva — apenas dez diretores —, ele conhece centenas dos principais programadores, designers e engenheiros da organização.

Jobs é bastante meritocrático: não está preocupado com títulos formais ou hierarquia. Se ele quer que alguma coisa seja feita, geralmente sabe a quem recorrer e contata a pessoa diretamente, sem passar pelo gerente dessa pessoa. Ele é o patrão, é claro, e pode fazer esse tipo de coisa, mas isso mostra seu desdém pelas hierarquias e formalidades. Ele apenas pega o telefone e chama.

Os críticos já compararam Jobs a um sociopata sem empatia ou compaixão. Os funcionários são objetos inumanos, simples ferramentas para que as coisas sejam feitas. Para explicar por que os empregados e colaboradores o suportam, os críticos invocam a síndrome de Estocolmo. Seus funcionários são cativos que se apaixonaram pelo seu captor. "Aqueles que conhecem seu estilo de gerenciar sabem que ele trabalha por exclusão, separando o joio do trigo — sendo o joio definido como aqueles que não são nem inteligentes nem psicologicamente fortes o bastante para aguentar repetidas exigências para produzir algo impossível (como um player em que se possa acessar qualquer música com três cliques) e depois ouvir que sua solução é 'uma merda'. E, finalmente, ouvi-la de volta como uma sugestão de Steve, alguns dias depois", escreveu Charles Arthur em *The Register*. "Não é assim que a maior parte das pessoas gosta de trabalhar ou de ser tratada. Então, na verdade, Steve Jobs não é um símbolo para gerente algum, tirando os sociopatas."

No que se refere aos grandes gerentes sociopatas, Jobs é relativamente moderado, pelo menos agora, depois que chegou à meia-idade. Outros intimidadores, como o cineasta Harvey Weinstein, são muito mais ofensivos. Larry Summers, o ex-reitor de Harvard que forçou a realização de uma série de reformas na universidade, organizava deploráveis "sessões de apresentações" com professores e funcionários que começavam com confrontações, ironias e duros questionamentos, seguindo ladeira abaixo. Jobs se parece mais com um pai exigente e difícil de agradar. Não se trata apenas de medo e intimidação. Seus subordinados se esforçam muito para obter sua atenção e sua aprovação. Um ex-funcionário da Pixar disse a Kramer que temia decepcionar Jobs, do mesmo modo como temia decepcionar seu pai.

Algumas das pessoas que trabalham para Jobs ficam esgotadas, mas, ao olhar para trás, adoram a experiência. Durante sua pesquisa, Kramer disse que ficou surpreso com o fato de que as pessoas que trabalhavam com os grandes intimidadores frequentemente achavam a experiência "profundamente educativa, até transformadora". Jobs força as pessoas a trabalhar duro e distribui estresse fartamente, mas elas produzem um excelente trabalho. "Se gostei de trabalhar com Steve Jobs? Gostei", disse-me Cordell Ratzlaff, o designer do Mac OS X. "Foi provavelmente o melhor trabalho que já fiz. Foi entusiasmante. Foi emocionante. Foi, às vezes, difícil, mas ele tem a capacidade de extrair o melhor das pessoas. Aprendi demais com ele. Houve pontos altos e baixos, mas foi uma experiência." Ratzlaff trabalhou diretamente com Jobs por cerca de um ano e meio e disse que teria sido difícil continuar por mais tempo. "Algumas pessoas conseguem aguentar por mais tempo do que isso. Avie Tevanian, Bertrand Serlet. Já o vi gritando com os dois, mas eles tinham alguma forma de suportar aquilo. Houve casos de pessoas que ficaram com ele por muito tempo mesmo. A administradora dele trabalhou com ele por muitos e muitos anos. Um dia ele a demitiu: 'É isso aí, você já não trabalha mais aqui'", disse Ratzlaff.

Após nove anos de trabalho na Apple, os últimos dos quais em contato direto com Jobs, o programador Peter Hoddie acabou pedindo demissão, um tanto asperamente. Não foi por estar esgotado, mas porque queria mais controle na Apple. Estava cansado de receber ordens de Jobs e queria poder opinar mais sobre os planos e produtos da empresa. Eles tiveram uma briga, Hoddie se demitiu, porém mais tarde Jobs se arrependeu. Tentou dissuadir Hoddie de ir embora. "Você não vai sair assim tão facilmente", disse Jobs a Hoddie. "Vamos conversar." Mas Hoddie não mudou de ideia. Em seu último dia na empresa, Jobs o chamou do seu escritório do outro lado do campus. "Steve foi encantador até o fim", disse Hoddie. "Desejou-me boa sorte. Não foi 'foda-se'. É claro que há um certo grau de calculismo em tudo o que ele faz."

Lições de Steve

Ser um idiota não tem importância, contanto que você tenha paixão pela coisa. Jobs grita e berra, mas isso vem de seu desejo de mudar o mundo.

Descubra uma paixão pelo seu trabalho. Jobs a tem e ela é contagiosa.

Use o método de recompensa e punição para obter um excelente trabalho. Jobs elogia e pune enquanto todo mundo anda na montanha-russa um herói/um idiota.

Dê um chute nos traseiros para fazer as coisas andarem.

Celebre as realizações com bom gosto e percepção.

Insista em coisas que são aparentemente impossíveis. Jobs sabe que, no final, até o mais difícil problema terá uma solução.

Torne-se um grande intimidador. Inspire as pessoas através do medo e do desejo de agradar.

Seja um grande sedutor assim como um grande intimidador. Jobs sabe ser sedutor quando precisa.

Force as pessoas a trabalhar duro. Jobs distribui grandes doses de estresse, mas os funcionários produzem um excelente trabalho.

Capítulo 6
Espírito
inventivo

De onde vem a inovação?

"A inovação não tem nada a ver com a quantidade de dólares que você investe em P&D. Quando a Apple lançou o Mac, a IBM estava gastando no mínimo cem vezes mais em P&D. Não é uma questão de dinheiro. É a equipe que você tem, sua motivação e o quanto você entende da coisa."

— *Steve Jobs, na* Fortune, *9 de novembro de 1998*

O retorno de Jobs foi marcado por um sucesso após o outro. Ele nunca deu um passo em falso — exceto um. Em 3 de julho de 2001, a Apple pôs seu criticamente elogiado Power Mac G4 Cube no gelo. Jobs havia apresentado a máquina em forma de cubo apenas um ano antes, recebendo críticas elogiosas. Um cubo de 20 centímetros de plástico translúcido que fazia saltarem CDs do seu topo como uma torradeira, o Cube foi um sucesso arrasador junto aos críticos. Walt Mossberg, do *Wall Street Journal*, disse que era "simplesmente o mais lindo computador pessoal que já vi ou já usei". Jonathan Ive ganhou vários prêmios por seu design. Mas ele não foi um sucesso junto aos consumidores, e vendeu pouco. A Apple havia esperado vendas de 800 mil unidades no primeiro ano, mas despachou menos de 100 mil. Um ano após sua apresentação, Jobs suspendeu a produção da máquina e distribuiu um inusitado comunicado à imprensa.[1] "A empresa disse que há uma pequena chance de reapresentar um modelo atualizado deste computador muito especial no futuro, mas no momento não há planos nesse sentido", dizia o comunicado. Parecia que Jobs não aguentava descontinuar o Cube oficialmente, mas também não estava preparado para continuar a vendê-lo. Ele foi enviado a um purgatório permanente de produtos.

O Cube era o filhote de Jobs: uma máquina com um belo design, tecnicamente avançada, que representava meses, talvez anos, de protótipos e de experimentação. O Cube encerrava uma grande quantidade de poderoso hardware dentro de um espaço muito reduzido. Era veloz e tinha boa capacidade de processamento, além de dispensar totalmente uma das mais antigas birras de Steve Jobs — uma ventoinha interna de resfriamento. Mas, além de alguns poucos museus de design, poucos se interessaram por ele. Custando cerca de 2 mil dólares na época, era caro demais para os consumidores que queriam um Mac barato e sem monitor, como o Mac míni que o sucedeu. E aqueles que tinham condições de comprá-lo — profissionais de criação que trabalhavam com computação gráfica ou com design — precisavam de uma máquina mais potente, que pudesse ser facilmente atualizada com novas placas gráficas ou discos rígidos adicionais. Eles preferiram comprar o Power Mac G4 em formato de torre, que era mais barato. Era feio, mas funcionava.

Jobs falhara redondamente ao julgar o mercado. O Cube era a máquina errada com o preço errado. Em janeiro de 2001, a Apple relatou uma perda trimestral de 247 milhões de dólares, a primeira desde que Jobs retornara à empresa. Ele ficou possesso.

O Cube foi um dos raros tropeços de Jobs desde que retornou à Apple, e, com isso, ele aprendeu uma valiosa lição. O Cube foi um produto que ele supervisionou e que foi inteiramente conduzido pelo design. Foi um experimento no qual a forma teve precedência sobre a função. O cubo sempre foi uma das formas preferidas de Jobs. O computador que ele vendia em seu período na NeXT — o NeXT Cube — era um caro cubo feito de magnésio e cortado a laser (que, curiosamente, também foi um fracasso de vendas). A loja subterrânea da Apple na Quinta Avenida de Manhattan traz no alto um gigantesco cubo de vidro que Jobs ajudou a desenhar (este não é um fracasso). *The Register* chamou o G4 Cube de um "glorioso experimento de estética acima do senso comum".[2] Em vez de se concentrar naquilo que os usuários queriam, Jobs pensou que podia lhes dar uma elegante peça de museu, e isso lhe custou caro.

Jobs geralmente presta muita atenção à experiência do usuário. É uma das coisas que lhe deu a reputação de inovador. Uma das perguntas centrais sobre Jobs e a Apple é: de onde vem a inovação? Como qualquer fenômeno complexo, ela vem de muitos lugares, mas grande parte é informada pela cuidadosa atenção de Jobs voltada para a experiência do consumidor. Desde a click wheel no iPod até a caixa em que o produto vem, Jobs está atento a todos os aspectos da experiência do consumidor. Seu instinto quanto à experiência de usar seus produtos é o que impulsiona e informa a inovação da Apple, e o Cube foi uma das raras ocasiões em que ele não prestou atenção.

Um apetite pela inovação

Um dos tópicos mais quentes nos negócios hoje em dia é a inovação. Com a sempre crescente competição e o encurtamento dos ciclos dos produtos, as empresas ficam desesperadas para encontrar a chave mágica da inovação. Na busca de um sistema, enviam-se funcionários a oficinas de inovação, nas quais eles brincam de Lego para liberar sua criatividade. As empresas estão contratando diretores de inovação, ou abrindo centros de inovação onde os gerentes fazem brainstorm, associam livremente e "ideiam" rodeados por caixas de Lego.

Jobs zomba dessas ideias. Na Apple não há um sistema para gerar inovação. Quando Rob Walker, repórter do *New York Times*, perguntou-lhe se ele alguma vez pensa conscientemente sobre a inovação, Jobs respondeu: "Não. Nós pensamos conscientemente em fazer produtos excelentes. Não pensamos: 'Vamos ser inovadores! Vamos fazer um curso! Aqui estão as cinco regras da inovação, vamos espalhá-las por toda a companhia!'" Jobs disse que tentar sistematizar a inovação é "como uma pessoa que não é calma e controlada tentando ser calma e controlada. É doloroso de ver... É como ver Michael Dell tentando dançar. *Doloroso*".[3]

No entanto, Jobs tem uma reverência quase mística pela inovação. Como já descrevemos, seus heróis são alguns dos maiores inventores e empreendedores da indústria: Henry Ford, Thomas Edison e Edwin Land. John Sculley, ex-CEO, escreveu que Jobs frequentemente falava de Land. "Steve tinha Land em alta conta; via nele um dos maiores inventores dos Estados Unidos. Custava-lhe crer que a Polaroid ejetou Land após o único grande fracasso da sua carreira — o Polavision, um sistema de cinema instantâneo que não conseguiu competir com a gravação em vídeo e resultou em um prejuízo de quase 70 milhões de dólares em 1979. 'Tudo o que ele fez foi detonar uns poucos milhõezinhos e tiraram a empresa dele', disse-me Steve, revoltado."[4]

Sculley lembrou uma viagem que ele e Jobs fizeram para visitar Land depois que ele havia sido chutado da Polaroid. "Ele tinha seu próprio laboratório em Charles River, Cambridge", recordou Sculley. "Foi uma tarde fascinante, porque estávamos sentados em uma grande sala de reuniões com uma mesa vazia. Tanto o dr. Land quanto Steve, quando falavam, ficavam olhando para o centro da mesa. O dr. Land dizia: 'Eu via o que a câmera Polaroid deveria ser. Era, para mim, tão real como se estivesse ali na minha frente, e eu ainda não havia construído uma única sequer.' E Steve dizia: 'É, foi exatamente assim que eu vi o Macintosh.' E disse: 'Se eu perguntasse a alguém que só tinha usado uma calculadora pessoal como deveria ser um Macintosh, ele não saberia me dizer. Não havia um meio de fazer pesquisa de consumidor com ele. Eu tinha que ir em frente e criá-lo, para depois mostrá-lo às pessoas e dizer: 'E agora, o que você acha?' Os dois tinham essa capacidade de... bem, não é de inventar produtos, mas de descobrir produtos. Os dois disseram que esses produtos sempre existiram, mas ninguém os havia visto ainda. Fomos nós que os descobrimos. A câmera Polaroid sempre existiu e o Macintosh sempre existiu. É uma questão de descoberta. Steve tinha uma imensa admiração pelo dr. Land. Ele ficou fascinado com aquela viagem."

Durante as entrevistas para a televisão ou para revistas, Jobs quase sempre invoca a inovação como o molho secreto da Apple. Ele já falou várias vezes sobre inovação durante seus discursos de abertura. "Vamos nos inovar para sair deste declínio", declarou Jobs em 2001, quando a indústria de PCs estava em recessão. "Inovar", gabou-se ele na Macworld Paris em setembro de 2003. "É isso o que fazemos."

Sob a liderança de Jobs, a Apple adquiriu a reputação de ser uma das empresas mais inovadoras em tecnologia. A *Business Week*, em 2007, indicou a Apple como a empresa mais inovadora do mundo, vencendo a Google, a Toyota, a Sony, a Nokia, a Genentech e uma série de outras empresas de alto gabarito. Foi o terceiro ano consecutivo em que a Apple ficou no topo do ranking.[5]

A Apple trouxe ao mercado um fluxo constante de inovações, entre as quais quatro das que talvez sejam as mais importantes na informática contemporânea: o primeiro computador pessoal totalmente montado, o Apple II; a primeira implementação comercial da interface gráfica de usuário, o Mac; o iPod — um aparelho para mídia digital recebida pela internet disfarçado em um humilde player de música; e o iPhone, um versátil computador móvel controlado pelo toque que, além de tudo, também é um telefone celular.

A Apple produz sucessos estrondosos como o iMac, o iPod e o iPhone, mas há também uma lista de produtos de menor destaque porém importantes e influentes, como o Airport e a AppleTV. O Airport é uma linha de roteadores WiFi fáceis de usar que permitiu aos laptops da Apple ficarem entre os primeiros notebooks com acesso a redes sem fio — uma tendência que virou padrão de mercado. O AppleTV é um dispositivo autônomo que conecta a TV da sala de estar com o computador no escritório.

A Apple tem uma reputação de inovação inigualada, mas historicamente tem sido considerada pouco mais que um laboratório de P&D para o resto da indústria de PCs. A empresa pode ter criado uma inovação depois da outra, mas, por muitos anos, pareceu não ser capaz de capitalizá-las. A Apple foi a pioneira da editoração gráfica, mas a Microsoft colocou-a em 95% dos computadores do mundo. A Apple inventou o primeiro PDA, o Newton, mas a Palm ajudou a transformá-lo numa indústria de 3 bilhões de dólares. Enquanto a Apple inovava, empresas como a Microsoft e a Dell é que realmente lucravam. Nesse particular, a Apple tem sido comparada ao PARC da Xerox, o lendário centro de pesquisas da empresa de fotocopiadoras que, em grande parte, inventou a informática contemporânea — editoração gráfica, redes Ethernet e impressoras a laser, entre outros —, mas não conseguiu comercializar nada disso. Coube à Apple levar a interface gráfica ao mercado, mas foi a Microsoft que realmente obteve os lucros.

Jobs, na verdade, tinha a fama de ser um inovador compulsivo. Estava tão ocupado produzindo o próximo produto pioneiro que não conseguia capitalizar o último. Os críticos diziam que ele avançava com tanta rapidez que impetuosamente deixava de acompanhar o que havia construído. Por exemplo, o Mac e o Apple II. Em meados dos anos 1980, o Apple II era o computador de maior sucesso na indústria de PCs, com uma fatia de mercado de 17% em 1981. Mas quando o Mac surgiu, três anos depois, era totalmente incompatível com o Apple II. O Mac não rodava o software do Apple II e não se conectava a seus periféricos. Os desenvolvedores não conseguiam portar com facilidade seu software do Apple II para o Mac — tinham que reescrevê-lo totalmente, desde o princípio. E os usuários que estavam passando para o Mac tinham que começar do zero. Tinham que comprar novamente o software e os periféricos, a um alto custo. Se fosse mais cauteloso, Jobs faria com que o Mac fosse compatível com o Apple II. Mas Jobs não estava interessado em usar como base a posição de força do Apple II. Estava interessado no futuro, que era o uso de gráficos nos computadores. "Jobs é um progenitor, e não uma babá", escreveu Jean Louis Gassée, ex-executivo da Apple.[6]

Bill Gates jamais cometeu esse tipo de erro. O Windows foi construído por cima do Microsoft-DOS, e o Office foi construído em cima do Windows. Todas as versões do Windows são compatíveis com a versão anterior. É um progresso lento e firme — com dinheiro no banco.

Inovação em produtos versus inovação em negócios: a Apple faz as duas coisas

Até há bem pouco tempo, Jobs não tinha a fama de dar continuidade a projetos já concluídos. Durante a maior parte de sua história, a Apple foi vista como criativa, mas empresas como a Microsoft e a Dell eram as que executavam. Os especialistas faziam a distinção entre empresas como a Apple, boas em inovação de produtos, e empresas como a Dell, que praticam a "inovação em negócios". Na história dos negócios, as companhias mais bem-sucedidas não são as inovadoras de produtos, e sim as que desenvolvem modelos de negócios inovadores. Os inovadores em negócios pegam as invenções dos outros e as aprimoram, descobrindo novas maneiras de fabricá-las, distribuí-las ou comercializá-las. Henry Ford não inventou o automóvel, mas aperfeiçoou a produção em massa. A Dell não desenvolveu novos tipos de computadores, mas criou um eficiente sistema de distribuição direta ao consumidor.

Porém a reputação de Jobs como gênio dos produtos sem a capacidade de executar é injusta. Desde que voltou à Apple, ele tem provado ser um mestre da execução. A Apple tem se distinguido por uma soberba execução em todas as frentes: produtos, vendas, marketing e suporte.

Por exemplo, quando Jobs assumiu, em 1997, a Apple possuía um estoque de produtos equivalente a setenta dias empilhado nos depósitos. Em novembro de 1997, Jobs lançou uma loja on-line operando com uma forma de fabricação sob demanda semelhante à da Dell. "Com nossos novos produtos, nossa nova loja e nosso novo sistema de produção sob demanda, estamos chegando, cara", avisou Jobs a Michael Dell.

Em um ano, o estoque da Apple foi reduzido de setenta dias a um mês. Ele recrutou Tim Cook, da Compaq, para ser o novo diretor de operações da Apple e o encarregou de simplificar a complexa linha de montagem da companhia. Naquela época, a Apple comprava peças de mais de cem fornecedores diferentes. Cook terceirizou a maior parte do processo de fabricação da Apple para empresas estrangeiras na Irlanda, em Cingapura e na China. A maioria dos produtos portáteis da Apple — os MacBooks, o iPod e o iPhone — é hoje montada por empresas terceirizadas baseadas na China continental. Cook reduziu radicalmente o número de fornecedores de componentes básicos para cerca de 24 empresas.[7] Também persuadiu os fornecedores de componentes a criarem fábricas e depósitos perto das linhas de montagem da Apple, possibilitando uma operação de fabricação *just-in-time* extremamente eficiente. Em dois anos, Cook reduziu o estoque a seis ou sete dias, ponto em que permanece até hoje.

Atualmente a Apple é a companhia mais enxuta na indústria de computadores. Em 2007, a AMR Research, uma empresa de pesquisa de mercado, apontou a Apple como a segunda melhor empresa do mundo no que diz respeito a administração e desempenho da cadeia de fornecedores, depois da Nokia. A AMR usou várias métricas relacionadas à execução, entre as quais crescimento da receita e giro de estoque. "A capacidade incomparável da Apple para moldar sua demanda faz com que sua cadeia de fornecimento registre resultados espetaculares sem custos excessivos, ao contrário dos outros", disse a AMR. A Apple venceu a Toyota, o Wal-Mart, a Cisco e a Coca-Cola.[8] A Dell nem sequer entrou nessa lista.

Jobs adora gabar-se de que a Apple é uma empresa mais enxuta do que a Dell. "Nós ganhamos da Dell na métrica operacional em todos os trimestres", disse Jobs à *Rolling Stone*. "Somos fabricantes tão bons quanto a Dell. Nossa logística é tão boa quanto a da Dell. Nossa loja on-line é melhor do que a da Dell."[9] Entretanto, deve-se observar que a Apple vende a metade dos computadores que a Dell vende e tem uma matriz de produtos muito mais simples.

Jobs também desenvolveu diversos modelos de negócios inovadores. Vamos tomar como exemplo a loja de música iTunes. Até que Jobs persuadisse as gravadoras a tentar vender músicas a 99 centavos de dólar por faixa individual, ninguém tinha encontrado uma fórmula para vender música on-line que pudesse competir com as redes de compartilhamento ilegais. Desde então, a loja de música iTunes tornou-se a Dell da música digital.

E há também as lojas de varejo da Apple, que são tão diferentes de tudo o que existe em matéria de vendas a varejo que têm sido chamadas de "inovação na experiência". Todo o varejo moderno gira em torno da experiência da compra, e as lojas da Apple, amigáveis e tranquilas, acrescentaram uma nova dimensão à experiência da compra de um computador (voltaremos ao assunto mais adiante).

De onde vem a inovação?

Jobs parece ter um talento inato para a inovação. É como se as ideias lhe ocorressem em um lampejo, como um raio caído do céu. A luz se acende e, de repente, há mais um produto da Apple.

Não é bem assim. Não quer dizer que não haja lampejos de inspiração, mas muitos dos produtos de Jobs vêm das fontes costumeiras: estudos do mercado e da indústria, observação de novas tecnologias que vêm surgindo e de como poderiam ser usadas. "O sistema é que não há sistema", disse Jobs à *Business Week* em 2004. "Isso não significa que nós não temos um processo. A Apple é uma empresa muito disciplinada, e temos ótimos processos. Mas não é essa a questão. Processos fazem com que você seja mais eficiente."

Continuou: "A inovação vem das pessoas encontrando-se nos corredores ou telefonando umas para as outras às 22:30h com uma nova ideia, ou porque perceberam algo que evidencia as falhas em nossa forma de pensar um problema. Vem de reuniões improvisadas de seis pessoas convocadas por alguém que descobriu algo novo e sensacional e quer saber o que os outros acham da sua ideia."[10]

Parte do processo é a estratégia corporativa geral da Apple: que mercados são seus alvos e como pode atingi-los? Parte desse processo é manter-se a par dos novos desenvolvimentos tecnológicos e ser receptivo a novas ideias, especialmente fora da empresa. Parte é ser criativo e aprender sempre. Parte é ser flexível e estar disposto a abandonar antigas noções. Parte dele é estar centrado no consumidor. E muito do processo é tentar encontrar a solução mais simples e mais elegante por meio de um processo de design iterativo, baseado no conceito de "gerar e testar". Grande parte da inovação na Apple diz respeito a moldar a tecnologia de acordo com as necessidades do consumidor, sem tentar forçar o usuário a adaptar-se à tecnologia.

A estratégia de inovação de Jobs: o hub* digital

O discurso de abertura que Jobs fez na Macworld, em São Francisco, em janeiro de 2001, é recordado pelo final surpresa com "mais uma coisa": Jobs largara o "i" de iCEO e tornara-se o líder da Apple em tempo integral. Mas pouco antes, em seu discurso, Jobs descreveu a visão da Apple — uma visão que iria inspirar mais de uma década de inovação na Apple e iria orientar quase tudo o que a empresa fez, do iPod às suas lojas de varejo e até mesmo sua publicidade.

A estratégia do hub digital talvez seja a coisa mais importante que Jobs já descreveu em um discurso de abertura. A ideia, que hoje nos parece um tanto óbvia, teve implicações de longo alcance em quase tudo o que a Apple fez. Ela mostra de que forma a adesão a uma ideia simples e bem articulada pode orientar com sucesso a estratégia empresarial, assim como influenciar tudo, desde o desenvolvimento de produtos até o planejamento visual das lojas de varejo.

De barba feita, usando uma camisa preta de gola rulê e jeans, Jobs começou seu discurso pintando um quadro um tanto sombrio da indústria dos computadores. Ele observou que o ano 2000 havia sido um ano difícil para a Apple e para os fabricantes de computadores como um todo. (Em

* Hub é qualquer dispositivo capaz de aceitar conexões de outros dispositivos, servindo ao mesmo tempo de central para recepção e transmissão de dados. Em geral, são dispositivos físicos — como um hub USB para conectar mouse, impressora, câmera e pen drive —, mas também podem ser parte de uma rede WiFi. (N. do R.T.)

março de 2000, a bolha ponto-com começou a estourar e as compras de equipamentos de informática despencaram.) Jobs mostrou ao público um slide de uma lápide funerária sobre a qual se lia AMADO PC, 1976-2000, DESCANSE EM PAZ.

Jobs observou que muita gente na indústria dos computadores estava preocupada com o fato de que o PC estava definhando, que seu lugar no centro das coisas tinha acabado. Mas Jobs disse que o PC não estava definhando de forma alguma: na verdade, estava às portas de sua terceira grande era.

A primeira era de ouro do PC, a era da produtividade, começou em torno de 1980, com a invenção da planilha, do processamento de textos e da editoração eletrônica. Essa época durou quase 15 anos e impulsionou a indústria, disse Jobs enquanto caminhava pelo palco da Macworld. Então, em meados dos anos 1990, começou a segunda era de ouro do PC: a era da internet. "A internet levou o PC a novas alturas, tanto no uso empresarial quanto no pessoal", observou Jobs.

Agora, contudo, o computador estava entrando em sua terceira grande era: a era do estilo de vida digital, impulsionada por uma explosão de dispositivos digitais, disse Jobs. Ele observou que todo mundo tinha telefones celulares, DVD players e câmeras digitais. "Estamos vivendo um estilo de vida digital com uma explosão de dispositivos digitais", disse ele. "É realmente grande."

Mais importante ainda, o computador não era apenas um periférico desse estilo de vida digital, argumentou Jobs, e sim seu próprio centro. O computador era o "hub digital", a estação central na qual se conectavam todos os dispositivos digitais. E quando esses dispositivos digitais eram conectados a um computador, eles se ampliavam: o computador baixava músicas com um MP3 player ou editava vídeos gravados com uma filmadora digital.

Jobs explicou que começou a entender a ideia de um hub digital depois que a Apple desenvolveu o iMovie, um aplicativo de edição de vídeo.

O aplicativo iMovie permite que as imagens de uma filmadora digital sejam editadas no computador, tornando a câmera muito mais valiosa do que seria por conta própria. "Isso torna a sua filmadora digital dez vezes mais valiosa, porque você pode converter gravações não editadas em filmes incríveis, com vários tipos de cortes e fusões, com créditos e trilha sonora", disse Jobs. "Você pode converter uma gravação a que provavelmente jamais assistiria de novo em sua filmadora em uma peça de comunicação incrivelmente emocional. Profissional. Pessoal. É espantoso... o valor dela se multiplica."

Tudo isso parece óbvio agora, mas, na época, poucas pessoas usavam seus computadores para tais tarefas, e essa não era, em absoluto, a cultura predominante. Jobs, contudo, não era o único a reconhecer que o computador estava se tornando um dispositivo de estilo de vida. Bill Gates havia falado sobre o "estilo de vida digital" naquela mesma semana durante seu discurso no Consumer Electronics Show em Las Vegas. Craig Barrett, CEO da Intel, também estava fazendo discursos observando que o computador é "realmente o centro do mundo digital".

Mas a articulação de Jobs tornou-se uma declaração de missão para a Apple. O "hub digital" era o reconhecimento de uma importante tendência na indústria dos computadores e o estabelecimento do lugar da Apple dentro dessa indústria. Isso permitiu que Jobs olhasse para as tecnologias emergentes e o comportamento dos consumidores para então formular estratégias adequadas para os produtos.

Produtos como força gravitacional

Parte do processo na Apple é focalizar os produtos, meta final que orienta e informa a inovação. A inovação aleatória é um desperdício. Tem que haver uma direção, algo que possa impulsionar tudo ao mesmo tempo. Algumas empresas do Vale do Silício desenvolvem novas tecnologias e depois partem em busca de problemas que essas tecnologias possam resolver. Consideremos a bolha da internet no fim dos anos 1990. A bolha foi definida por esse tipo de pensamento. Era um carnaval de inovações inúteis — ideias de negócios mal fundamentadas jogadas em processos de queimar dinheiro numa tentativa equivocada de crescer rapidamente para derrotar a concorrência. Empreendedores lançavam websites para vender ração para animais de estimação ou construíam gigantescos depósitos para entrega de produtos alimentícios usando vans, antes que houvesse consumidores desejando comprar comida desse modo. O resultado foi que não queriam mesmo. A bolha da internet estourou, levando consigo empresas que haviam desenvolvido soluções para problemas que não existiam.

"Você precisa de uma cultura muito orientada para produtos, até numa empresa de tecnologia", disse Jobs. "Muitas empresas têm toneladas de grandes engenheiros e de gente inteligente. Mas é preciso que, no fim, haja alguma força gravitacional que puxe tudo ao mesmo tempo."[11]

Jobs diz que, antes de seu retorno, a Apple havia perdido sua cultura orientada para produtos. No final dos anos 1980 e início dos anos 1990, havia excelente tecnologia sendo desenvolvida nos laboratórios da empresa, mas não existia uma cultura de produtos para colocar essa tecnologia em funcionamento. Em vez disso, a companhia voltava seu foco para tirar proveito de seu principal ativo: a interface de usuário do Mac. Jobs observou que a Apple teve o monopólio sobre a interface gráfica de usuário (GUI) durante praticamente dez anos, o que quase a levou à falência. Em vez de tentar desenvolver produtos novos e pioneiros, a empresa concentrou-se em tirar o máximo de lucro de seu monopólio da interface.

"O pessoal de produtos não é mais quem impulsiona a empresa para a frente", dizia Jobs sobre a Apple naquele período. "São os caras do marketing ou aqueles que expandem o negócio para a América Latina ou para outros lugares. Qual é o sentido de se concentrar em tornar o produto ainda melhor se a única empresa concorrente é você mesmo?" Jobs disse que, em situações como essa, as pessoas que construíram a empresa inicialmente — os funcionários orientados para o produto — tendem a ser substituídas por aquelas com foco nas vendas. "Quem é que geralmente acaba comandando tudo?", perguntou Jobs. "O cara de vendas."[12]

Jobs citou como um bom exemplo Steve Ballmer, da Microsoft, o principal homem de vendas da empresa, que assumiu após Bill Gates, o programador. "Aí, um dia, o monopólio expira por algum motivo", continuou Jobs. "Só que nessa hora o melhor pessoal de produtos já foi embora, ou então ninguém mais ouve o que eles dizem. Então a empresa passa por uma fase tumultuada e pode sobreviver ou não."

Felizmente para a Apple, ela sobreviveu.

Sob o comando de Jobs, a Apple retomou sua cultura orientada para produtos. Ela está incessantemente focada nos produtos, e são os produtos que conduzem as inovações na Apple. Por exemplo, a interface multitouch do iPhone havia sido originalmente desenvolvida para um Tablet PC — essencialmente um laptop sem teclado. Jobs, contudo, percebeu que a tecnologia era mais adequada para o iPod Touch e o iPhone em que os engenheiros da Apple estavam trabalhando. Então a interface multitouch foi adaptada para adequá-la a um pequeno computador portátil que misturava o iPod, voltado para o entretenimento, com um telefone celular, um browser para celulares e programas para comunicação via internet.

Ciência pura versus ciência aplicada

O dinheiro é a chave para a inovação. A Apple gasta muito menos do que outras empresas em P&D e, no entanto, parece obter muito mais retorno do seu investimento. Em 2006, a Microsoft gastou mais de 6 bilhões em P&D e aproximadamente 7,5 bilhões em 2007. A Microsoft financia vários centros de pesquisa grandes e com amplas verbas em Redmond, no Vale do Silício, em Cambridge (Inglaterra) e na China. Há algumas tecnologias muito impressionantes sendo desenvolvidas nos laboratórios de pesquisa da Microsoft. A empresa se gaba de estar liderando a pesquisa em reconhecimento da fala e em busca rápida em imensas bases de dados. Todo ano, a Microsoft chama jornalistas para um tour por suas instalações de pesquisa em Redmond, e é um prazer para os convidados ver todos os brinquedos interessantes e tecnologias inteligentes que os pesquisadores estão desenvolvendo. Mas não está claro quanto dessa pesquisa está sendo direcionado para os seus produtos. Com exceção do reconhecimento de voz no Vista, que foi bem recebido, há pouca evidência de que os laboratórios estejam gerando grandes iniciativas para novos produtos. "Sabe, nossos amigos lá no norte gastam mais de 5 bilhões em P&D, mas hoje em dia tudo o que parecem estar copiando é o Google e a Apple", disse Jobs na Conferência Mundial de Desenvolvedores da Apple em 2006. "O que mostra que o dinheiro não compra tudo."

Em 2007, a consultoria de administração Booz Allen Hamilton publicou um estudo de alcance mundial sobre os gastos das empresas com P&D e concluiu que há pouca evidência de que o aumento no investimento em P&D esteja relacionado a melhores resultados. "É o processo, e não a carteira", concluiu a Booz Allen. "Resultados superiores parecem ser mais uma função da qualidade do processo de inovação de uma organização — as apostas que ela faz e o modo como as leva adiante — do que a grandeza absoluta ou relativa de seus gastos com inovação."

A Booz Allen citou a Apple como uma das mais frugais gastadoras em P&D na área tecnológica, mas uma das mais bem-sucedidas. Segundo a companhia, a razão P&D/vendas da Apple em 2004 foi de 5,9% — comparada com uma média da indústria que é de 7,6%. "Seus 489 milhões de dólares são uma fração do que seus concorrentes maiores investem", disse a Booz Allen. "Porém, ao colocar seus recursos de desenvolvimento rigorosamente focados em uma pequena lista de projetos com maior potencial, a empresa criou uma máquina de inovação que acabou produzindo o iMac, o iBook, o iPod e o iTunes."[13]

Os gastos em P&D da Apple são como a velha distinção entre ciência pura e ciência aplicada. Ciência pura é a busca do conhecimento pelo conhecimento. Ciência aplicada é a aplicação da ciência a problemas determinados. É claro que a ciência pura é extremamente importante e às vezes poderá levar a descobertas fundamentais para as quais os cientistas aplicados sequer olharam. Mas a ciência aplicada, como a engenharia, está focalizada em problemas mais práticos, mais prementes. Nathan Myhrvold, ex-chefe dos laboratórios de pesquisa da Microsoft, ganhou fama por textos acadêmicos que escreveu sobre dinossauros. Pode ter contribuído para o campo da paleontologia, mas a Microsoft inventou o iPod?

Jobs usa como inspiração a Hewlett-Packard, uma das primeiras empresas do Vale do Silício e uma que sempre teve uma forte cultura de engenharia — foi impulsionada por engenheiros que desenvolviam produtos. "Quanto mais velho eu fico, mais me convenço de quais são os motivos que fazem toda a diferença", disse Jobs. "A meta primária da HP era fazer ótimos produtos. E nossa meta primária, aqui, é fazer os melhores PCs do mundo — não queremos ser os maiores nem os mais ricos." Jobs disse que a Apple tem uma segunda meta, que é gerar lucros — tanto ganhar dinheiro quanto continuar a fazer produtos. "Durante um certo tempo", disse Jobs, "essas metas se inverteram na Apple e essa mudança sutil fez uma grande diferença. Quando voltei, tivemos que torná-la novamente uma empresa de produtos".[14]

O vidente — e o ladrão

Jobs está sempre de olho em tecnologias novas e promissoras, ou em tecnologias existentes que a Apple possa melhorar, como os primeiros MP3 players ou, mais recentemente, os telefones celulares com funções avançadas. Jobs tem fama de vidente. Parece ter a capacidade mágica de sondar o futuro e saber antes de todo mundo o que os consumidores vão querer. Jobs atenua sua reputação de oráculo: "Não podemos, na verdade, prever exatamente o que vai acontecer, mas podemos sentir em que direção estamos indo", disse ele à *Rolling Stone*. "E isso é o mais perto que se consegue chegar. Depois você recua e sai da frente, enquanto essas coisas ganham vida própria."[15]

Jobs disse que procura "vetores se propagando no tempo" — que novas tecnologias estão chegando ao mercado, quais estão terminando seu percurso. "Você tenta localizar essas coisas e como vão mudar ao longo do tempo, e em que cavalos você quer estar montado em qualquer ponto no tempo", disse Jobs. "Você não pode estar muito longe à frente, mas tem que estar suficientemente à frente, porque tudo leva tempo para ser implementado. Então é preciso interceptar um trem em movimento."[16]

O USB é um bom exemplo. A Intel inventou o agora onipresente Universal Serial Bus (USB — barramento serial universal), e a Apple foi uma das primeiras empresas a colocá-lo em seus computadores. Jobs reconheceu seu potencial como tecnologia amigável para o consumidor: não era rápido, mas era plug-and-play e fornecia energia aos dispositivos, eliminando um cabo extra e uma fonte elétrica adicional. Nada disso parece importante hoje, quando o USB se tornou onipresente, mas a Apple foi uma das primeiras empresas a adotá-lo e ele talvez não tivesse alcançado massa crítica se ela não o fizesse.

O fato de a Apple ter adotado o USB é um bom exemplo de que a inovação pode vir de fora da empresa — como frequentemente acontece. Há uma longa lista de tecnologias que não foram desenvolvidas na Apple que Jobs ou seus engenheiros reconheceram como tendo potencial inovador. As redes sem fio usando WiFi, tecnologia desenvolvida pela Lucent e pela Agere, não obtiveram muito impulso até que a Apple as colocou em toda a sua linha de computadores, usando seu Airport como base de conexão e abrindo caminho para a era dos laptops com conexões sem fio.

Alguns observadores comentam que a inovação na Apple tem menos a ver com a invenção de novas tecnologias do que com a transformação de tecnologias já existentes para torná-las mais fáceis de usar. Jobs tira tecnologias do laboratório e as coloca nas mãos dos usuários comuns.

O primeiro e melhor exemplo é a interface gráfica de usuário, que Jobs viu pela primeira vez em 1979, aos 24 anos de idade, durante uma visita paga pelo famoso PARC — o centro de pesquisas de Palo Alto, da Xerox. Durante sua visita, Jobs assistiu a uma demonstração do Xerox Alto, o primeiro computador com um mouse e uma interface de apontar e clicar. "Achei que era a melhor coisa que já vira em minha vida", disse ele. "Note, contudo, que tinha muitas falhas, que vimos algo incompleto, haviam feito um monte de coisas de forma errada. Mas naquela época não sabíamos disso e ainda assim pensamos que eles tinham o germe da ideia, que executaram as coisas muito bem, e, sei lá, em dez minutos ficou óbvio para mim que todos os computadores iriam funcionar daquele jeito algum dia."[17]

Os executivos da Xerox, porém, não tinham ideia do que os seus cientistas haviam preparado no laboratório. Apesar de dezenas de apresentações, os executivos da Xerox não viram o seu potencial. "Eles eram basicamente cabeças que só pensavam em copiadoras e que não tinham nenhuma noção sobre o que era um computador ou do que ele seria capaz de fazer", disse Jobs. "O resultado foi que sofreram uma enorme derrota por conta da maior vitória na indústria dos computadores. A Xerox poderia ser, hoje, a dona de toda a indústria de computadores."[18]

Quando se trata de inovação, Jobs gosta de citar a famosa frase de Picasso: os bons artistas copiam, os grandes artistas roubam. Ao que Jobs acrescenta: "E nunca tivemos vergonha de roubar grandes ideias."

A conexão criativa

Para Jobs, inovação tem a ver com criatividade, com juntar as coisas de formas únicas. "Criatividade é apenas conectar as coisas", disse ele à revista *Wired*. "Quando você pergunta a pessoas criativas como fizeram alguma coisa, elas se sentem um pouco culpadas, porque, na verdade, não fizeram aquilo;

elas só viram algo. A coisa lhes pareceu óbvia, depois de certo tempo, porque conseguiram conectar experiências que tiveram e sintetizar coisas novas. E o motivo pelo qual elas conseguiram fazer aquilo é que tiveram mais experiências ou pensaram mais sobre suas experiências do que outras pessoas... Infelizmente, isso é uma coisa muito rara. Muitas pessoas em nossa indústria não tiveram experiências muito diversificadas. Então, não têm pontos suficientes para juntar e acabam tendo soluções muito lineares, sem uma perspectiva mais ampla do problema. Quanto mais amplo é o entendimento de uma pessoa sobre a experiência humana, melhor será o design resultante."[19]

O uso do magnetismo pela Apple é um bom exemplo de como a empresa pega uma tecnologia — algo tão simples quanto ímãs — e brinca com ela, disponibilizando-lhe diversas possibilidades de uso. Os primeiros ímãs apareceram nos fechos dos notebooks da Apple. Um ímã puxava o trinco de seu compartimento e a tampa estava fechada. Depois a companhia acrescentou ímãs a seus controles remotos, para que eles pudessem ser guardados em segurança na lateral dos computadores. Os MacBooks mais novos já dispensaram totalmente os fechos em favor de ímãs mais fortes, que mantêm fechadas suas tampas quando não estão em uso; também têm adaptadores de energia MagSafe, que ficam no lugar graças a ímãs. São projetados para se destacarem facilmente do cabo de energia, impedindo que o computador caia no chão. É uma ideia que a Apple tirou das panelas japonesas de cozinhar arroz, que já têm adaptadores de energia magnéticos há muitos anos pelo mesmo motivo — para impedir que a água fervente seja jogada pela cozinha se uma criança puxar o cabo.

Jobs disse que tudo que ele aprendeu sobre produtos foi quando era garoto, com os Heathkits. Eram kits muito populares para construir aparelhos eletrônicos como rádios amadores, amplificadores e osciladores. Os kits ensinaram a Jobs que os produtos eram manifestações da engenhosidade humana, e não objetos mágicos caídos do céu. "Aquilo me deu um tremendo nível de autoconfiança, por saber que, através da exploração e da aprendizagem, podíamos compreender coisas aparentemente muito complexas que estavam ao nosso redor", disse ele. "Minha infância foi muito afortunada sob esse aspecto."[20]

Jobs sempre foi um atento estudioso de design, de arquitetura e de tecnologia. Seus escritórios eram cheios de dispositivos eletrônicos que ele desmontava para ver como funcionavam. John Sculley lembra-se de que Jobs estava sempre estudando produtos de outros fabricantes. "...Havia peças eletrônicas e gabinetes de produtos espalhados pela sala", escreveu ele. "Era tudo entulhado e desorganizado, com pôsteres e fotos grudados nas paredes. Ele acabara de voltar do Japão com um produto novo que desmontara. As peças estavam sobre sua mesa. Sempre que Steve via algo novo que lhe instigava a curiosidade, conforme descobri, ele comprava, desmontava e tentava entender como funcionava."[21]

Sculley lembrou uma viagem que ele e Jobs fizeram ao Japão para se encontrarem com Akio Morita, o legendário cofundador da Sony. Morita presenteou-os com dois dos primeiros players Walkman saídos das linhas de produção. "Steve ficou fascinado com aquilo", recordou Sculley. "Então, a primeira coisa que fez com o seu foi desmontá-lo, observando cada uma das peças. Como foram feitos a montagem e o acabamento. Como foi construído."[22]

Jobs frequentemente leva funcionários em tours a museus e a exposições especiais para instruí-los em design e arquitetura. Levou a equipe de desenvolvimento do Mac a uma exposição de Louis Comfort Tiffany, o grande designer da art-nouveau, porque ele era um artista que comercializava seu trabalho. Na NeXT, Jobs levou um grupo a uma viagem de estudos à Casa da Cascata de Frank Lloyd Wright, na Pensilvânia, para estudar o design do grande arquiteto. Na NeXT, Jobs muitas vezes ia até os escritórios da Sony, do outro lado do corredor. Pegava os folhetos da empresa e examinava cuidadosamente as fontes, a diagramação e a gramatura do papel.

Em uma ocasião, Sculley encontrou Jobs percorrendo às pressas, feito um louco, o estacionamento da sede da Apple, examinando os carros. Estava analisando os detalhes do seu design, buscando ideias que pudesse usar no design do gabinete do Macintosh. "Veja o design do Mercedes", disse a Sculley. "A proporção entre detalhes angulosos em comparação com as linhas fluidas. Ao longo dos anos eles tornaram o design mais suave, e os detalhes, mais despojados. É isso que temos que fazer com o Macintosh."[23]

Jobs sempre foi interessado pelo design alemão. Nos anos 1980, sua mansão de solteiro era vazia, afora um piano de cauda e uma grande bicicleta BMW preta. Ele sempre admirou a Braun, fabricante alemã de produtos eletrônicos mais conhecida por seu desenho industrial *clean*. A Braun mesclava alta tecnologia com design artístico. Jobs já disse várias vezes que acha que a criatividade tecnológica e a criatividade artística são dois lados da mesma moeda. Quando perguntado pela revista *Time* sobre a diferença entre arte e tecnologia, ele respondeu: "Nunca acreditei que fossem coisas distintas. Leonardo da Vinci foi um grande artista e um grande cientista. Michelangelo sabia muita coisa sobre como cortar a pedra em uma pedreira. Os 12 melhores cientistas que conheço na área da informática são músicos. Alguns são melhores do que os outros, mas todos consideram que isso é uma parte importante da vida deles. Eu não acho que os melhores em qualquer dessas áreas se vejam como um galho de uma árvore bifurcada. Não é assim que eu vejo. Tem muita gente que reúne as duas coisas. O dr. Land, da Polaroid, disse: 'Quero que a Polaroid se coloque na interseção da arte e da ciência', e eu jamais esqueci isso. Acho que é possível e creio que muita gente já tentou fazê-lo."[24]

Pensamento flexível

A Apple já foi ferozmente "proprietária",* pondo em campo sua tecnologia própria e fugindo aos padrões da indústria. Nos seus primeiros anos, a em-

* Jargão da área da informática aplicado aos produtos que não seguem os padrões mais amplos da indústria ou padrões abertos. (N. da T.)

presa usava tecnologia não padronizada para quase tudo. Teclados, mouses e monitores — todos usavam conectores não padronizados. Mas, desde que Jobs voltou, a Apple tornou-se muito mais flexível e prática. Está desfazendo-se de grande parte de sua bagagem. Visando uma maior abrangência, a companhia usa o maior número possível de componentes e conexões padronizados, como USB ou chips Intel. O Mac até aceita o mouse de dois botões.

Criatividade é ser aberto e flexível, e não ficar protegendo o seu modelo de empresa. Tem que haver um fator de abandono audacioso, uma disposição para apostar a empresa na próxima novidade. Exemplo disso é a decisão de Jobs de abrir o iPod ao Windows. De início, o iPod foi concebido como destinado exclusivamente para os Macs. Jobs quis usá-lo como isca para capturar os usuários de Windows. Esperava que ele fosse um incentivo para mudar para o Mac. Houve um longo e duro debate dentro da Apple. "Houve uma longa discussão", disse Jon Rubinstein, ex-chefe das divisões de hardware e do iPod. "Era uma decisão importante para nós. Não sabíamos qual seria seu efeito, então debatemos os dois lados do argumento, fizemos o papel de advogado do diabo."

Rubinstein disse que afinal decidiram que dar aos usuários do Windows um gostinho da tecnologia da Apple teria um "efeito halo" — daria um brilho de santidade aos outros produtos da companhia. "No final, o efeito halo foi muito mais importante do que perder umas poucas vendas de Macs", disse Rubinstein. "O iPod levaria as pessoas para dentro das lojas, e elas iriam, ao mesmo tempo, observar o Mac." Rubinstein disse que a combinação das lojas de varejo, do iPod, dos Macs e do iTunes com o Windows foi parte integrante da mesma estratégia. "Eles alimentam-se uns aos outros", disse. "Usam o iTunes com o Windows e dizem: 'É assim que as coisas são no Mac.'"[25]

Jobs lançou o primeiro iPod compatível com o Windows em julho de 2002. O iPod foi formatado para o Windows, mas ainda necessitava de uma conexão FireWire, que era rara nos computadores com Windows. A verdadeira mudança ocorreu quase um ano depois, quando a Apple aprimorou o modo pelo qual o iPod se conecta a um computador com o Windows. Em maio de 2003, com o lançamento do iPod de terceira geração, a Apple acrescentou conectividade USB2 em vez de ter somente o padrão FireWire. O acréscimo do USB2 foi uma mudança imensamente importante para Steve Jobs. Ela marcou um afastamento do seu princípio de fazer produtos primariamente para a plataforma Mac. Teve, também, um drástico impacto sobre as vendas. Antes da mudança de maio de 2003, a Apple havia vendido um milhão de iPods. Nos seis meses seguintes, porém, vendeu outro milhão, e quase três milhões adicionais foram vendidos dentro de um ano. Nos 18 meses que se seguiram, mais nove milhões foram vendidos. O iPod é agora um dispositivo do Windows como outro qualquer. Todos os iPods estão formatados para o Windows — não para o Mac — quando saem da caixa. Mas, enquanto os computadores Windows não são compatíveis com os formatos de arquivos do Mac, o Mac é compatível com o Windows, portanto não tem problemas em conectar os iPods formatados para Windows.

Da mesma forma, outros dispositivos da Apple funcionam bem com o Windows. Em 2007, a Apple lançou seu navegador Safari para o Windows: outra tentativa de criar um efeito halo em torno de seus softwares, especialmente porque muitos usuários do Windows são usuários do Safari em seus iPhones. O iPhone funciona tão bem com o Windows e com o Microsoft Outlook quanto com um Mac. O AppleTV é compatível com o Windows, como também o são as estações-base WiFi Airport da Apple. O velho *modus operandi* da Apple, de manter a sua tecnologia proprietária, foi descartado. Jobs abraçou totalmente o mundo do Windows.

Sir Howard Stringer está tentando com afinco revigorar a Sony, para trazer de volta um pouco da vigorosa inventividade que construiu e definiu a companhia, mas parece que a gigante japonesa perdeu seu faro para a inovação. A música digital é um exemplo perfeito. Essa é uma área de negócios da qual a Sony deveria ter sido a dona. A companhia inventou a música portátil com o Walkman e continuou a dominar o mercado de dispositivos portáteis mesmo depois que dezenas de outras empresas produziram réplicas do Walkman e do Discman. Mas, tentando proteger seus selos de música, a Sony mutilou seus primeiros players digitais. Surpreendentemente, os primeiros Walkman digitais da Sony não podiam tocar arquivos MP3, embora fosse o padrão emergente para a música digital. Contrariamente, a Sony forçava os usuários a converterem sua música para o formato proprietário da Sony, o ATRAC, algo que, compreensivelmente, eles detestaram fazer. Já tinham muitas músicas no formato MP3 em seus computadores, e elas não podiam ser tocadas nos players da Sony. O iPod, por contraste, toca MP3 sem dificuldades.

A disposição de Jobs para fazer experiências abertas e depois refinar as ideias não é encontrada em muitas empresas. Na Sony, por exemplo, os gerentes muitas vezes aparecem nas reuniões exibindo apenas uma projeção na tela, e dizem: "Este é o nosso design." Um engenheiro que trabalhou em estreita colaboração com a gigante japonesa durante vários anos disse que viu isso acontecer muitas vezes. Perplexo e ligeiramente chocado, ele perguntava como é que eles haviam chegado àquele design específico: quais foram as escolhas feitas? Por que o fizeram dessa forma e não de outra? Mas suas perguntas eram sempre rechaçadas com um curto "Este é o design aprovado".

"Eles acham que são realmente inovadores, mas têm medo de fazer qualquer coisa nova", explicou o engenheiro. "Uma imensa parte disso se deve a levar a culpa. Têm tanto pavor de cometer um erro que sempre seguem aquilo que já fizeram antes."[26]

O mesmo se aplica ao hardware. Ao desenvolverem um produto, os gerentes da Sony muitas vezes apresentavam uma lista dos recursos presentes nos produtos concorrentes, usando-a como projeto básico. No momento em que o produto da Sony era lançado, contudo, o mercado já tinha mudado. Rubinstein me disse que o iPod deveria ter sido um produto da Sony. "O Walkman Sony mudou a forma como as pessoas ouvem música", disse ele. "Jamais entenderei como foi que eles [deixaram isso] escapar pelos seus dedos." Rubinstein disse que a Sony não desenvolveu o iPod porque teve medo de prejudicar seus outros produtos. "Grande parte disso vem do medo de matar seus próprios produtos", disse ele. "Você não quer matar seus produtos se eles fazem sucesso."[27] Só que Jobs não tem medo. Ele matou o modelo de iPod mais popular da Apple — o míni — no auge da sua popularidade, em favor de um modelo mais novo e mais esguio: o nano. "Steve faz muito isso", disse Rubinstein. "Ele é um cara do tipo que queima os seus navios. Se você queima os seus navios, tem que ficar e lutar."[28]

Um estudo de caso da inovação da Apple: as lojas de varejo

As fenomenalmente bem-sucedidas lojas de varejo da Apple são um exemplo improvável, porém típico, da inovação da companhia em ação. As lojas nasceram de uma necessidade real, inspiradas pelo hub digital, e desenvolveram-se como todos os produtos da Apple — prototipadas, testadas e refinadas.

Se você estiver nos Estados Unidos e for até o shopping "bacaninha" mais próximo, é provável que encontre uma Apple Store. Aninhada entre as luxuosas Lane Bryants e Victoria's Secrets, você verá uma butique high-tech cheia de reluzente plástico branco e metal prateado. A loja não tem nome — apenas um logotipo da Apple grande e feericamente iluminado no meio de uma fachada de aço inox. Abaixo da fachada metálica, haverá uma grande e ampla vitrine com uma exposição dos últimos modelos de iPhones ou iPods que você não vai conseguir deixar de olhar.

Entre e você descobrirá que a loja é de um tamanho modesto, nem grande nem pequena demais. Estará lotada de gente — sempre está. Há muitas vezes uma fila para entrar quando a loja abre e há alguns retardatários que não se decidem a sair quando a loja fecha à noite.

A loja é muito sedutora. Você sente que está dentro de uma visão do futuro no estilo do cineasta Stanley Kubrick — cheia de máquinas reluzentes de uma era espacial. O espaço é convidativo e tranquilo. Você tem liberdade para interagir com tudo o que estiver exposto e pode ficar lá quanto tempo quiser. Responde alguns e-mails e se diverte com alguns jogos. Não há pressão para você gastar dinheiro e os funcionários respondem com prazer a qualquer pergunta, mesmo as mais básicas. Depois, no fim da tarde, há uma aula de edição de vídeo em um pequeno auditório no fundo da loja. A aula é grátis.

A Apple abriu suas primeiras lojas de varejo em 19 de maio de 2001, em Glendale, Califórnia, e em Tysons Corner, em McLean, Virgínia. Desde então a cadeia cresceu, englobando hoje mais de duzentas lojas e tornando-se o que há de mais quente em matéria de varejo.

A cadeia de lojas da Apple é a que cresce mais rápido na história do varejo, tendo atingido um bilhão de dólares em vendas anuais em apenas três anos, ultrapassando o recorde que anteriormente pertencia à Gap. Na primavera de 2006, as lojas estavam lucrando um bilhão de dólares a cada trimestre.

As lojas representam uma grande — e crescente — fatia dos negócios da Apple, e estão desempenhando um papel crucial no ressurgimento da companhia. O crescimento das lojas coincidiu com o imenso crescimento do iPod. Os usuários vinham às lojas examinar e testar o aparelho, mas ficavam para brincar com os Macs: como resultado, as vendas de ambos decolaram.

As lojas são enormemente lucrativas. Uma loja Apple pode lucrar tanto quanto seis outras lojas no mesmo shopping, juntas — e pode gerar quase a mesma receita que uma grande loja da Best Buy,* tendo apenas 10% da área.

As lojas são como sofisticadas butiques de roupas. São chiques e estilosas, vendendo um estilo de vida, e não um balcão de barganhas. Não há pressão para comprar nada, e os funcionários são simpáticos e prestativos.

---

* A maior rede de venda de produtos eletrônicos, com cerca de 1.300 lojas nos Estados Unidos, no Canadá e na China. (N. da T.)

O serviço faz toda a diferença. As lojas da Apple são lugares para se estar sem pressões, onde os clientes podem brincar com as máquinas e sair sem culpa, algo bem diferente da cacofonia e da iluminação dura das enormes lojas das grandes cadeias de varejo. Não há vendedores agressivos prontos a dar o bote e pressionar os clientes para que comprem acessórios caros e garantias estendidas desnecessárias.

Essas coisas são básicas para alguns, mas, para uma imensa parcela da população, um pouco de orientação simples e amigável é crucial para fazer uma venda. É incrível como isso é importante para conquistar novos clientes que não estejam familiarizados com a tecnologia. Recentemente entreouvi um possível comprador perguntando se precisava de um computador para usar seu novo iPod. Outra pessoa marcou uma sessão no Genius Bar, que é normalmente reservado para resolução de problemas, para aprender como plugar seu iPod no computador e transferir músicas.

Quando um cliente compra um novo Mac, a máquina é personalizada para ele gratuitamente, antes de sair da loja. Os funcionários carregam os drivers para a impressora ou a câmera do cliente e ajudam a configurar a conexão da internet. Os usuários que vêm do mundo Windows adoram esse tipo de atenção, que é imensamente diferente das grandes lojas de varejo nas quais o único contato é com o segurança que inspeciona sua sacola ou seu carrinho quando você sai.

As lojas são extremamente movimentadas. Estão sempre cheias e frequentemente lotadas. Segundo a Apple, estão entre as lojas de varejo mais movimentadas do setor, rivalizando com as grandes cadeias de supermercados e os restaurantes populares. Quando a Apple abre uma nova loja, há sempre uma fila de fãs acampados do lado de fora desde a noite anterior. Alguns deles viajam para todas as inaugurações em sua área, e uns poucos mais dedicados fazem voos internacionais ou atravessam o país para grandes inaugurações de lojas em Londres, em Tóquio ou na Califórnia.

Quando Jobs voltou à Apple, ele sabia que a empresa precisava de uma presença de varejo simplesmente para sobreviver. Antes que a Apple lançasse suas lojas, seu único contato direto com os clientes era nas reuniões Macworld, que atraíram, no seu auge, cerca de oitenta mil participantes a dois encontros bianuais. (Hoje em dia, mais de oitenta mil pessoas visitam as lojas da Apple todas as manhãs, com outras oitenta mil na parte da tarde!)

Em meados dos anos 1990, os Macs eram vendidos em catálogos de encomenda postal ou em varejistas como a Circuit City ou a Sears, onde eram frequentemente relegados a uma empoeirada prateleira nos fundos. Desprezados e ignorados, os Macs recebiam escassa atenção. Os representantes de vendas conduziam os clientes até os PCs Windows lá na frente. As coisas iam tão mal para a Apple que alguns fãs do Mac incumbiam-se de ficar nas lojas à noite ou nos fins de semana como vendedores extraoficiais, tentando desesperadamente vender Macs em seu tempo livre.

No final dos anos 1990, a Apple começou a fazer experiências com minilojas dentro de lojas na CompUSA, o que obteve um sucesso discreto, indicando a Jobs que a Apple precisava expandir sua presença comercial junto ao público, e também transformar a compra de um Mac em uma experiência mais parecida com a Apple. Mas Jobs queria o controle total, o que só seria alcançado se a empresa abrisse suas próprias lojas. Jobs queria "a melhor experiência de compra para seus produtos, e achava que a maioria dos revendedores não estava investindo o suficiente em suas lojas, ou fazendo outras melhorias de vendas", disse ele ao *Wall Street Journal*. Veja sua frase reveladora: "A melhor experiência de compra." Como todos os empreendimentos de Jobs, as lojas são conduzidas pela experiência dos consumidores.

Na época, Jobs disse que 95% dos clientes "nem sequer consideram a Apple" e que a companhia precisava de um lugar com pessoal instruído para mostrar de que forma o Mac poderia tornar-se o centro de suas vidas. As lojas teriam como alvo os usuários de Windows. Seriam lugares amigáveis para que eles examinassem os Macs. Um antigo slogan para as lojas era "5 agora, 95 depois", referindo-se à fatia de 5% do mercado comparada à de 95% da Microsoft.

Jobs estava apreensivo quanto a se queimar no varejo, então fez sua jogada costumeira de recrutar a melhor pessoa que pudesse encontrar, que acabou sendo Millard "Mickey" Drexler, presidente e CEO da Gap. Em maio de 1999, Drexler tornou-se parte da diretoria da Apple. A "expertise de Drexler em marketing e varejo será um tremendo recurso à medida que a Apple continuar a crescer no mercado de consumo", disse Jobs em um comunicado à imprensa. "Ele acrescentará uma dimensão completamente nova à diretoria da Apple."

Em seguida, Jobs chamou Ron Johnson, um veterano do varejo que ajudara a transformar a Target de clone do Wal-Mart em uma loja com artigos de belo design a preços acessíveis para os consumidores de melhor poder aquisitivo. Johnson recrutara designers renomados para projetar utensílios para a Target, o que lhe valeu o apelido afrancesado de Targê. "Oito anos depois, o design é a pedra angular da estratégia de negócios da Target", disse Johnson, atual vice-presidente sênior de varejo da Apple.[29]

Em janeiro de 2000, Jobs contratou Johnson, um homem grande e amável, com cabelos grisalhos escorridos e um largo sorriso. As primeiras três palavras que disse para Jobs foram: "Varejo é difícil." Jobs acrescentou: "Vamos operar com um pouquinho de medo, porque o varejo é um negócio difícil."[30]

No início, Johnson não podia dizer a ninguém que estava trabalhando para a Apple. Ele usava o nome falso John Bruce (uma variação inspirada no seu segundo nome) e um título inventado para impedir que os concorrentes ouvissem rumores dos planos de varejo da Apple. Johnson só começou a usar seu nome verdadeiro, mesmo dentro da empresa, depois que a Apple já havia aberto várias lojas.

Quando a Apple abriu sua primeira loja de varejo, em maio de 2001, a maioria dos especialistas achava que a empresa estava cometendo um dispendioso equívoco. A Gateway, única empresa de computadores com lojas de varejo próprias, estava fechando todas elas. As lojas da Gateway não estavam atraindo clientes. Inexplicavelmente, elas não tinham estoque. Os clientes podiam examinar as mercadorias, mas tinham que encomendá-las on-line, o que anulava a oportunidade de fazer vendas impulsivas. Em vez disso, os clientes da Gateway gravitavam para as grandes lojas de cadeias de varejo onde pudessem comparar as ofertas de diferentes fabricantes — e comprar o que queriam lá mesmo, na hora.

Enquanto isso, a Apple ainda não mostrara sinais de uma reviravolta. A bolha da internet estava estourando, a NASDAQ estava despencando e a Dell, que parecia ter o modelo de negócios perfeito para computadores — venda direta pela internet —, estava esmagando todos os recém-chegados. As receitas da Apple haviam encolhido de 12 bilhões de dólares para 5 bilhões, e a empresa acabara de registrar algum lucro. O iPod só seria lançado dentro de seis meses (e, quando isso aconteceu, ninguém tinha a menor ideia do sucesso arrasador que ele seria). Parecia o pior momento possível para uma companhia em dificuldades embarcar em uma dispendiosa e duvidosa experiência no varejo.

"Eu lhes dou dois anos antes que comecem a apagar as luzes de um erro muito caro e doloroso", disse à *Business Week* o especialista em varejo David A. Goldstein, ecoando um sentimento amplamente difundido na época. Não houve um observador da indústria, analista de Wall Street ou jornalista que tenha ido a público dizer que era uma boa ideia. "Poucos de fora da empresa pensam que as novas lojas, por mais bem concebidas que sejam, vão levar a Apple de volta ao caminho do crescimento intenso", disse a *Business Week*.[31]

Enriquecendo vidas pelo caminho

Até a década de 1990, a maioria das lojas vendia artigos de vários fabricantes — o modelo da loja de departamentos. No final dos anos 1980, porém, a Gap revolucionou o varejo ao abandonar outras marcas e concentrar-se em sua própria linha de roupas. Vendendo em pequenas quantidades montanhas de estilosas porém acessíveis roupas "básicas e descontraídas", a Gap decolou como um foguete. Passou de uma receita de 480 milhões de dólares em 1983 para 13,7 bilhões em 2000, entrando nos livros de história como a cadeia de varejo que mais rapidamente cresceu. (Depois disso também cresceu horizontalmente, mas essa é outra história.) Hoje, o modelo da Gap vem sendo imitado por dezenas de varejistas, especialmente de roupas, mas também por empresas de tecnologia como a Sony, a Nokia e a Samsung. Até a Dell, varejista que persistentemente manteve sua estratégia de fazer apenas vendas on-line no auge da década de 1990, está abrindo quiosques nos shoppings e vendendo computadores através do Wal-Mart, da Costco e da cadeia francesa de supermercados Carrefour na Europa.

A maioria dos varejistas está interessada somente em vender tanto quanto possível. A Gateway chamou isso de "despachar metal". Essa filosofia levou a Gateway a certas conclusões inevitáveis: tenha um baixo custo, seja competitivo em preços e abra lojas onde for mais barato — como estacionamentos fora de mão. Só que todas essas decisões acabaram sendo desastrosas.

O maior problema: ninguém visitava as lojas Gateway. A maior parte das pessoas compra um computador novo a cada dois ou três anos. Para comprar em uma loja Gateway, os potenciais clientes teriam que mudar sua rotina. A loja não estava localizada onde faziam suas outras compras — nos shoppings. Estava em um longínquo estacionamento. No auge da operação de varejo da Gateway, quando a empresa possuía quase duzentas lojas empregando cerca de 2.500 pessoas, o tráfego era de 250 pessoas por semana. É isso mesmo: 250 visitantes *por semana*. Em abril de 2004, após vários anos de vendas pouco consistentes, a Gateway fechou as portas de todas as suas lojas — um erro caro e doloroso.

Por outro lado, Jobs queria trazer os consumidores para dentro da loja. Ele queria uma loja "estilo de vida", onde os consumidores pudessem ter um gostinho do estilo de vida digital Apple — e, de preferência, sair levando uma máquina.

Uma das primeiras decisões cruciais foi a de criar as lojas em áreas de tráfego intenso. Essa iniciativa acabou sendo a grande ideia precursora, mas foi, de início, universalmente criticada, porque as localizações populares seriam caras.

A Apple escolheu shoppings sofisticados e bairros comerciais da moda, e não shoppings de periferia com aluguéis baratos. A ideia era conseguir que os passantes entrassem, construir o tipo de loja em que os curiosos dessem uma entrada e ficassem sabendo como é a coisa do outro lado, o lado do Mac. Se a maioria dos consumidores de computadores nem sequer considerava a Apple ao comprar um novo computador, certamente não iria dirigir vinte minutos até uma loja distante em um estacionamento remoto. "Os imóveis eram muito mais caros", disse Jobs à *Fortune*. Só que as pessoas "não tinham que arriscar vinte minutos do seu tempo. Tinham que arriscar apenas vinte passos do seu tempo".[32] É o velho mantra dos imóveis — localização, localização, localização.

A Apple planejou as localizações com muito cuidado, usando dados do censo e informações sobre seus usuários registrados. A empresa jamais revelou os critérios que usa para escolher as localizações das lojas, mas Gary Allen, um observador atento da estratégia de varejo da Apple que dirige o www.ifoAppleStore.com, um site dedicado às lojas, examinou algumas peças do processo da empresa. Segundo ele, é uma combinação do número de usuários registrados da Apple na área, certos dados demográficos, especialmente idade e renda média por domicílio, proximidade de escolas e universidades importantes e, inteligentemente, das principais estradas interestaduais. O maior problema com que a Apple se defrontou foi encontrar um espaço nos shoppings condizentes. A companhia esperou três anos por uma boa localização em São Francisco, sua cidade natal.

Em uma das reuniões iniciais de estratégia com Jobs, Ron Johnson foi presenteado com toda a linha de produtos da Apple: dois computadores portáteis e dois computadores desktop. Isso foi antes do lançamento do iPod. Johnson foi confrontado com a perspectiva de encher lojas de 560 metros quadrados com apenas quatro produtos. "Era um grande desafio", lembrou Johnson. "Só que acabou sendo uma oportunidade extraordinária, porque dissemos: 'Como não temos produtos suficientes para encher uma loja desse tamanho, vamos enchê-la com a experiência de possuí-los.'"[33]

Quando Jobs e Johnson começaram a pensar nas lojas, fizeram isso com uma visão inusitada — "enriquecer vidas", disse Johnson. "Quando idealizamos o modelo de varejo da Apple, dissemos que ele tinha que se conectar com a Apple. Muito fácil... enriquecer vidas. Enriquecendo vidas. É isso que a Apple vem fazendo há mais de trinta anos."[34]

A meta de enriquecer vidas levou a dois objetivos claros: projetar as lojas em torno da experiência do consumidor e estar consciente da experiência de ser proprietário de um produto durante todo o período de vida dele.

Em primeiro lugar, projetar a loja em torno da experiência do consumidor não é o mesmo que projetar em torno da experiência de varejo. A maior parte dos varejistas concentra-se na maneira como os clientes encontram e selecionam artigos na loja e depois fazem com que gastem o máximo possível. Só que Jobs e Johnson se perguntaram como é que os produtos se encaixariam no contexto da vida dos consumidores, de sua experiência de vida. Johnson explicou: "Não pensamos na experiência deles dentro da loja. Dissemos: 'Vamos projetar esta loja em torno da experiência de vida deles.'"

Em segundo lugar, "dissemos: queremos que nossas lojas criem uma experiência de propriedade para o consumidor", explicou Johnson. A loja deve tratar do período de vida do produto, e não do momento da transação. Em muitas lojas, a compra encerra o relacionamento com a loja. Nas lojas da Apple, "gostamos de pensar que é aí que a coisa começa".

"Então, primeiro fizemos uma lista", disse Johnson. "Enriquecer vidas — como é que se faz isso?" Decidiram que a loja deveria conter apenas as coisas certas. Mercadorias demais confundem os consumidores. Johnson aprendeu na Target os benefícios de limitar a escolha. Alguns dos executivos da Target queriam estocar as prateleiras com o máximo possível de produtos. Em certa época, a empresa tinha 31 modelos de torradeira. Mas Johnson aprendeu que a principal varejista em equipamento de cozinha — Williams Sonoma — estocava apenas duas torradeiras. "A questão não é ter muitas opções", disse ele. "A questão é ter as opções certas."[35]

Jobs e Johnson também decidiram que os consumidores deveriam ser incentivados a fazer um test-drive de todos os produtos. Na época, a maioria das lojas de computadores exibia modelos em funcionamento, mas os clientes não podiam carregar programas, conectar-se à internet ou baixar fotos de sua câmera digital. Nas lojas Apple, eles tinham liberdade para testar todos os aspectos de uma máquina antes de comprá-la.

A princípio, Jobs ponderou a ideia de abrir algumas lojas e ver o que acontecia. Mas, a conselho de Mickey Drexler, Jobs mandou construir uma loja de testes secreta em um depósito perto da sede da Apple de Cupertino. A loja seria desenhada da mesma forma que os produtos da companhia: eles construiriam um protótipo que poderia ser refinado e melhorado até que ficasse perfeito.

Johnson reuniu uma equipe de cerca de vinte especialistas em varejo e designers de lojas, e eles começaram a testar diferentes layouts para a loja. Para torná-la simpática e convidativa, a equipe decidiu usar materiais naturais: madeira, pedra, vidro e aço inox. A gama de cores era neutra, e as lojas teriam uma iluminação muito boa para fazer os produtos brilharem. Como sempre, havia uma atenção intransigente aos detalhes. Nos primeiros dias, Jobs reunia-se com a equipe de design ao longo de meio dia por semana. Durante uma reunião, o grupo avaliou exaustivamente três tipos de iluminação só para ter certeza de que os multicoloridos iMacs iriam brilhar como nos lustrosos anúncios impressos, segundo a revista *Business 2.0*. "Cada pequeno elemento na loja é projetado com esse nível de detalhes", disse Johnson.[36]

Em outubro de 2000, após vários meses de trabalho, o protótipo da loja estava quase pronto quando Johnson teve uma revelação. Deu-se conta de que a loja não refletia a filosofia do hub digital da Apple, que colocava o computador no coração do estilo de vida digital. No layout do protótipo da loja, os computadores ficavam em um canto e as câmeras em outro, exatamente como na Best Buy. Johnson percebeu que a loja deveria reunir os computadores e as câmeras, para mostrar aos consumidores como poderiam usar o Mac para fazer coisas na prática, como montar um álbum de fotografias digitais ou gravar um filme caseiro em um DVD.

"Steve, acho que está errado", disse Johnson a Jobs. "Devemos nos centrar no futuro digital, e não apenas nos produtos."[37] Johnson deu-se conta de que seria muito mais eficiente mostrar aos consumidores hubs digitais funcionando, com câmeras, filmadoras e players de MP3 ligados a computadores. As máquinas seriam dispostas em "zonas de soluções", mostrando como o Mac poderia ser usado para fotografia digital, edição de vídeo e para fazer música — atividades que os clientes em potencial desejariam executar.

A princípio, Jobs ficou irritado: "Você sabe o que está dizendo? Você sabe que temos que começar tudo de novo?", berrava ele, disparando furiosamente para a sua sala. Logo, porém, ele mudou de opinião. Alguns minutos mais tarde, Jobs voltou à sala de Johnson de bom humor. Disse a ele que quase todos os melhores produtos da Apple haviam sido interrompidos e depois retomados, como o iMac. Fazia parte do processo. Em uma entrevista posterior à *Fortune*, Jobs disse que sua reação inicial foi "Meu Deus, estamos ferrados!", mas Johnson tinha razão. "Aquilo nos custou — sei lá — seis, nove meses. Mas foi a decisão correta, sem a menor dúvida", disse ele.[38]

Após as modificações, o protótipo da loja estava dividido em quatro seções, cada qual dedicada às "zonas de soluções" de Johnson. Uma sala na frente da loja é dedicada aos produtos, uma outra, a música e fotos, a terceira sala, ao Genius Bar e a filmes e a última aos acessórios e outros produtos no fundo da loja. A ideia é criar um lugar no qual os consumidores possam encontrar "soluções" completas para problemas de estilo de vida que querem resolver — como fotos digitais ou edição de DVDs.

As lojas são projetadas para serem um lugar público, como uma biblioteca, e mais do que apenas um lugar para expor produtos. "Não queremos que a loja gire em torno do produto, e sim em torno de uma série de experiências que a tornam mais do que uma loja", disse Johnson.[39]

A Apple faz com que as lojas estejam sempre lotadas dando acesso ilimitado a computadores conectados à internet e organizando nelas muitos eventos. Toda semana, há workshops e aulas grátis e, nas lojas maiores, palestras de profissionais criativos e shows de bandas. Durante o verão, o Apple Camp atrai milhares de crianças em idade escolar para terem aulas de computação durante os meses tradicionalmente calmos do verão.

As lojas maiores e mais importantes teriam escadas feitas de vidro, simplesmente para incentivar os clientes a subir ao segundo andar, que é tradicionalmente menos visitado. (As escadas de vidro tornaram-se grandes atrações e ganharam vários prêmios.)

Sinta-se à vontade e vá até o Genius Bar

A inovação mais importante é oferecer treinamento ativo e suporte no Genius Bar. Em 2000, os consertos de computador podiam levar várias semanas. Os usuários tinham que telefonar para o suporte técnico, enviar a máquina à companhia e esperar que fosse devolvida. "Isso não é enriquecer a vida de ninguém", disse Johnson.[40] A Apple decidiu que iria oferecer consertos em poucos dias, rivalizando com a tinturaria do bairro.

O Genius Bar tornou-se a função mais característica das lojas Apple e também a mais popular. Os usuários adoram ser capazes de identificar os problemas pessoalmente ou deixar o equipamento que não está funcionando em um shopping próximo, em vez de enviá-lo ao fabricante. "Os usuários adoram nossos Genius Bars", disse Johnson.

A Apple calculou que, em 2006, mais de um milhão de pessoas visitaram os Genius Bars durante uma semana típica. Nas lojas principais, frequentemente há filas de pessoas esperando pelo Genius Bar antes de a loja abrir. Eles são quase bem-sucedidos demais. Graças ao crescimento fenomenal de visitantes nas lojas, os Genius Bars estão se tornando frequentados demais, e muitos já implantaram um sistema de reservas para fazer face à demanda.

A ideia de um Genius Bar veio dos clientes. Johnson perguntou a um grupo de foco qual fora a sua melhor experiência com um serviço ao cliente, em qualquer lugar. A maioria citou o balcão de recepção dos hotéis, que está lá para ajudar e não para vender. Johnson percebeu que poderia ser uma boa ideia instalar um balcão de recepção para computadores. Pensou que poderia ser como um simpático bar de esquina, onde o barman dá conselhos gratuitos em vez de bebida.

A primeira vez que Johnson sugeriu a ideia a Jobs, seu chefe mostrou-se cético. Jobs gostou da ideia do suporte personalizado, mas, como já conhecera muitos técnicos esquisitões, teve medo de que não tivessem a personalidade necessária para lidar com o público. Johnson o persuadiu de que a maioria dos jovens é muito familiarizada com computadores, e que eles não teriam problemas para contratar funcionários com boa apresentação, orientados para o serviço e que tivessem conhecimentos aprofundados de tecnologia.

A ideia mais significativa que Johnson teve quanto ao pessoal das lojas foi a de dispensar as comissões de vendas, que são o padrão geral no varejo de produtos eletrônicos para o consumidor. "Na Apple, pensaram que eu tinha ficado louco", disse ele.[41] É que Johnson não queria que as lojas se tornassem panelas de pressão alimentadas pelas vendas. Queria os funcionários ligados ao coração dos clientes, e não aos seus bolsos.

Os funcionários da Apple devem persuadir delicadamente os consumidores — muitos deles usuários de Windows céticos quanto à Apple — a mudarem para o Mac. Johnson sabia que para a maioria dos clientes em potencial essa não seria uma decisão instantânea. Era provável que eles visitassem a loja três ou quatro vezes antes de chegar a uma conclusão, e a última coisa que Johnson queria eram clientes preocupados porque o rapaz ou a moça com quem eles começaram a conversar não estava de serviço.

Em vez de pagar comissões, Johnson decidiu melhorar o status deles. O melhor funcionário receberia o grau de Mac Genius, ou de apresentador no auditório. "Seu trabalho é elevado a posições de status do tipo sou um Mac Genius. Sou a Mac-pessoa mais inteligente da cidade. Procuram por mim na internet para virem me encontrar na loja a fim de que eu possa ajudá-los", disse Johnson. "Meu trabalho é tornar a loja rica em experiência para as pessoas."

A ausência de uma comissão eleva o trabalho de uma posição puramente mercantil e o torna muito mais próximo de uma profissão. Embora muitos dos funcionários trabalhem em meio expediente ou sejam pagos por hora, gozam de certo status profissional. Diz Johnson: "Não é aquele aborrecido e trabalhoso 'tenho que vender mercadorias e cuidar dos problemas dos clientes'. Estou, de repente, enriquecendo a vida das pessoas. É assim que selecionamos, é assim que motivamos, é assim que treinamos nosso pessoal." Essa é a Apple no que tem de mais clássico, é claro: até o varejo foi insuflado com um sentido de missão.

A Apple tenta recrutar amantes de computadores criativos e recém-formados, o tipo de rapazes e moças que pensam que trabalhar numa loja Apple seria um bom primeiro emprego. Como incentivo, a companhia oferece um treinamento interno. Enquanto trabalham na loja, os funcionários têm aulas de como usar aplicativos profissionais como o Final Cut Pro, o GarageBand e outros que podem vir a ser úteis mais tarde. A taxa de rotatividade é relativamente baixa para o varejo: cerca de 20%, quando a média do setor é acima de 50%, segundo a Apple.

As lojas estão evoluindo de bem-projetados centros de compras a ambientes de aprendizagem. A Apple vem acrescentando novos "bares" de aconselhamento em algumas das lojas maiores, inclusive um iPod Bar para conselhos e concertos e um Studio Bar para ajudar os clientes com projetos criativos, como fazer filmes ou diagramar álbuns de fotografias. A ideia dos bares de aconselhamento gratuito está começando a se espalhar para outros varejistas. A loja de alimentos Whole Foods, por exemplo, começou a experimentar, em 2006, um bar de aconselhamento para receitas e ingredientes em uma loja em Austin, no Texas.

Enquanto a maioria das empresas de computadores vende seus produtos em grandes lojas de varejo e oferece suporte apenas pelo telefone, as lojas da Apple são uma proposta radicalmente diferente. Johnson chama as lojas de *high touch*, expressão que significa lidar com um ser humano em vez de um computador. O termo é às vezes usado para designar um bom serviço ao cliente. Diz-se que a Nordstrom e a Starbucks são *high touch*, mas ninguém havia tentado o conceito antes com computadores. "Em um mundo high-tech, não seria agradável ter um pouco de *high touch*?", disse Johnson. Jobs e Johnson decidiram acrescentar um bom serviço à compra de computadores e mudar a maneira pela qual as pessoas compram tecnologia.

As lojas de varejo demonstram a inovação da Apple em ação. Ao contrário do malfadado PowerMac Cube, as lojas foram planejadas com a experiência do consumidor em primeiro lugar. Como todos os produtos da Apple, a loja foi extensamente prototipada na fase de desenvolvimento. A Apple foi aberta e flexível em sua forma de pensar e audaciosamente rouba algumas de suas melhores ideias de outros. A filosofia, o design e o layout das lojas vieram da estratégia do hub digital. A execução surgiu do foco inflexível de Jobs quanto à experiência do consumidor.

Lições de Steve

Não perca o consumidor de vista. O Cube afundou porque foi construído para designers, não para consumidores.

Estude o mercado e o setor. Jobs está constantemente vigilante para ver que novas tecnologias estão aparecendo.

Não pense conscientemente sobre inovação. Sistematizar a inovação é como ver Michael Dell tentar dançar. *Doloroso.*

Concentre-se nos produtos. Os produtos são a força gravitacional que tudo reúne.

Lembre-se de que os motivos fazem diferença. Concentre-se em excelentes produtos, e não em se tornar o maior ou o mais rico.

Roube. Não tenha vergonha de roubar as grandes ideias dos outros.

Conecte. Para Jobs, criatividade é simplesmente conectar coisas.

Estude. Jobs é um profundo estudioso de arte, design e arquitetura. Ele até mesmo corre por estacionamentos olhando os Mercedes.

Seja flexível. Jobs desfez-se de várias das antigas tradições que tornavam a Apple especial — e manteve-a pequena.

Queime os navios. Jobs matou o mais popular iPod para dar lugar a um modelo novo e mais fino. Queime os navios e você terá que ficar e lutar.

Faça protótipos. Até as lojas da Apple foram desenvolvidas como qualquer produto: prototipadas, editadas e refinadas.

Pergunte aos clientes. O popular Genius Bar surgiu a partir de uma demanda dos clientes.

Capítulo 7
Estudo de caso

Como tudo foi reunido para criar o iPod

"O software é a experiência do usuário. Como o iPod e o iTunes provam, ele tornou-se a tecnologia central não apenas nos computadores, mas também nos aparelhos eletrônicos de uso cotidiano."

— *Steve Jobs*

O iPod foi o produto que transformou a Apple de uma fabricante de PCs em constante luta pela sobrevivência em uma potência no mercado de eletrônicos. Entender como o iPod se tornou o que é ilustra diversos tópicos discutidos nos capítulos anteriores. O aparelho foi o produto de pequenas equipes trabalhando juntas. Nasceu da estratégia de inovação de Jobs: o hub digital. Seu design foi orientado por uma compreensão da experiência do consumidor: como navegar em uma grande biblioteca de músicas digitais. Tudo se juntou por meio do processo de design interativo da Apple, e algumas das principais ideias vieram de fontes inesperadas (a click wheel foi sugestão de um executivo de propaganda, e não de um designer). Muitos dos componentes principais são fabricados por outras empresas, mas a Apple é capaz de combiná-los de forma única e inovadora.

Acima de tudo, o iPod foi, de fato, resultado de um trabalho em equipe. "Tivemos várias sessões de brainstorm", disse alguém da empresa. "Os produtos da Apple surgem de forma muito orgânica. Há muitas reuniões envolvendo várias pessoas e diversas ideias. É uma abordagem de equipe."[1]

O passo em falso de Jobs: os clientes queriam música, e não vídeo

Além do PowerMac Cube, Jobs cometeu outro erro no início da linha dos iMacs: ele não incluiu um gravador de CDs. No início, um dos principais recursos do iMac era sua capacidade de se conectar às câmeras de vídeo não profissionais através de sua porta FireWire. FireWire é um padrão usado em muitas câmeras de vídeo digitais, e o iMac foi um dos primeiros computadores pessoais projetado como uma estação para edição de vídeos caseiros.

Há muito Jobs estava interessado em vídeo, e achou que o iMac tinha o potencial de fazer pelos vídeos aquilo que o primeiro Mac fez pela editoração eletrônica. O primeiro programa para o hub digital que Jobs criou foi o iMovie, um aplicativo fácil de usar para a edição de vídeos.

O problema foi que, em fins de 1990, os consumidores estavam mais interessados em música digital do que em vídeo digital. Jobs estava tão obcecado pela ideia de vídeos que não notou os primórdios da revolução da música digital. Jobs tem a reputação de ser alguém capaz de prever novas direções para a tecnologia. Supostamente, ele consegue adivinhar quais serão as tecnologias do futuro — a interface gráfica, o mouse, MP3 players com belo design —, mas não percebeu que havia milhões de amantes de música trocando bilhões de arquivos de música digital no Napster e em outras redes de troca de arquivos (redes P2P). Os usuários estavam transferindo suas coleções de CDs para o computador — em geral usando o formato MP3 — e compartilhando esses arquivos pela internet. A corrida para o formato digital de troca de arquivos foi marcante sobretudo nas universidades norte-americanas, e, ainda que os universitários fossem um grande público consumidor de iMacs, a Apple não tinha um programa para gerenciar as coleções de música digital.

Em janeiro de 2001, a empresa anunciou uma perda de 195 milhões de dólares, em parte devido à estagnação da economia, mas em parte por causa de uma queda radical nas vendas. Foi a primeira e única vez, desde que Jobs retornara à empresa, que um trimestre havia terminado no negativo. Os consumidores tinham parado de comprar iMacs porque eles não tinham gravadores de CD. Em uma teleconferência com analistas de mercado, Jobs admitiu que a Apple tinha "perdido o bonde" ao não colocar gravadores de CD na linha do iMac.[2] Ele estava se sentindo castigado. "Me senti um idiota", disse ele mais tarde. "Achei que tínhamos ficado de fora. Tivemos que trabalhar duro para retomar o terreno perdido."[3]

Mas outros fabricantes de PC não tinham deixado de notar essa revolução. A Hewlett-Packard, por exemplo, estava incluindo gravadores de CDs em seus computadores. Para conseguir se igualar aos outros, a Apple licenciou um player de música bastante popular chamado SoundJam

MP, criado por uma pequena empresa, contratando também seu principal programador, Jeff Robbin. Sob a orientação de Jobs, Robbin passou vários meses reescrevendo o SoundJam, essencialmente simplificando o programa, até que se tornasse o iTunes. Jobs apresentou o novo programa na Macworld Expo em janeiro de 2001.

"A Apple fez aquilo que faz de melhor: tornar aplicativos complexos mais simples e torná-los ainda mais eficazes no processo", disse Jobs à enorme plateia de seu discurso de abertura. "Esperamos que sua interface expressivamente simplificada possa trazer ainda mais pessoas para a revolução da música digital."

Enquanto Robbin estava trabalhando no iTunes, Jobs e sua equipe de executivos começaram a analisar diversos dispositivos para ver se havia alguma oportunidade interessante. Descobriram que as câmeras digitais, tanto de fotos quanto de vídeo, haviam sido muito bem projetadas, mas o mesmo não valia para os players de música. "Os produtos eram uma droga", disse à *Newsweek* Greg Joswiak, vice-presidente de marketing de produtos do iPod.[4]

Os players de música digital eram muito grandes e trambolhudos ou então muito pequenos e ineficazes. Muitos possuíam chips de memória de pouca capacidade — 32 MB ou 64 MB —, o que lhes permitia armazenar apenas algumas dezenas de músicas. Isso não ia muito além do que um CD player portátil e barato já podia fazer.

Alguns desses players, contudo, eram baseados no novo disco rígido de 2,5 polegadas da Fujitsu. O mais popular dentre eles era o Nomad Jukebox, da Creative, uma empresa sediada em Cingapura. Tendo mais ou menos o tamanho de um CD player mas pesando quase o dobro, o Nomad Jukebox trazia a promessa de armazenar milhares de arquivos em um dispositivo (menor). Porém, tinha defeitos horríveis: usava o padrão USB1 para transferir os arquivos manualmente para o computador, o que o tornava terrivelmente lento. A interface era um "feito" de engenharia: incrivelmente ruim. E era comum que drenasse as baterias em menos de uma hora.

Lá estava a chance da Apple.

"Não sei de quem foi a ideia de produzir um player de música, mas Steve gostou dela imediatamente e me pediu que cuidasse do assunto", disse Jon Rubinstein, um engenheiro veterano que chefiou a divisão de hardware da Apple durante mais de uma década.[5] Hoje ocupando o cargo de presidente executivo na Palm, Rubinstein é um nova-iorquino na casa dos 50 anos, alto, magro, com um jeitão franco e direto e um sorriso simpático.

Juntou-se à Apple em 1997, vindo da NeXT, onde tinha sido o homem de Jobs na parte de hardware. Enquanto esteve na Apple, Rubinstein supervisionou uma série de máquinas inovadoras, desde o primeiro iMac Bondi-blue, passando por estações de trabalho refrigeradas a água e, naturalmente, o iPod. Quando a Apple se separou em duas divisões — iPod e Macintosh —, em 2004, Rubinstein ficou responsável pelo iPod, uma declaração de quão importantes ele e o iPod eram para a Apple.

A equipe da Apple sabia que podia resolver a maioria dos problemas que encontrou no Nomad. Seu conector FireWire poderia transferir rapidamente as músicas do computador para o player: um CD inteiro seria transmitido em poucos segundos, enquanto uma grande biblioteca de MP3 levaria alguns minutos. E, graças à indústria de telefones celulares em crescimento acelerado, havia sempre novos displays e baterias disponíveis no mercado. Estes são os "vetores se propagando no tempo" que Jobs menciona — ficar de olho em progressos promissores em diferentes áreas de tecnologia. As futuras versões do iPod poderiam tirar proveito das melhorias na tecnologia de telefonia celular.

Em fevereiro de 2001, durante a Macworld Expo anual em Tóquio, Rubinstein fez uma visita de rotina à Toshiba, fornecedora de discos rígidos para a Apple. Durante o encontro, os executivos da Toshiba lhe mostraram um novo disco rígido muito pequeno que tinham desenvolvido. Ele tinha apenas 1,8 polegadas de diâmetro — consideravelmente menor que o disco Fujitsu de 2,5 polegadas que estava sendo usado pelos players concorrentes —, mas a Toshiba não sabia o que fazer com ele. "Disseram que talvez pudessem colocá-lo em um pequeno notebook", lembra-se Rubinstein. Mas Rubinstein tinha uma ideia melhor. "Eu falei com Steve e disse: 'Sei como resolver isso. Já tenho todos os elementos', e ele respondeu: 'Vá em frente.'"

"Jon é realmente bom para ver uma nova tecnologia e pensar rapidamente quão boa ela é", disse Joswiak para a *Cornell Engineering Magazine.* "O iPod é um grande exemplo do que acontece quando ele enxerga o potencial de determinada tecnologia: no caso, aquele disco rígido realmente diminuto."

Rubinstein não queria perturbar nenhum dos engenheiros que estavam trabalhando nos novos Macs, então, em fevereiro de 2001, contratou um consultor, Tony Fadell, para alinhar os detalhes. Fadell tinha uma longa experiência na fabricação de dispositivos portáteis: tinha desenvolvido *gadgets* populares para a General Magic e para a Philips. Um conhecido em comum deu seu número de telefone para Rubinstein. "Liguei para Tony", disse Rubinstein. "Ele estava em uma estação de esqui naquela época. Antes que entrasse porta adentro, não tinha a menor ideia quanto ao produto em que estaria trabalhando."

Jobs queria que o player chegasse às lojas no outono, antes do período de compras de fim de ano. Fadell ficou responsável por uma pequena equipe de engenheiros e designers que rapidamente aprontou o aparelho. O iPod foi cercado por um profundo segredo, relatou Rubinstein. Do início ao fim, entre as sete mil pessoas que trabalhavam na sede da Apple naquela época, apenas cinquenta a cem pessoas sabiam da existência do projeto iPod. Para finalizá-lo mais rapidamente, a equipe usou o maior número possível de peças já disponíveis no mercado: o disco da Toshiba, a bateria da Sony, alguns chips de controle da Texas Instruments.

O projeto básico foi comprado de uma startup do Vale do Silício chamada PortalPlayer, que estava trabalhando em designs de referência para players digitais, incluindo uma unidade de estante para uso em casa e um player portátil do tamanho de um maço de cigarros.

A equipe também usou bastante a expertise já existente na própria Apple. "Não começamos do início", disse Rubinstein. "Temos um grupo de engenharia de hardware à nossa disposição. Quando precisávamos de um adaptador para eletricidade, tínhamos o grupo que cuidava dos adaptadores. Precisávamos de um display, e tínhamos um grupo responsável por isso também. Usamos a equipe de arquitetura de hardware. Esse produto se beneficiou muito das tecnologias que já possuíamos."

O problema mais difícil de resolver era a duração das baterias. Se o drive fosse acessado o tempo todo, consumiria a carga em pouco tempo. A solução foi carregar diversas músicas em um banco de chips de memória, o que consome muito menos energia. O disco poderia ser colocado em modo de espera até que fosse preciso carregar mais músicas. Embora outros fabricantes usassem uma arquitetura similar para proteção contra impactos, o primeiro iPod tinha um buffer de memória de 32 MB, permitindo que as baterias durassem dez horas em vez de apenas duas ou três.

Após reunir todas as peças, o formato final do iPod ficou evidente. Bastava encaixar todas as peças de forma natural em uma caixa fina do tamanho aproximado de um baralho.

"Algumas coisas ficam realmente claras quando pensamos nos materiais que as compõem, e foi isso o que aconteceu", disse Rubinstein. "Quando juntamos tudo, a aparência final era óbvia."

Apesar disso, o grupo de design da Apple, liderado por Jonathan Ive, criou diversos protótipos. A equipe colaborou de perto com fabricantes e engenheiros, alterando e refinando constantemente o design.

Para fazer com que o processo de correção de erros fosse simples, os primeiros protótipos do iPod foram colocados dentro de grandes recipientes de policarbonato do tamanho aproximado de uma caixa de sapatos, conhecidos como "unidades stealth" (indetectáveis). Como muitas outras empresas do Vale do Silício, a Apple está sujeita a espionagem industrial por parte de rivais que adorariam dar uma olhada no que está sendo feito. Alguns observadores sugeriram que as caixas disfarçavam os protótipos contra eventuais espiões. Os engenheiros, contudo, dizem que elas eram totalmente funcionais: grandes e acessíveis, tornavam o processo de depuração mais fácil, se houvesse algum problema.

Para economizar tempo no desenvolvimento do software para o iPod, um sistema operacional de baixo nível, contendo apenas as coisas básicas, foi instalado para servir de ponto de partida para o desenvolvimento da interface. O sistema foi licenciado da Pixo, uma startup do Vale do Silício fundada por Paul Mercer, ex-engenheiro da Apple que havia trabalhado no Newton e, na época, estava desenvolvendo um sistema operacional para celulares. O sistema Pixo atuava no nível mais básico: cuidava de coisas como chamadas para o disco rígido requisitando arquivos de música. Também continha bibliotecas de código para a criação de interfaces, com comandos para desenhar linhas ou caixas em uma tela. Não incluía, porém, uma interface com o usuário pronta para uso. A Apple criou a aclamada interface de usuário do iPod em cima do sistema da Pixo.

A ideia para a click wheel partiu do diretor de marketing da Apple, Phil Schiller, que, em uma das primeiras reuniões, disse de forma bastante incisiva: "A click wheel é a melhor interface para este produto." Schiller também sugeriu que a navegação pelos menus ficasse mais rápida quando a wheel fosse girada por mais tempo, um toque de gênio que dá ao iPod uma funcionalidade especial. A ideia para a click wheel talvez não tivesse sido sugerida se o desenvolvimento de produtos na Apple fosse feito pelo tradicional método sequencial.

A click wheel do iPod tornou-se seu recurso mais característico. Na época, usar um dispositivo circular para controlar um MP3 player era inovador, mas também era surpreendentemente funcional. Os MP3 players dos concorrentes usavam botões comuns em vez disso. A click wheel parece ter sido um ato de criação mágica. Por que ninguém havia pensado nesse controle antes? Mas a ideia de Schiller não surgiu do nada: tanto a click wheel como outras variações da scroll wheel — ou roda de rolagem —, com ou sem clique, são comuns em dispositivos eletrônicos, de diversos modelos de mouse aos controles encontrados na lateral de alguns Palm Pilots. Os telefones da série BeoCom fabricados pela Bang & Olufsen têm um seletor similar ao do iPod para navegar por listas de telefones e chamadas. Mesmo antes, em 1983, uma estação de trabalho da Hewlett-Packard, a 9836, tinha um teclado com uma roda similar para movimentar o texto na tela.

No que diz respeito ao software, Jobs encarregou o programador Jeff Robbin de supevisionar a interface do iPod e sua integração com o iTunes. O designer Tim Wasko fez um protótipo funcional da interface — ele já tinha sido responsável pela interface limpa e simples do QuickTime da Apple. Assim como os designers de hardware, Wasko criou diversos protótipos, apresentando as variações em grandes impressões coloridas que eram espalhadas pela mesa de reuniões para que pudessem ser rapidamente acessadas e debatidas.

Como os protótipos de hardware de Jonny Ive, a interface intuitiva do iPod foi resultante de um processo de design por tentativa e erro. "Lembro-me de ter sentado com Steve e outras pessoas noite após noite, de nove até uma da manhã, trabalhando na interface para o primeiro iPod", disse Robbin. "Ela evoluía para algo mais simples a cada dia. Sabíamos que tínhamos chegado a uma conclusão quando olhamos um para o outro e dissemos: 'É isso aí. Por que fazer as coisas de outra forma?'"[6]

Jobs fazia questão de que o iPod funcionasse organicamente com o iTunes e de que muitas das funções fossem automatizadas, sobretudo a transferência de músicas. O modelo era o software HotSync da Palm, que atualiza automaticamente informações e arquivos nos Palm Pilots quando estão conectados a um computador. Os usuários deveriam poder conectar seus iPods no computador e ter suas músicas carregadas automaticamente no player, sem intervenção do usuário. Essa facilidade de uso é um dos grandes sucessos do iPod. Ao contrário de outros players antes dele, o iPod e o iTunes reduziam em muito o trabalho de gerenciar uma coleção de música digital. Em sua maioria, os concorrentes davam trabalho para os usuários. Para carregar músicas, era preciso arrastar e soltar manualmente os arquivos até um ícone do player. Era uma tarefa chata e a maioria das pessoas achava que era perda de tempo. O iPod mudou tudo isso. Jobs resumiu a simplicidade da operação do iPod para a *Fortune* em poucas palavras: "Conecte. Whirrrrrr. Pronto."[7]

Como o iPod foi batizado: "Open the POD bay door, Hal!"*

Quando os engenheiros da Apple completaram seu trabalho no hardware e Robbin e sua equipe ainda estavam trabalhando no iTunes, um freelancer procurava um nome para o novo aparelho. O nome iPod foi sugerido por Vinnie Chieco, que mora em São Francisco. Ao ouvir o nome pela primeira vez, Jobs rejeitou-o.

Chieco fora recrutado pela Apple para fazer parte de uma pequena equipe encarregada de ajudar a compreender como apresentar o novo MP3 player para o público em geral, e não apenas para os fanáticos por computadores. A tarefa envolvia encontrar um nome para o novo produto, assim como criar material de marketing e exposição que deixasse claro quais eram suas funções.

Chieco teve reuniões com a Apple durante vários meses, chegou a se encontrar com Jobs duas ou três vezes por semana enquanto trabalhava no iPod. A equipe de quatro pessoas trabalhava no mais completo sigilo, ocupando um escritório pequeno e sem janelas no alto do prédio que abriga o departamento de design gráfico da Apple. A sala era fechada eletronicamente e só quatro pessoas tinham a senha de acesso, incluindo Jobs. O

---

* Numa tradução livre, "Abra a porta do compartimento de casulos, Hal!". Hal é o famoso computador dotado de inteligência artificial que comanda a nave no filme *2001, uma odisseia no espaço*, de Stanley Kubrick. (N. da T.)

espaço tinha uma grande mesa de reuniões e alguns computadores. Uma seleção das ideias da equipe ficava afixada às paredes.

O departamento de design gráfico é o encarregado de criar as embalagens para produtos da Apple, além de brochuras, banners para feiras e convenções e a identidade visual das lojas, entre outras coisas. A divisão possui uma posição privilegiada na estrutura da Apple: em geral, toma conhecimento dos produtos secretos da empresa muito antes de seu lançamento. Para preservar o sigilo, a Apple é extremamente compartimentalizada. Como uma agência secreta do governo norte-americano, os funcionários são informados apenas do que é estritamente necessário. Muitos departamentos conhecem fragmentos de um novo produto, mas apenas a equipe executiva possui todos os detalhes.

Para que sejam capazes de preparar as embalagens e os elementos da identidade visual, os artistas e designers costumam ser os primeiros a conhecer os detalhes de um novo produto, logo após os executivos. O departamento foi, por exemplo, um dos primeiros grupos dentro da Apple a ouvir o nome iPod para que pudessem preparar a embalagem. Os outros grupos que trabalhavam no projeto — inclusive as equipes de hardware e software — conheciam o aparelho apenas por seu nome de código, "Dulcimer". Mesmo dentro do departamento gráfico as informações eram muito restritas. O departamento emprega cerca de cem pessoas, mas apenas um pequeno subconjunto — vinte ou trinta pessoas — sabia da existência do iPod, e havia ainda menos pessoas que conheciam os detalhes. O resto da divisão descobriu o que era o iPod quando Jobs o apresentou publicamente à imprensa, em outubro de 2001.

Durante a procura por um nome, Jobs se fixou no slogan do produto: "1.000 músicas em seu bolso". Esse slogan bem descritivo permitia que o nome não precisasse fazer referência alguma a música. Ao descrever o player, Jobs muitas vezes se referia à estratégia do hub digital da Apple: o Mac é um hub, ou ponto central de conexão, de muitos dispositivos. Isso fez Chieco começar a pensar em hubs como objetos aos quais outras coisas se conectam.

O ápice do conceito de hub, para Chieco, seria uma espaçonave. Você pode sair da espaçonave em uma nave menor — um *pod* (casulo) —, mas precisa retornar à nave-mãe para obter combustível e comida. Então mostraram a ele um protótipo do primeiro iPod, com sua frente despojada, de plástico branco. "Assim que vi o iPod branco, pensei no filme *2001, uma odisseia no espaço*", disse Chieco. Há um momento conhecido no filme em que um dos astronautas diz, em inglês: "Open the *pod* bay door, Hal!"

Depois disso, bastou acrescentar o "i" como prefixo, como em iMac. Quando a Apple começou a usar esse prefixo, em 1999, no iMac, a empresa dizia que o "i" significava "internet". Mas o prefixo é usado hoje em uma gama tão vasta de produtos — do iPhone ao software iMovie — que a ideia já não faz muito sentido. Alguns sugeriram que o "i" (em inglês, "eu") seria a primeira pessoa, denotando a natureza pessoal dos produtos da Apple.

Chieco apresentou o nome para Jobs junto com dezenas de alternativas escritas em fichas de papel. Ele não quis mencionar nenhum dos outros nomes que foram analisados. Enquanto olhava cada uma das fichas, Jobs as separava em duas pilhas: uma para possíveis candidatas, outra para as que tinham sido rejeitadas. A ficha com o nome "iPod" foi para a pilha das rejeitadas. No final da reunião, contudo, Jobs perguntou às quatro pessoas que estavam presentes quais eram suas opiniões. Chieco debruçou-se sobre a mesa e retirou o cartão "iPod" da pilha de rejeitadas. "Steve vinha explicando o produto de tal forma que aquilo fazia sentido para mim", disse Chieco. "Era a analogia perfeita. Era muito lógico. Acima de tudo, era um bom nome." Jobs disse a Chieco que iria pensar a respeito.

Depois da reunião, Jobs começou a testar diversos nomes possíveis com pessoas em quem ele confiava, dentro e fora da empresa. "Ele estava disparando um monte de nomes, perguntando às pessoas em volta o que achavam", disse Chieco. Alguns dias mais tarde, Jobs informou a Chieco que havia se decidido por "iPod". Não explicou nada além disso, simplesmente disse: "Tenho pensado sobre aquele nome. Gostei. É um bom nome." Uma fonte interna da Apple, que pediu para não ser identificada (porque não quer ser demitida), confirmou a versão de Chieco.

Athol Foden, um especialista em nomes para produtos e presidente da Brighter Naming, sediada em Mountain View, Califórnia, disse que o nome é genial — simples, fácil de lembrar e, ainda mais importante, não descreve o aparelho, então pode continuar sendo usado conforme a tecnologia evolui, mesmo que a função do produto mude. Também notou o duplo sentido do prefixo "i": "internet", como no "iMac", ou a primeira pessoa "I", significando "eu".

No dia 23 de outubro de 2001, cerca de cinco semanas após os atentados de 11 de setembro, Jobs apresentou o produto final em um evento especial na sede da Apple. "Este é um grande avanço", disse para os repórteres presentes.

De fato foi. O iPod original hoje nos parece primitivo: um grande maço branco de cigarros com uma tela quadrada e preto e branca. Mas a cada seis meses a Apple melhorou, atualizou e expandiu o dispositivo, que culminou em uma família de diferentes modelos, do simples Shuffle ao luxuoso iPhone.

O resultado foi que mais de 100 milhões de unidades haviam sido vendidos até abril de 2007, totalizando quase metade da crescente receita da Apple. A empresa estava a caminho de vender 200 milhões de iPods até o final de 2008 e prováveis 300 milhões até o final de 2009. Alguns analistas acreditam que o iPod terá vendido 500 milhões de unidades antes que o mercado fique saturado. Tudo isso faria do produto um candidato ao maior sucesso em eletrônicos de amplo consumo de todos os tempos. O recorde atual está com o Walkman da Sony, que vendeu 350 milhões de unidades durante seu reinado de 15 anos ao longo dos anos 1980 e no início da década de 1990.

Talvez o aspecto mais importante do sucesso do iPod seja o controle total que Jobs exerceu sobre o aparelho: hardware, software e a loja de música on-line. Esse controle total é fundamental para a funcionalidade, a facilidade de uso e a confiabilidade do iPod. Também será um elemento crítico para o futuro da Apple na área de entretenimento digital, em crescimento explosivo, como veremos no próximo capítulo.

Lições do Steve

Se você perder o barco, trabalhe duro para recuperar o terreno perdido. Jobs não percebeu a revolução da música digital no início, mas logo recuperou o terreno.

Busque oportunidades. A Apple não estava no negócio de dispositivos eletrônicos, mas Jobs estava curioso para ver se havia algum espaço em aberto.

Procure por "vetores que se propagam no tempo" — mudanças mais profundas no mundo, que possam ser usadas a seu favor. O iPod se beneficiou muito dos avanços em baterias e displays gerados pela indústria de telefonia celular.

Defina um prazo. Jobs queria o iPod nas lojas antes do final do outono. Havia apenas seis meses para levá-lo ao mercado. Extenuante, porém necessário.

Não se preocupe com a origem das ideias. Foi Phil Schiller, o chefe de marketing da Apple, que sugeriu a click wheel do iPod. Outras empresas nem mesmo teriam chamado o pessoal de marketing para uma reunião de desenvolvimento de produtos.

Não se preocupe com a origem da tecnologia — é a sua combinação que importa. O iPod é mais do que a soma de seus componentes.

Aproveite sua expertise. Nunca comece do zero — a equipe de fontes de alimentação da Apple resolveu o problema da bateria enquanto os programadores criavam a interface. Apenas seis meses para colocar um produto no mercado não seriam suficientes se a Apple tivesse reinventado a roda.

Acredite no seu processo. O iPod não foi um surto de genialidade súbita ou uma ideia que surgiu do nada. Ele surgiu do processo de projeto iterativo já existente e funcional na Apple.

Não tenha medo do processo de tentativa e erro. Assim como os infindáveis protótipos de Jonny Ive, a interface revolucionária do iPod foi descoberta por tentativa e erro.

Faça as coisas em equipe. O iPod não é cria de uma única pessoa: não há um único Grande Criador que tenha dado origem ao produto. Nunca é apenas uma pessoa — o sucesso vem do trabalho em equipe.

Capítulo 8
Controle total

A coisa toda

"Sempre quis possuir e controlar a tecnologia básica em tudo o que fazemos."

— *Steve Jobs*

Quando o iPhone foi lançado, no verão de 2007, parecia que Jobs iria repetir o sucesso avassalador do iPod. Havia uma única questão: Jobs deixou de fora do iPhone todos os desenvolvedores de software, pelo menos em um primeiro momento. Nas semanas que se seguiram ao lançamento do produto, houve uma chuva de protestos por parte de autores de blogs e especialistas que reclamavam, de forma bombástica, de o iPhone ser uma plataforma fechada: não iria rodar nenhum software que não fosse criado pela Apple. O iPhone estava destinado a ser uma das mais interessantes plataformas de eletrônicos de consumo dos últimos tempos, mas era uma fruta proibida para a indústria de software. Aplicativos desenvolvidos por terceiros estavam excluídos, exceto os aplicativos web que rodavam no browser do celular. Muitos críticos disseram que deixar os desenvolvedores de fora daquele jeito era típico das manias de controle de Jobs. Ele não queria as mãos "sujas" de desenvolvedores externos estragando a perfeição zen de seu aparelho.

"Jobs é um artista elitista e que possui uma incrível força de vontade, não querendo que suas criações sejam alteradas — possivelmente para pior — por um programador que não seja digno", escreveu Dan Farber, editor chefe da *ZDNet*. "Seria como se um visitante acrescentasse algumas pinceladas a um quadro de Picasso ou alguém mudasse a letra de uma música de Bob Dylan."[1]

Jobs é um dos maiores maníacos por controle que se pode encontrar no setor de tecnologia. Ele controla o software, o hardware e o design da Apple. Controla o marketing e os serviços on-line. Controla cada aspecto do funcionamento da organização, da comida servida aos funcionários a quanto eles podem contar a suas famílias sobre seu trabalho — praticamente nada.

Em 1984, o bebê de Steve Jobs — o primeiro computador Macintosh — foi comercializado sem uma ventoinha interna. O ruído das ventoinhas deixava Jobs irritado, então ele fez questão de que o Mac não tivesse uma, ainda que seus engenheiros tenham incansavelmente se oposto a isso (chegando mesmo a colocar, discretamente, ventoinhas em modelos posteriores sem que Jobs soubesse). Para impedir que suas máquinas superaquecessem, os clientes compravam uma "chaminé para Macs", essencialmente um tubo de papelão projetado para ser colocado em cima da máquina e retirar o calor por convecção. A chaminé tinha uma aparência ridícula — como um chapéu de burro —, mas impedia que as máquinas fundissem.

Jobs é um perfeccionista intransigente, uma qualidade que levou tanto ele quanto a empresa que fundou a adotar um mesmo *modus operandi* pouco convencional: manter um controle estrito sobre o hardware, o software e os serviços que eles acessam. Desde o início, Jobs sempre fechou suas máquinas. Do primeiro Mac ao último iPhone, os sistemas de Jobs foram lacrados para impedir que os clientes mexessem neles e os modificassem. Até seu software é difícil de adaptar.

Essa abordagem não é comum em uma indústria dominada por hackers e engenheiros que gostam de personalizar seus produtos de tecnologia. Na verdade, o comportamento tem sido amplamente visto como uma enorme desvantagem competitiva numa era, dominada pela Microsoft, em que o hardware é comoditizado e vendido a preços muito baixos. Agora, contudo, os consumidores querem dispositivos bem-acabados e fáceis de usar para música digital, fotografia e vídeo. A insistência de Jobs em controlar a coisa toda — hardware e software, do início ao fim — é o novo mantra no setor de tecnologia. Mesmo a Microsoft, que foi a primeira empresa a adotar a estratégia de comoditização, está mudando sua forma de operar e copiando parte da linha de atuação de Jobs. A empresa de Bill Gates começou a produzir hardware, além do software — com o Microsoft Zune, além do Xbox, que hoje está no centro do "hub digital" da Microsoft. Controlar a coisa toda pode não ter sido o modelo certo nos últimos trinta anos, mas parece ser um bom modelo para os próximos trinta: a era do estilo de vida digital.

Nessa nova fase, Hollywood e a indústria musical estão suplementando CDs e DVDs com fornecimento de música e filmes pela internet, e os consumidores querem dispositivos de entretenimento fáceis de usar, como o iPod, no qual possam ver os filmes ou ouvir as músicas. É o modelo de Steve Jobs que irá produzir tais aparelhos. O grande trunfo da Apple é ser capaz de produzir seu próprio software, do sistema operacional dos Macs a aplicativos como o iPhoto e o iTunes.

Jobs: um maníaco por controle

Antes que Jobs voltasse à Apple, a companhia era famosa por ser "largadona". As pessoas chegavam tarde e saíam cedo. Batiam papo em torno do pátio gramado central, jogando bola ou atirando *frisbees* para seus cães. Mas Jobs logo impôs um novo rigor e novas regras. Passou a ser proibido fumar ou levar cachorros e a companhia voltou a ter um sentimento de urgência e de operacionalidade.

Alguns já sugeriram que Jobs mantém um controle rígido na Apple para evitar ser expulso novamente. A última vez que cedeu controle para seu suposto amigo e aliado, John Sculley, este o colocou para fora da empresa. Talvez, como alguns especularam, as tendências de controle de Jobs sejam resultado de ele ter sido uma criança adotada. Sua personalidade controladora seria uma reação à impotência de ter sido abandonado pelos pais biológicos. Mas, como já vimos, a propensão de Jobs a controlar tudo tem gerado bons negócios nestes últimos tempos, além de ser boa para o projeto e o design de eletrônicos de fácil uso para os consumidores. Um controle rígido do hardware e do software gera seus dividendos na facilidade de uso, segurança e confiabilidade.

Sejam quais forem suas origens, as tendências de Jobs ao controle total são hoje lendárias. Bem no início da Apple, Jobs brigou com seu amigo e cofundador da empresa, Steve Wozniak, que era um forte defensor de máquinas abertas e que pudessem ser acessadas por seus compradores.

Wozniak, "hacker dos hackers", queria computadores que pudessem ser facilmente abertos e adaptáveis. Jobs queria o contrário: máquinas que fossem completamente fechadas e impossíveis de modificar. Os primeiros Macs, que Jobs coordenou praticamente sem a ajuda de Wozniak, eram firmemente lacrados com parafusos que só podiam ser soltos com uma chave de fenda especial de 30 centímetros de comprimento.

Na época do lançamento do iPhone, os críticos disseram que deixar software terceirizado de fora seria um erro fatal. Impediria que o iPhone tivesse sua *killer app* — aquele programa fundamental que torna um equipamento absolutamente essencial. Na história dos PCs, o sucesso dos hardwares foi muitas vezes determinado por uma peça exclusiva de software — VisiCalc no Apple II, Aldus Pagemaker e desktop publishing no Mac, o jogo Halo no Xbox.

A estratégia de Jobs de manter o ecossistema iPod/iTunes fechado a seus parceiros também foi vista por especialistas como outro exemplo de seu desejo de manter um controle completo. Os críticos já debateram que Jobs deveria licenciar o iTunes para seus concorrentes, o que permitiria que as músicas compradas on-line na loja iTunes pudessem ser tocadas em MP3 players de outros fabricantes. Da maneira como a coisa é hoje, músicas compradas no iTunes só podem ser tocadas nos iPods, por conta do código antipirataria embutido nos arquivos, conhecido como DRM — Digital Rights Management (gerenciamento de direitos digitais).

Outros disseram que Jobs deveria fazer exatamente o contrário: abrir o iPod para o formato concorrente Windows Media Audio (WMA), da Microsoft. WMA é o formato de arquivo padrão para músicas no Windows Media Player, o software da Microsoft embutido no Windows. Qualquer CD digitalizado usado no Media Player ou comprado de uma loja digital como o Napster ou a Virgin Digital é codificado, por padrão, como um arquivo WMA. (O iPod e o software iTunes atualmente importam arquivos WMA e os convertem para o formato interno do iPod: AAC.)

Como era de se esperar, alguns críticos argumentaram que a recusa de Jobs em abrir o iPod ou o iTunes aos formatos da Microsoft ou a parceiros externos se devia à sua eterna necessidade de manter o controle absoluto. Rob Glaser, fundador e CEO da RealNetworks, responsável pelo Rhapsody, um programa e serviço de músicas on-line concorrente, disse ao *New York Times* que Jobs estava sacrificando a lógica comercial em nome da "ideologia". Em uma matéria de 2003, Glaser declarou: "É absolutamente claro por que, daqui a cinco anos, a Apple terá entre 3% e 5% do mercado de players... A história do mundo mostra que a hibridação gera melhores resultados."[2]

Glaser e outros críticos viam um claro paralelo com a antiga guerra entre Windows e Mac: a recusa da Apple em licenciar o sistema do Mac custou à companhia sua grande dianteira no mercado de informática. Enquanto a Microsoft licenciava seu sistema operacional para todos os computadores e crescia rapidamente até dominar o mercado, a Apple não queria dividir seus brinquedos com ninguém. Apesar de o sistema do Mac ser muito mais avançado do que o Windows daquela época, estava confinado a uma pequena fatia do mercado.

Os observadores do mercado argumentaram que a mesma coisa iria acontecer com o iPod e o iTunes — que a recusa de Jobs em jogar de forma aberta com outros faria com que a Apple levasse a mesma surra em música digital que tinha levado no setor de PCs. Observadores disseram que finalmente um sistema aberto, licenciado para quem quisesse, como o PlaysForSure da Microsoft — que foi adotado por dezenas de lojas de música on-line e também fabricantes de MP3 players —, iria derrotar a posição da Apple de fazer tudo sozinha. Críticos disseram que a companhia se veria face a face com a poderosa competição que naturalmente surge em um mercado aberto. Os fabricantes concorrentes, tentando suplantar os preços e recursos uns dos outros, iriam jogar os preços cada vez mais para baixo e, ao mesmo tempo, aprimorar seus dispositivos.

A Apple, por outro lado, ficaria trancada em sua própria terra da fantasia de players caros capazes de tocar músicas apenas de sua própria loja. Para os críticos, essa era a jogada clássica de Steve Jobs: seu desejo de manter o controle resultaria na ruína do iPod. A Microsoft, com sua legião de parceiros, iria repetir, com o iPod, o cenário do Mac.

Mais uma vez, as mesmas críticas ressurgiram quando o iPhone foi lançado, já que inicialmente ele era fechado a desenvolvedores externos. O iPhone rodava alguns poucos aplicativos da Apple e da Google — Google Maps, iPhoto, iCal —, mas não estava aberto para outros desenvolvedores.

O desejo dos desenvolvedores de colocar seus programas no aparelho era evidente desde o início. Poucos dias após seu lançamento, o iPhone havia sido aberto por hackers empreendedores, permitindo que seus proprietários instalassem novos aplicativos no aparelho. Dentro de poucas semanas havia mais de duzentos aplicativos desenvolvidos para o iPhone, incluindo sistemas de localização usando o GPS embutido e jogos inovadores.

Mas o hack para os aplicativos dependia de uma brecha na segurança que a Apple rapidamente fechou com uma atualização do firmware (o "sistema operacional" do iPhone). A atualização também fechou portas que permitiram a alguns proprietários do iPhone — na verdade, um grande número deles — desbloquear seus aparelhos, desvinculando-os da AT&T para usá-los com outras operadoras de telefonia móvel. (A Apple revelou que 25 mil iPhones não tinham sido registrados com a AT&T nos Estados Unidos, dando a impressão de que quase um a cada seis aparelhos vendidos estava sendo usado com outras operadoras — muitos dos aparelhos provavelmente estavam até mesmo fora dos Estados Unidos.)

A atualização desativou alguns iPhones, em particular aqueles que haviam sido hackeados. Parece não ter sido um gesto intencional da Apple, mas o "congelamento" de tantos dispositivos virou um pesadelo de relações públicas. Para muitos analistas, clientes e blogueiros, aquilo demonstrava o pior lado da Apple: tratar os primeiros usuários de uma tecnologia e clientes leais como lixo, desabilitando seus aparelhos porque tinham tido a ousadia de mexer neles.

A comunidade de desenvolvedores também reagiu, demonstrando choque e irritação, acusando a Apple de ter desperdiçado uma oportunidade de conquistar uma liderança diante de rivais como Microsoft, Google, Nokia e Symbian no mercado de smartphones. Para aplacar a indignação, a Apple anunciou um plano para abrir o iPhone aos desenvolvedores externos em fevereiro de 2008, fornecendo-lhes um kit de desenvolvimento.

Controlando a coisa toda

O desejo de Jobs de controlar a coisa toda, do início ao fim, do software ao hardware, é tanto uma filosofia quanto uma prática. Não é apenas pelo controle em si. Jobs quer transformar dispositivos complexos como os computadores e os smartphones em produtos realmente adequados ao mercado de massa, e, para fazer isso, acredita que a Apple precisa tirar dos consumidores parte do controle dos dispositivos. O iPod é um bom exemplo. Os detalhes complexos de gerenciar um MP3 player são ocultados do consumidor porque o software iTunes e a loja iTunes cuidam do processo. É verdade que os usuários não podem comprar músicas de qualquer loja on-line que queiram, mas, por outro lado, o iPod não congela quando músicas são transferidas para ele. Um sistema fechado limita as escolhas, mas é inerentemente mais estável e confiável. Um sistema aberto é muito mais frágil e menos confiável. Esse é o preço da liberdade.

O desejo de Jobs de criar sistemas fechados pode ser observado já na primeira versão do Mac. Nos tempos dos primeiros PCs, os computadores eram reconhecidamente pouco confiáveis. Eram passíveis de panes, congelamentos e reinicializações constantes. Os usuários tinham as mesmas chances de perder horas de trabalho em um documento quanto de imprimi-lo como desejado. Isso era verdade para os computadores da Apple assim como para os da IBM, da Compaq ou da Dell.

Um dos maiores problemas eram os slots de expansão, que permitiam aos usuários expandir e atualizar suas máquinas com hardware adicional tal como novas placas gráficas, placas de rede e fax/modems. Os slots eram populares nas empresas e entre os entusiastas por eletrônica, cuja expectativa era a de poder personalizar suas máquinas. Para muitos desses usuários, este era o sentido da coisa: queriam computadores que pudessem ser modificados para seus propósitos. Mas os slots de expansão também tornavam os primeiros computadores instáveis. O problema é que cada hardware acrescentado precisava de seu próprio driver para que funcionasse com cada computador. Um driver é um programa de nível básico que permite que o sistema operacional reconheça um hardware específico e envie comandos para ele. Por atuar quase no mesmo "nível" que o sistema operacional, contudo, ele pode criar conflitos com outros programas, fazendo a máquina congelar. Pior ainda, muitos drivers eram mal programados: possuíam erros e não eram confiáveis, especialmente bem no início.

Em 1984, Jobs e a equipe de desenvolvimento do Mac decidiram pôr um fim às panes de sistema e às máquinas travadas. Decidiram que o Mac não teria slots de expansão. Se não pudesse ser expandido, obviamente não sofreria com conflitos de drivers. Para ter certeza de que ninguém mexeria em nada, o gabinete era selado com parafusos, projetados pela Apple, que não podiam ser removidos com uma chave de fenda comum.

Os críticos viram nisso uma indicação clara das tendências de Jobs de ser um maníaco por controle. Ele não apenas fez uma máquina impossível de ser expandida, como também a selou fisicamente. Jobs havia se gabado de seu desejo de que o Mac fosse a "máquina perfeita", e estava se assegurando de que assim seria. A perfeição do Mac iria sobreviver até mesmo depois que fosse despachado para os usuários. Era selado para protegê-los de si mesmos: não seriam capazes de arruiná-lo.

Mas a ideia não era punir os usuários: era fazer o Mac ficar mais estável e ter menos problemas, além de permitir que os programas fossem integrados uns com os outros. "A meta de manter o sistema fechado tinha a ver com dar um fim ao caos que existia nas primeiras máquinas", disse Daniel Kottke, um amigo de Jobs da época da adolescência e um dos primeiros funcionários da Apple.[3]

Além de tudo isso, a ausência de slots de expansão permitia que o hardware fosse simplificado e que sua fabricação ficasse mais barata. O Mac já seria uma máquina cara — eliminar os slots o tornaria um pouco mais barato.

Contudo, foi uma decisão errada nos primórdios do setor em constante mudança dos PCs. Como explicou Andy Hertzfeld, o "menino prodígio" da equipe de desenvolvimento inicial do Mac: "O maior problema com o hardware do Macintosh era muito óbvio: sua expansão era muito limitada", escreveu ele. "Mas o problema não era de fato técnico, e sim filosófico, já que queríamos eliminar a inevitável complexidade que era uma consequência da possibilidade de expansão do hardware, tanto para o usuário quando para os desenvolvedores, ao tornar todos os Macs idênticos. Era um ponto de vista válido, talvez até mesmo corajoso, mas não muito prático, porque as coisas ainda estavam evoluindo muito rápido na indústria de informática para que essa abordagem pudesse funcionar."[4]

As virtudes de ser um maníaco por controle: estabilidade, segurança e facilidade de uso

Atualmente a maioria das máquinas da Apple pode ser expandida, especialmente aquelas voltadas para usuários profissionais. Os computadores mais caros na linha de produtos da empresa possuem vários slots de expansão. Graças a novas ferramentas de programação e programas de certificação, que requerem um teste rigoroso, os drivers se comportam muito melhor tanto nos Macs quando no Windows. Ainda assim, os Macs possuem uma reputação de estabilidade maior do que a dos computadores que rodam Windows.

Os Macs modernos usam essencialmente os mesmos componentes que os PCs que rodam Windows. As entranhas são quase idênticas, do processador central da Intel à memória RAM. O mesmo vale para os discos rígidos, placas de vídeo, slots PCI e chipsets para USB, WiFi e Bluetooth. Os componentes internos da maioria dos computadores são intercambiáveis, quer venham da Dell, da HP ou da Apple. Como resultado, a indústria de computadores tem bem menos problemas de incompatibilidade do que antes. Muitos periféricos, como impressoras ou webcams, são compatíveis com as duas plataformas. O Intellimouse da Microsoft pode ser ligado diretamente a um Mac e funcionará imediatamente e sem dificuldades.

A única diferença real entre o Mac e o PC é o sistema operacional. A Apple é a última empresa na indústria de computadores que ainda tem controle de seu próprio software. Fabricantes como a Dell e a HP licenciam o sistema operacional da Microsoft. E o problema é que o sistema operacional da Microsoft precisa aceitar centenas — talvez mesmo milhares — de diferentes componentes de hardware, cujas diferentes combinações possíveis geram, potencialmente, milhões de resultados distintos. Com a Apple é bem mais fácil. Ela só produz duas ou três grandes linhas de computadores e a maioria deles compartilha os mesmos componentes. Mac míni, iMac e MacBook são basicamente a mesma plataforma de hardware — um "computador" — embalada de formas diferentes.

Sob esse ponto de vista, o Windows é uma façanha de engenharia. A abrangência e a diversidade do hardware em que ele opera são muito impressionantes. O lado negativo, contudo, é que há tantas variáveis que não se pode esperar que consiga obter o mesmo nível de compatibilidade e de estabilidade que o Mac. A maior iniciativa da Microsoft para tornar o hardware mais compatível, chamada de "Plug and Play" (algo como "conecte e use"), passou a ser chamada de "Plug and Pray" (ou "conecte e reze"), porque as combinações de hardware e software acabavam gerando resultados imprevisíveis.

A Apple, por outro lado, tem uma base de hardware muito menor para dar suporte, e os resultados são muito mais previsíveis. Além disso, se algo sair errado, só há uma companhia para a qual ligar. Os clientes da Dell ou da Compaq têm medo do inferno do suporte telefônico em que o fabricante do hardware coloca a culpa na Microsoft, e esta, por sua vez, coloca a culpa no fabricante do hardware.

"PlaysForShit".* Vamos tomar como exemplo o sistema de certificação PlaysForSure da Microsoft, lançado em 2005. Licenciado para dezenas de empresas de música on-line e fabricantes de players portáteis, PlaysForSure tinha a intenção de destruir o mercado do iPod, criando um sistema aberto que garantiria compatibilidade com os formatos Windows Media e também ofereceria garantias contra cópias por meio da implementação do sistema DRM, Digital Rights Management (gerenciamento digital de direitos). A ideia era que o sistema pudesse oferecer maior competição a preços menores. O único problema é que era pouquíssimo confiável.

Eu mesmo tive diversas experiências tenebrosas com ele. Sabia que havia problemas, mas fiquei chocado ao descobrir como era ruim. Em 2006, a Amazon.com lançou um serviço de download de vídeo chamado Amazon Unbox. Lançado com grande alarde, o serviço prometia centenas de filmes e séries de TV "sob demanda", que poderiam ser rápida e facilmente transferidos para o disco rígido de um PC com um único clique no mouse. De acordo com o serviço, o vídeo poderia ser copiado para qualquer dispositivo compatível com PlaysForSure, tal como o player de 8 GB da SanDisk que eu estava testando.

Na verdade, a Amazon não prometia que seu vídeo iria funcionar em dispositivos PlaysForSure: ela dizia que o vídeo *poderia funcionar*

* Trocadilho do autor com a tecnologia "PlaysForSure" mencionada a seguir. Em tradução livre, "NãoTocaNada". (N. da T.)

em tais dispositivos. "Se seu dispositivo for compatível com PlaysForSure, pode funcionar", dizia o site da Amazon. *Pode* funcionar? Aquilo não podia ser sério. O ponto central do PlaysForSure é que, por ser um padrão, como o próprio nome em inglês diz, a mídia iria "tocar com certeza". Infelizmente não era verdade. Após mexer com ele durante horas, conectar e desconectar o player, reinicializar o PC, reinstalar o software e procurar conselhos na web, desisti. A vida é curta demais.

O problema é que a Microsoft faz o software que é executado no computador, mas a SanDisk faz o software que controla o player. Ao longo do tempo, a Microsoft fez diversas atualizações em seu software PlaysForSure para resolver erros e problemas de segurança, mas, para que funcionassem corretamente com o novo software, os players da SanDisk também tinham que ser atualizados. Enquanto a Microsoft e a SanDisk tentavam coordenar suas respectivas atualizações, algumas vezes havia conflitos e atrasos. Quanto mais companhias estavam envolvidas, mais confusos se tornavam os problemas. A Microsoft lutava para manter o suporte a dezenas de lojas on-line e dezenas de fabricantes de players, que, por sua vez, haviam vendido dezenas de modelos diferentes. As empresas de hardware tinham dificuldades em convencer a Microsoft a resolver os problemas do PlaysForSure, que incluíam falhar ao transferir músicas com licenças compradas ou mesmo a incapacidade de reconhecer alguns dos players conectados. "Não conseguimos fazer com que eles resolvam os erros", foi o que o diretor da Real, Anu Kirk, disse à CNet.[5]

Além disso, o próprio usuário tinha que solucionar os problemas, procurando as últimas atualizações e instalando-as.

A Apple, por outro lado, era capaz de lançar atualizações similares para dezenas de milhões de iPods de forma rápida e eficiente por meio de seu programa iTunes. Se surgisse uma nova versão do programa do iPod, o iTunes atualizaria automaticamente o dispositivo quando este fosse conectado ao computador — com a permissão do usuário, é claro. Era, e continua sendo, um sistema automatizado e altamente eficiente. Há apenas um aplicativo e, essencialmente, um único dispositivo a ser suportado (ainda que haja diversos modelos dele).

Na época, muitos criticavam o crescente monopólio da Apple sobre o mercado de música on-line, assim como a integração rígida entre o iPod e o iTunes. Apesar de eu me opor intelectualmente a ficar trancado dentro do sistema da Apple, pelo menos ele funciona. Usei um iPod durante anos, e é fácil esquecer quão perfeita é a experiência do iPod. Somente quando as coisas dão errado com outros dispositivos você se dá conta disso. Nos anos que usei um iPod, nunca tive problemas — nenhum arquivo perdido, nenhuma falha ao sincronizar, nenhum problema com a bateria ou o disco rígido.

Estabilidade e experiência do usuário: o iPhone. Um dos pontos fortes a favor do Mac é a suíte de aplicativos iLife: iTunes, iPhoto, GarageBand e similares. Os aplicativos são projetados para atividades criativas do dia a dia: armazenar e organizar fotos digitais, criar filmes caseiros, gravar músicas para colocar no MySpace.

Os aplicativos iLife são uma parte importante do que faz um Mac ser um Mac. Não há nada similar no Windows. Steve Jobs muitas vezes aponta isso como um diferencial do produto. É como uma versão exclusiva do Microsoft Office que só está disponível no Mac, só que destinada a projetos criativos e divertidos, não ao trabalho.

Um dos pontos essenciais do iLife é que os aplicativos são muito integrados uns aos outros. O aplicativo para fotos, o iPhoto, reconhece as músicas armazenadas no iTunes, o que simplifica a tarefa de acrescentar uma trilha sonora a uma apresentação de fotografias. O aplicativo de criação de páginas pessoais, o iWeb, pode acessar todas as fotos do iPhoto, possibilitando a transferência de fotos para uma galeria on-line em dois cliques. Mas a integração do Mac não está limitada ao pacote iLife. Em todo o espectro, boa parte do software da Apple está integrada: o Address Book está integrado ao iCal, que está integrado ao iSync, que está integrado ao Adress Book, e assim por diante. Esse nível de interoperabilidade é exclusivo do Macintosh.

Os aplicativos do Office, da Microsoft, oferecem um nível similar de integração, mas ele está restrito aos aplicativos de produtividade que são fornecidos com o Office. A integração não abrange todo o sistema.

A mesma filosofia de integração e facilidade de uso se estende ao iPhone. Jobs foi muito criticado por ter fechado o iPhone aos desenvolvedores externos, mas tomou essa medida para assegurar a estabilidade, a segurança e a facilidade de uso. "Você não quer uma plataforma aberta em seu telefone", explicou Jobs à *Newsweek*. "Você precisa que ele funcione quando precisa dele. A Cingular [agora AT&T] não quer que sua rede na Costa Oeste dos Estados Unidos caia porque um aplicativo se comportou mal."[6]

Embora seja um exagero de Jobs dizer que um aplicativo malcomportado pode derrubar uma rede de telefonia celular, com certeza seria capaz de derrubar um único telefone. Basta observar o que a abordagem de plataforma aberta fez com o Windows (e, sim, com o Mac OS X também, até certo ponto): é um mundo cheio de vírus, trojans e spywares. Como evitar isso? Mantendo o iPhone fechado. A motivação de Jobs não é estética, mas sim a experiência do usuário. Para assegurar a melhor experiência do usuário, o software, o hardware e os serviços que ele acessa serão rigidamente integrados. Embora muitos vejam nisso um confinamento, para Jobs é a diferença entre o prazer de usar um iPhone e as dificuldades de um confuso telefone celular de outras marcas. Fico com o iPhone. Como a Apple controla a coisa toda, pode oferecer maior estabilidade, maior integração e inovações mais rápidas.

Dispositivos funcionarão bem se forem projetados para funcionar em conjunto, e é mais fácil acrescentar novos recursos se todas as partes de um sistema forem desenvolvidas pela mesma empresa. As TVs da Samsung não dão pane porque a Samsung cuida do software e do hardware. O mesmo ocorre com o TiVo.

É claro que o sistema da Apple — iPhone/iPod/iTunes — não é perfeito. Também está sujeito a panes, travamentos e arquivos apagados indevidamente. A integração dos aplicativos da Apple oferece muitos benefícios, mas isso significa que muitas vezes a Apple está focada demais em seus próprios processos enquanto surgem serviços melhores. Para muitas pessoas, o Flickr oferece uma melhor experiência de transferir e compartilhar fotos, mas antes de poder usá-lo os usuários precisam carregar um aplicativo terceirizado para que o Flickr seja tão fácil de usar quanto transferir as fotos para os serviços da Apple na web. Os Macs ainda dão panes eventuais e alguns periféricos podem não ser reconhecidos ao serem conectados, mas, em geral, a estabilidade e a compatibilidade dos Macs são melhores que as do Windows. Tudo isso graças à mania de controle de Jobs.

A abordagem de sistemas

O desejo de Jobs de controlar a coisa toda teve uma consequência inesperada, que levou a Apple a uma forma fundamentalmente nova de criar produtos. Em vez de fazer computadores e dispositivos eletrônicos independentes, a empresa hoje produz sistemas completos de negócios.

Jobs teve a primeira antevisão dessa abordagem de sistemas em 2000, enquanto estava desenvolvendo o iMovie 2. O aplicativo foi um dos primeiros programas de edição de vídeo fáceis de usar no mercado. Foi projetado para permitir que as pessoas usassem as imagens de suas filmadoras e as transformassem em um filme finalizado e bem-acabado, com edições, fades, uma trilha sonora e créditos. Nas versões posteriores, os filmes também podiam ser transferidos para a web ou gravados em um DVD para que fossem compartilhados com familiares.

Jobs adorou o programa — ele é fã de vídeos digitais —, mas logo compreendeu que a mágica do iMovie não era criada apenas pelo software. Para funcionar de forma adequada, o software tinha que ser usado em conjunto com vários outros componentes: uma conexão simples e muito rápida com a câmera; um sistema operacional que reconhecesse a câmera e se conectasse automaticamente a ela; e uma série de programas multimídia básicos que fornecessem os codificadores/decodificadores de vídeo e os efeitos de vídeo em tempo real (QuickTime). Jobs pensou que haviam sobrado poucas empresas no setor de informática capazes de reunir todos esses elementos.

"Percebemos que a Apple era especialmente qualificada para fazer isso porque é a última companhia no setor que reúne todos os componentes necessários", disse Jobs na Macworld de 2001. "Pensamos que é uma capacidade única."

Depois de concluir o iMovie, Jobs deixou um pouco de lado o vídeo digital e se concentrou em música digital, gerando a maior inovação de toda a sua carreira, o iPod, que é também um dos melhores exemplos da nova abordagem de sistemas de Jobs. O iPod não deve ser pensado apenas como um player de música, e sim como uma combinação de dispositivo eletrônico portátil, um computador, o software iTunes e a loja de música on-line.

"Creio que a definição de produto mudou ao longo das décadas", disse Tony Fadell, vice-presidente sênior da divisão iPod e responsável pelo desenvolvimento do hardware do iPod original. "O produto agora é a loja, iTunes Music Store, o programa iTunes, o iPod e o software que faz parte do iPod. Muitas empresas, na prática, não possuem controle total ou não podem trabalhar de forma colaborativa para criar algo que seja de fato um sistema. Nós estamos realmente dedicados à noção de sistema."[7]

Após o lançamento do iPod, muitos esperavam que a Apple fosse ultrapassada por competidores em pouco tempo. A imprensa vivia anunciando o mais recente "destruidor de iPod". Mas, até que a Microsoft lançasse o Zune, todos os dispositivos eram essencialmente players sem capacidade de interconexão. Os concorrentes da Apple estavam concentrados no dispositivo, e não no software ou nos serviços que o apoiavam.

O ex-chefe de hardware da Apple, Jon Rubinstein, que acompanhou o desenvolvimento de várias das primeiras gerações do iPod, é cético quanto à possibilidade de qualquer concorrente ultrapassar o iPod em um futuro próximo. Alguns críticos compararam o iPod ao Walkman da Sony, que acabou sendo superado por cópias mais baratas. Rubinstein, porém, diz ser improvável que o iPod tenha o mesmo destino. "O iPod é substancialmente mais difícil de copiar do que o Walkman", disse ele. "Ele contém todo um ecossistema de diferentes elementos que se coordenam uns com os outros: hardware, software e nossa loja de música iTunes na internet."[8]

Atualmente, muitos dos produtos da Apple são combinações similares de hardware, software e serviços on-line. O AppleTV, que conecta computadores a TVs usando redes WiFi, é outro produto combinado: ele é, ao mesmo tempo, uma caixa que está ligada à TV, o software que a conecta a outros computadores em casa — tanto Macs quanto PCs que rodam Windows —, além do software e da loja iTunes para comprar e transferir seriados de TV e filmes. O iPhone é composto pelo aparelho em si, pelo software iTunes que o sincroniza com um computador e serviços integrados como o Visual Voicemail, que facilita as consultas às mensagens de voz.

Diversos aplicativos iLife da Apple se conectam à rede. O software de fotografias da Apple, o iPhoto, pode compartilhar fotografias pela rede através de um mecanismo chamado "photocasting", ou encomendar versões impressas das fotos on-line. O iMovie possui uma função de exportação para colocar filmes caseiros em páginas pessoais na web; o aplicativo de backup da Apple pode gravar dados críticos on-line; seu software iSync usa a internet para sincronizar informações de agenda e contatos entre diversos computadores. Nada disso é exclusivo da Apple, é claro, mas poucas empresas aderiram ao modelo de hardware, software e serviços de forma tão abrangente ou tão eficaz.

O retorno da integração vertical

Os concorrentes da Apple estão começando a compreender as vantagens da integração vertical, ou sua abordagem de sistemas completos. Em agosto de 2006, a Nokia adquiriu a Loudeye, uma empresa de licenciamento de música que criou diversas lojas *white label* para outras empresas. Lojas *white label* usam o código da Loudeye, mas, do ponto de vista dos usuários, são outra empresa. A Nokia comprou a Loudeye para dar início a seu próprio serviço no estilo iTunes para seus telefones multimídia.

Em 2006, a RealNetworks uniu-se à SanDisk (o segundo maior fabricante de players dos Estados Unidos, logo atrás da Apple) para conjugar seu hardware e seu software no mesmo estilo do iPod. Tirando do caminho o intermediário — o sistema PlaysForSure da Microsoft —, as empresas optaram, em vez disso, pelo sistema Helix, da RealNetworks, para gerenciamento de direitos digitais (DRM), o que promete uma maior integração.

A Sony, que possui décadas de conhecimento na área de hardware mas conhece pouco ou nada a respeito de software, montou um grupo de software na Califórnia para coordenar o desenvolvimento em todos os diferentes grupos de produtos da gigantesca empresa.

O grupo é gerenciado por Tim Schaaf, um ex-executivo da Apple, que foi eleito o "czar do software" na Sony. Schaaf foi encarregado de desenvolver uma plataforma consistente e diferenciada para os muitos produtos da Sony. Ele também tentará estimular a colaboração entre os diferentes grupos de produtos, cada um dos quais trabalhando em seu próprio "silo". Na Sony, historicamente houve muito pouca troca entre os grupos de produtos isolados, e muitas vezes há repetição de trabalho mas pouca interoperatividade.

Sir Howard Stringer, o primeiro CEO da Sony que não é japonês, reorganizou a empresa e deu poderes ao grupo de desenvolvimento de Schaaf para resolver essas questões. "Não há dúvida de que o iPod foi um alerta para a Sony", disse Sir Howard ao programa *60 Minutes*, da CBS. "E a conclusão é que Steve Jobs [é] mais esperto do que nós, ao menos no que diz respeito ao software."

Mais significativamente, talvez, a Microsoft abandonou o seu próprio sistema PlaysForSure ao criar o Zune, uma combinação de player, jukebox digital e loja on-line.

Ainda que a Microsoft tenha jurado que iria continuar a dar suporte ao PlaysForSure, sua decisão de seguir o caminho com seu novo sistema de música Zune, verticalmente integrado, foi uma mensagem clara de que sua abordagem horizontal havia falhado.

O Zune e o Xbox

O Zune foi criado pela divisão de entretenimentos e dispositivos da Microsoft, um departamento muito especial de hardware e software que o jornalista especializado em tecnologia Walt Mossberg caracterizou como "uma pequena Apple" dentro da Microsoft.[9] Comandada por Robbie Bach, um veterano da Microsoft que fez carreira na empresa, a divisão é responsável pelos players de música Zune e pelos consoles de jogos Xbox. Como a Apple, fabrica seu próprio hardware e software e cuida das lojas e serviços on-line aos quais seus dispositivos se conectam. Na primavera de 2007, a divisão apresentou um novo produto, uma superfície similar a uma mesa, interativa e sensível ao toque, chamada Surface (literalmente, "superfície").

A divisão tem como parâmetros a Sony e a Nintendo, assim como a Apple, e está seguindo uma estratégia que chama de "entretenimento conectado" — "novas e irresistíveis experiências de entretenimento nas áreas de música, jogos, vídeo e comunicações móveis", de acordo com o site da Microsoft.

"A ideia é que sua mídia, seja ela música, vídeo, fotos, jogos ou qualquer outra coisa, possa ser acessada onde quer que você esteja e com qualquer dispositivo que quiser: um PC, um Xbox, um Zune, um telefone, qualquer coisa que funcione e em qualquer local onde possa funcionar", disse Bach ao *San Francisco Chronicle*. "A fim de atingir essa meta, a Microsoft acessou recursos de toda a empresa e consolidou-os nessa divisão (...). Estamos trabalhando especificamente nas áreas de vídeo, música, jogos e *mobile*, além de tentar fazer essas coisas se juntarem de forma coerente e lógica."[10]

Contudo, para fazer com que tudo funcione de forma coerente e lógica, uma empresa precisa controlar todos os componentes. No jargão do setor de tecnologia, isso é conhecido como "integração vertical".

Quando o *Chronicle* pediu a Bach que comparasse as abordagens da Apple e da Microsoft para os dispositivos de consumo de massa — integração vertical versus horizontal, respectivamente —, ele tentou algumas evasivas antes de admitir as qualidades da abordagem de seu concorrente. "Em alguns mercados", disse ele, "o benefício de múltiplas escolhas e amplo escopo foi bem-sucedido. Por outro lado, há mercados nos quais as pessoas desejam facilidade de uso e uma solução integrada verticalmente. O que a Apple demonstrou com o iPod é que uma solução vertical pode ser bem-sucedida para um produto de massa". Bach admitiu que sua divisão está adotando o modelo "verticalmente integrado" da Apple: está reunindo hardware, software e serviços on-line. "O mercado mostrou que é isso que os consumidores desejam", disse ele.

O que os consumidores desejam

Atualmente, cada vez mais empresas de tecnologia falam sobre "soluções" ou sobre a "experiência do consumidor", e não sobre produtos. O comunicado à imprensa da Microsoft anunciando o player Zune tinha a chamada: "A Microsoft colocará a experiência do Zune nas mãos dos consumidores em 14 de novembro." O comunicado não enfatizava o player, mas sim a experiência integrada do usuário, incluindo conectar-se a outros fãs de música dentro e fora da web, usando a capacidade de compartilhar arquivos via WiFi do Zune. Era uma "solução completa para o entretenimento conectado", disse a Microsoft.

A empresa de pesquisa de mercado Forrester Research publicou um estudo em dezembro de 2005 intitulado "Venda experiências digitais, não produtos". A Forrester apontava para o fato de que os consumidores gastam uma fortuna em brinquedos novos e caros, como grandes televisões de LCD de alta definição, mas depois não compram os serviços ou conteúdo necessários para realmente aproveitá-los, como um serviço de TV a cabo de alta resolução. Eis a recomendação da Forrester: "Para preencher essa lacuna, as indústrias de equipamentos digitais devem parar de vender dispositivos e serviços independentes e começar a fornecer experiências digitais — produtos e serviços integrados de ponta a ponta sob o controle de um único aplicativo."[11] Isso soa familiar?

Em setembro de 2007, em um evento especial para a imprensa em São Francisco, Steve Jobs subiu no palco com um grande sorriso para lançar o iPod Touch: o primeiro iPod controlado diretamente por uma tela sensível ao toque. Durante a apresentação de uma hora e meia, Jobs mostrou uma pletora de dispositivos que seriam lançados para o Natal, incluindo uma linha totalmente modificada de iPods e uma loja de música acessível via WiFi que estaria disponível em milhares de cafeterias Starbucks nos Estados Unidos.

O analista da indústria Tim Bajarin, presidente da Creative Strategies, que acompanha o setor de tecnologia há décadas e já viu um pouco de tudo, não é uma pessoa que se deixa impressionar facilmente. Ainda assim, após a apresentação de Jobs, enquanto estava no corredor sendo entrevistado por repórteres, Bajarin balançava a cabeça, impressionado. Examinando os itens um a um — novos iPods, a loja de música WiFi, a parceria com a Starbucks —, ele observou que a Apple tinha uma linha completa de *killer gadgets* disponíveis a preços diversos e um abrangente sistema de fornecimento de mídia. "Não sei como a Microsoft e o Zune vão competir com algo assim", disse ele. "O design industrial, os modelos de precificação que definem novas regras, a inovação, o acesso via WiFi." Neste ponto ele balançava a cabeça ainda mais intensamente. "Não se trata apenas da Microsoft. Quem mais está em condições de competir com isso?"

Nos trinta anos desde que fundou a Apple, Jobs tem sido incrivelmente consistente. Sua exigência pela excelência, a busca de um ótimo design, o faro para marketing, a insistência em facilidade de uso e compatibilidade, tudo isso estava presente desde o início. Ocorreu apenas que eram os instintos certos na época errada.

Nos primórdios da indústria de computadores — a era dos mainframes e centros de processamento de dados —, a integração vertical era a forma certa de se fazer as coisas. Os gigantes do setor de mainframes — IBM, Honeywell e Burroughs — enviavam exércitos de consultores engravatados que pesquisavam, projetavam e construíam os sistemas. Eles produziam o hardware da IBM e instalavam o software da IBM, e então cuidavam, mantinham e consertavam os sistemas para seus clientes. Para as corporações tecnofóbicas dos anos 1960 e 1970, a integração vertical funcionou muito bem, mas significava ficar preso ao sistema de uma empresa específica.

Pouco depois porém a indústria de computadores amadureceu e se desagregou. As empresas começaram a se especializar. A Intel e a National Semiconductor fabricavam chips, a Compaq e a HP faziam computadores e a Microsoft fornecia software. A indústria cresceu, dando origem a cada vez mais competição, mais escolhas e preços sempre em queda. Os clientes podiam escolher à vontade seu hardware e seu software de diferentes empresas. Executavam aplicativos de bancos de dados da Oracle em hardware da IBM.

Apenas a Apple manteve sua postura de controlar a coisa toda. Continua sendo a última — e única — empresa de computadores verticalmente integrada. Todos os outros integradores verticais, empresas que criavam seu próprio hardware e software — como Commodore, Amiga e Olivetti —, se foram há tempos. As que restaram — IBM, HP — mudaram seus modelos de negócios.

Nos velhos tempos, o controle completo dava à Apple uma vantagem em termos de estabilidade e facilidade de uso, mas isso foi rapidamente suplantado pela economia de escala que veio com a comoditização da indústria de PCs. Preço e desempenho tornaram-se mais importantes que integração e facilidade de uso — a Apple quase foi à falência no final dos anos 1990, enquanto a Microsoft crescia até dominar o mercado.

Mas a indústria de PCs está mudando. A nova era que está começando pode, potencialmente, fazer com que o tamanho e a abrangência da "era da produtividade" dos últimos trinta anos venham a parecer pequenos. A terceira era de ouro dos PCs, anunciada por Jobs, a era do estilo de vida digital, já começou. É marcada por dispositivos eletrônicos pós-PC e telecomunicação: smartphones e players de vídeo, câmeras digitais, equipamento digital de gravação de vídeo e consoles de jogos conectados à web.

Os observadores continuam obcecados pela velha batalha da Apple contra a Microsoft pelas empresas. Mas Jobs já cedeu esse espaço à Microsoft há uma década. "As raízes da Apple são voltadas para criar computadores para as pessoas, e não para as corporações", Jobs disse à *Time*. "O mundo não precisa de outra Dell ou Compaq."[12] Jobs está de olho no mercado crescente de estilo de vida digital — e o iPod, o iPhone e a AppleTV são dispositivos de entretenimento digital. Nesse mercado, consumidores querem dispositivos que tenham um bom design e sejam fáceis de usar, além de poderem funcionar em harmonia. Em nossos dias, as companhias de hardware precisam lidar com software e vice-versa.

Ter controle completo (hardware, software, serviços) é o motivo pelo qual nenhuma outra empresa foi capaz de criar algo que superasse completamente os iPods. Em sua maioria, os rivais estão centrados no hardware — o *gadget* —, mas o ingrediente secreto é a integração total de hardware, software e serviços.

Agora a Microsoft tem dois produtos para os quais controla a coisa toda — o Xbox e o Zune —, e a indústria de eletrônicos de massa está mergulhando fundo no software. Jobs continua o mesmo: o mundo é que está mudando em torno dele. "Nossa, como os tempos mudaram", escreveu Walt Mossberg, colunista do *Wall Street Journal.* "Agora, com os computadores, a web e os aparelhos eletrônicos de consumo se fundindo, com as fronteiras desaparecendo, a Apple se torna cada vez mais um modelo a ser seguido, e não motivo de pena."[13] As coisas com as quais Jobs se importa — design, facilidade de uso e boa propaganda — estão no foco central da nova indústria de computadores.

"A Apple é a única empresa que ainda sobrou nessa indústria que projeta tudo, do início ao fim", disse Jobs à *Time.* "Hardware, software, relacionamento com os desenvolvedores, marketing. O que ocorre é que isso é, na minha opinião, a maior vantagem estratégica da Apple. Não tínhamos um plano, o que parecia ser algo péssimo. Mas, com um plano, é a vantagem estratégica central da Apple, se você acreditar que há espaço para inovações nessa indústria, e acredito nisso, porque a Apple consegue inovar mais rápido do que qualquer outra [empresa]."[14]

Jobs estava trinta anos à frente de seu tempo. Os valores que levou ao mercado de PCs no primeiro momento — design, marketing, facilidade de uso — eram os valores errados. O crescimento do mercado de PCs, no início, devia-se às vendas corporativas, que valorizavam sobretudo preço e padronização, acima de facilidade de uso. Mas o crescimento do mercado, hoje, está no entretenimento digital e nos consumidores domésticos que desejam essa forma de entretenimento, além de comunicação e criatividade: são três áreas que o favorecem. "O melhor de tudo é que o DNA da Apple não mudou", disse Jobs. "O lugar que a empresa vem ocupando nas últimas duas décadas é exatamente aquele para o qual estão convergindo os mercados de tecnologia de computadores e de produtos eletrônicos de massa. Então não se trata de dizer que vamos mudar de posição para chegar a outro lugar — é esse outro lugar que está vindo até nós."[15]

Em um mercado para consumidores, design, confiança, simplicidade, bom marketing e embalagens elegantes são todos recursos primordiais. O círculo está se fechando — a companhia que faz tudo é a que está mais bem posicionada para liderar.

"Parece necessário que haja uma combinação única de tecnologia, talento, negócios, marketing e sorte para produzir mudanças significativas em nossa indústria", disse Jobs à revista *Rolling Stone* em 1994. "Isso não aconteceu muitas vezes."

Capítulo 9

A batalha de Jobs contra o câncer

No dia 1º de agosto de 2004, Steve Jobs mandou um memorando para todos os funcionários da Apple. "Tenho notícias pessoais que preciso compartilhar com vocês e gostaria que soubessem disso diretamente por mim", escreveu. Jobs raramente manda memorandos para toda a empresa, e aquele continha notícias drásticas: ele havia recebido um diagnóstico de câncer no pâncreas.

Felizmente, ele disse, aquela era uma forma rara da doença, conhecida como um tumor neuroendócrino de ilhotas pancreáticas, que é apenas 1% do total de casos de câncer no pâncreas diagnosticados a cada ano. Pode ser curado por meio de cirurgia quando identificado a tempo, e foi o que ocorreu.

Jobs disse que já tinha feito a cirurgia e que não precisaria de nenhum tratamento adicional, como radiação ou quimioterapia. Ficaria afastado da empresa durante o mês de agosto daquele ano para se recuperar e pretendia voltar em setembro. Seu memorando terminava com uma observação peculiar, mas jovial: "P.S.: Estou enviando isto do meu leito no hospital usando meu PowerBook de 17 polegadas e um Airport Express." Como é típico de Jobs, mesmo uma notificação sobre doença é uma boa oportunidade para alardear os produtos da Apple — talvez não seja coincidência, então, que o memorando tenha sido distribuído para a imprensa e amplamente reproduzido em jornais, sites e revistas.

Jobs teve muita sorte. Um câncer no pâncreas normalmente significa morte certa. A forma mais comum, o adenocarcinoma, não tem cura. Mesmo assim, inicialmente Jobs não queria fazer a cirurgia. De acordo com a revista *Fortune*, ele havia optado, em vez disso, por tratar da doença fazendo uma dieta vegetariana especial durante nove meses. Mas, não obtendo resultado positivo, ele se submeteu a uma duodenopancreatectomia (também conhecida como "procedimento de Whipple") no final de julho de 2004 e o tumor foi removido com sucesso.

O procedimento de Whipple recebeu este nome devido ao cirurgião norte-americano dr. Allen Oldfather Whipple, que aperfeiçoou a cirurgia nos anos 1930. É uma operação complexa que reconfigura boa parte do sistema digestivo do paciente. A cabeça do pâncreas é removida, junto com uma porção do duto biliar e a vesícula biliar. Boa parte do estômago e do duodeno também é retirada, e o sistema todo é suturado de volta em uma nova configuração. O que sobra do pâncreas fornece suco digestivo e insulina para o sistema. A maioria dos pacientes que passaram pelo procedimento de Whipple sofria de problemas digestivos, desde uma leve intolerância a alguns alimentos até estados clínicos mais sérios, como diabetes. Inicialmente, os pacientes perdem de 5% a 10% de seu peso corporal, mas, um ou dois anos após o procedimento, ele se estabiliza. Algumas pessoas adquirem problemas persistentes de perda de peso e apatia, embora os médicos nem sempre tenham uma explicação para o fato. Para boa parte dos pacientes, a qualidade e a expectativa de vida são equivalentes às de uma pessoa saudável.

Durante dois anos, Jobs pareceu estar se recuperando bem. Em agosto de 2006, entretanto, ele subiu ao palco para fazer uma apresentação em um evento anual da empresa, a Conferência Mundial de Desenvolvedores da Apple. Eu estava presente e fiquei impressionado com a magreza — quase esquelética — de Jobs. Ele também parecia excepcionalmente cansado. Seu tom era desanimado, e ele deixou várias partes da apresentação a cargo de outros executivos da Apple. Ao contrário de suas outras aparições em público, aquela foi apagada e sombria — e ele claramente tinha perdido muito peso.

A aparência doentia de Jobs nessa conferência gerou a primeira de várias ondas de especulação a respeito de sua saúde. Obviamente, muitas pessoas se perguntaram se seu câncer havia voltado. Por toda a internet surgiram discussões em fóruns e sites sobre a possível recidiva do câncer. Uma porta-voz da Apple tentou abafar os rumores: "A saúde de Steve está ótima", disse Katie Cotton, a vice-presidente de comunicações corporativas globais da empresa.

A especulação a respeito da saúde de Jobs atingiu um novo pico dois anos mais tarde, depois da sua apresentação na conferência anual, em junho de 2008. Preocupantemente esquelético, mais uma vez Jobs delegou boa parte da apresentação a seus auxiliares. Quando a questão de sua possível doença tomou conta das notícias publicadas sobre o evento, a Apple mais uma vez tentou abafar rumores, dizendo que ele estava sofrendo de uma "infecção comum", que estava sendo tratada com antibióticos.

Essa declaração, contudo, só aumentou os rumores. Infecções comuns não costumam ser causa de uma perda de peso tão drástica. A negativa implausível da Apple só aumentou a crença de que algo estava seriamente errado.

Em uma teleconferência posterior com a imprensa e analistas de mercado para discutir os resultados financeiros, os executivos da Apple tiveram que evitar diversas questões a respeito da saúde de Jobs. As perguntas não paravam de surgir: "Steve está bem?" O CFO da Apple, Peter Oppenheimer, recusou-se a fornecer mais informações. A saúde de Jobs era uma "questão pessoal", afirmou ele, ainda que muitos analistas dissessem que não era bem assim. Os acionistas tinham o direito de saber como ia a saúde do CEO da empresa, especialmente se tratando de um CEO tão notoriamente ligado ao cotidiano da companhia. Os executivos da Apple, sobretudo seu conselho administrativo, tinham o dever de divulgar qualquer informação que pudesse ter uma consequência material para a empresa, fosse a aposentadoria de Jobs ou mesmo a possibilidade de sua morte.

A revista de finanças *Barron's* afirmou que Jobs talvez valesse mais do que qualquer outro CEO do mundo, estimando que o valor de mercado da Apple poderia diminuir 20 bilhões de dólares se ele deixasse de presidi-la.

Wall Street pediu que Jobs informasse qual era seu plano de aposentadoria, se é que ele tinha um. Os investidores queriam se assegurar de que a empresa estaria em boas mãos.

Os fãs da Apple também ficaram desnorteados pelo que parecia ser uma rara e grave omissão. Até então, Jobs tinha feito tudo certo. Se havia cometido tão poucos enganos ao dirigir a Apple, certamente havia planejado o que viria depois. Permanecer impassível diante de circunstâncias tão drásticas parecia uma atitude completamente deslocada, tratando-se de um homem que pensava em todos os detalhes. Era claro que ele tinha planos para sua sucessão, não? Para alguns, parecia ser a maior falha de gerenciamento que Jobs já havia cometido.

Outros ponderaram que ele de fato poderia ter um plano, mas que, como tantas outras coisas que fazia, guardava em segredo. Jack Welch, por exemplo, manteve os planos de sua sucessão na GE confidenciais. Quando finalmente os detalhes vazaram, houve um êxodo em massa de executivos indignados por não terem sido escolhidos. Alguns dizem que a empresa nunca se recuperou totalmente. Da mesma forma, Jobs pode ter mantido em segredo seus planos para evitar um alvoroço prematuro no alto escalão da Apple.

Em agosto, o *New York Times* revelou que Jobs havia se submetido a um procedimento cirúrgico indeterminado no começo do mesmo ano, mas havia poucos detalhes. Jobs estaria sofrendo de "dificuldades digestivas" persistentes, dizia a reportagem, e teria sido operado para remover "uma obstrução".

Quando concluiu que a especulação a respeito de sua saúde não cessaria, Jobs telefonou para Joe Nocera, colunista do *New York Times*. "Vocês podem pensar que eu sou um [expletivo] arrogante que acredita estar acima da lei, e eu acho vocês um bando de especuladores idiotas incapazes de compreender os fatos", disse ao atônito interlocutor. Jobs disse que revelaria seus problemas de saúde a Nocera, mas apenas se ele os mantivesse em segredo. Nocera concordou. Jobs admitiu que era algo mais sério do que uma infecção comum, mas que não apresentava risco à vida e que não era uma recidiva do câncer. Nocera prometeu que manteria em segredo exatamente do que ele sofria e a que terapias havia sido submetido.

Apesar dessa tentativa pouco comum de acertar as coisas, os relatórios sobre a saúde precária de Jobs continuaram. Em agosto de 2008, a

Bloomberg publicou acidentalmente um obituário de 2.500 palavras sobre Jobs. Sua idade e a causa da morte foram deixadas em branco. A Bloomberg, assim como vários outros órgãos da mídia, tinha um obituário pronto para o caso de o pior acontecer.

Os rumores na imprensa se tornaram tão intensos e persistentes que Jobs foi forçado a responder. Mas decidiu fazê-lo em seus próprios termos. Em um evento especial, ocorrido em setembro, para anunciar a nova leva de iPods para o Natal, Jobs começou a apresentação com um slide que citava a famosa frase de Mark Twain: "As notícias sobre minha morte foram amplamente exageradas." Um mês depois, concluiu outra apresentação de produtos com um slide que dizia "110/70" — sua pressão sanguínea. Mas, quando a apresentação passou para a fase de perguntas dos espectadores, ele declarou categoricamente que não diria mais nada a respeito de sua saúde.

Em meados de dezembro, a Apple deixou cair uma bomba em relação à Macworld, a reunião anual dos seguidores da Apple na qual a companhia era a atração central havia anos. Um memorando seco foi lançado após a conferência de 2008 informando que a Apple não participaria mais do encontro. E Steve Jobs não estaria presente na palestra de abertura daquele ano. Em vez disso, o vice-presidente de marketing, Phil Schiller, faria a última apresentação pública da Apple na Macworld Expo.

Mesmo para uma empresa como a Apple, que sempre foi impiedosa e calculista, a declaração soava especialmente fria. Também tinha uma aura sombria de "fim dos tempos". As perguntas sobre a saúde de Jobs se espalharam ainda mais, dominando toda a cobertura do evento pela imprensa. Mais uma vez, Jobs foi forçado a responder. No dia 5 de janeiro, antes da abertura do evento, ele emitiu uma declaração dizendo que vinha sofrendo de um "desequilíbrio hormonal" havia vários meses. "O tratamento para esse problema nutricional é relativamente simples, sem maiores consequências, e já está em andamento." Muitos observadores da Apple se sentiram aliviados.

Mas, em 14 de janeiro de 2009, apenas duas semanas depois, em outro memorando interno da Apple, Jobs revelou que seus problemas de saúde eram muito mais sérios do que ele havia previamente divulgado. Escreveu que, na semana anterior, havia descoberto "que minhas questões de saúde são mais complexas do que tinha pensado até aqui". Tiraria férias de seis meses, até o fim de junho de 2009, para que pudesse se concentrar em restabelecer sua saúde.

Apesar de Jobs manter o título de CEO, estava passando o controle das operações para o COO Tim Cook, que já atuara como CEO em 2004, quando Jobs teve que se ausentar devido ao câncer. O plano de Jobs era continuar participando das "grandes decisões estratégicas" que afetassem a empresa.

A notícia foi como um soco no estômago para os fãs da Apple. As declarações da companhia sobre a saúde de Jobs eram contraditórias e confusas. Primeiro, seus problemas eram fáceis de curar. Agora haviam se tornado tão sérios que ele precisava se afastar do trabalho durante seis meses. Pior ainda, o afastamento temporário poderia muito bem se tornar permanente. Talvez sua saúde não melhorasse, ou talvez aquela fosse a primeira etapa de uma aposentadoria já programada.

Uma pergunta estava no ar: "O que seria da Apple sem Steve Jobs?"

A ascensão de Tim Cook

Como o "segundo em comando" apontado por Jobs, ao longo dos últimos anos Cook passou a ser visto como o seu sucessor mais provável. Outros candidatos são o diretor executivo de marketing da empresa, Philip Schiller; o chefe da divisão de iPods, Mark Papermaster; ou seu principal designer, Jonathan Ive. Mas, por diversas razões, Cook parece ser a melhor escolha.

Ele possui muitas das melhores qualidades de Jobs — como uma exigência intransigente por excelência e resultados — e não possui alguns de seus piores defeitos, como o temperamento difícil. Embora seja impossível substituir o insubstituível Jobs, Cook parece ser uma boa escolha para seu cargo quando ele deixar a empresa, algo que inevitavelmente irá acontecer.

Tim Cook juntou-se à Apple em março de 1998 como vice-presidente sênior de operações, encarregado de encontrar uma solução para as operações de fabricação da Apple, em estado caótico na época. Jobs trouxe Cook da Compaq, onde ele tinha sido responsável pela aquisição e gerenciamento do estoque de toda a empresa. Antes disso, Cook já havia trabalhado durante 12 anos na IBM, na fabricação e distribuição da divisão de PCs.

Antes de Cook assumir, a Apple tinha fábricas nos Estados Unidos, na Europa e na Ásia. A operação era caótica e havia muito desperdício. Alguns computadores eram feitos na Ásia, outros na Europa ou nos Estados Unidos. Algumas máquinas eram parcialmente fabricadas na Ásia, depois enviadas à Europa para um processo final de montagem e então reenviadas à Ásia para serem embaladas e distribuídas. O sistema era completamente ineficiente.

Cook recebeu o crédito por otimizar o processo e, consequentemente, tirar a Apple completamente do setor de fabricação. Fechou depósitos e fábricas e forçou os fornecedores a terem uma fábrica ou escritório ao lado das fábricas de montagem. O processo de produção da Apple tornou-se enxuto e eficiente, e, mais importante, o tempo durante o qual a companhia tinha que estocar itens não vendidos caiu de meses para dias. Bens de consumo encalhados podem ser um grave problema, sobretudo quando se trata de eletrônicos, área na qual os produtos são frequentemente atualizados ou substituídos por novos modelos antes mesmo de terem sido vendidos.

O gosto de Jobs pelo sigilo ajudou Cook a gerenciar de forma brilhante as linhas de produção. Quando os detalhes de novos produtos vazam, há o perigo de que os consumidores parem de comprar os modelos atuais e esperem por uma nova versão melhorada, levando a queimas de estoque dos modelos anteriores ou, pior, ao temível "efeito Osborne", no qual as vendas param quando um novo produto é anunciado muito cedo e os consumidores não compram mais os modelos atuais.

Sob o comando de Cook, a Apple tornou-se mestre na arte da execução. A companhia raramente lança um novo produto sem antes ter vendido todo seu estoque anterior — um feito que ela repete a cada nova geração de Macs, iPods e iPhones. Invariavelmente, novos produtos já estão em estoque nas lojas de varejo da Apple em todo o mundo quando Jobs está pronto para anunciá-los. Uma das mais notáveis transições orquestradas sob o comando de Cook foi a mudança para os processadores Intel, em 2006. A Apple conseguiu trocar toda a sua linha de computadores dos modelos que usavam chips PowerPC da geração anterior para os novos modelos com processadores Intel sem ter um problema sequer ou queda nas vendas. Apesar de os consumidores saberem que os computadores com chip da Intel seriam lançados, não pararam de comprar os modelos já no mercado.

Graças à sua óbvia competência, Cook subiu rapidamente aos altos escalões do quadro de executivos da Apple. Em 2000, Jobs tornou-o responsável pela equipe de vendas da Apple, bem como do suporte aos usuários. Em 2002, nomeou-o executivo encarregado das vendas mundiais. Em 2004, ano em que ficou no lugar de Jobs, foi escolhido para liderar a divisão Macintosh. Finalmente, em 2005, foi nomeado COO, tendo sob seu poder operações e vendas no mundo inteiro, assim como a divisão Macintosh.

No início de 2009, Cook era o executivo mais bem-remunerado da Apple e, essencialmente, o CEO de fato da empresa. Com tantas responsabilidades, na prática ele estava comandando a companhia havia vários anos, permitindo que Jobs se concentrasse no desenvolvimento de novos produtos e em questões estratégicas, como fazer acordos com gravadoras de música e estúdios de cinema.

"Tim dirige a Apple e tem dirigido a empresa já faz algum tempo", relatou Michael Janes, um ex-colega de Cook, à Wired.com.[1] "Steve é a cara da Apple e está muito envolvido com o desenvolvimento de produtos, mas Tim é o cara que pega os projetos e os transforma em um monte de dinheiro para a empresa."

Assim como Jobs, Cook tem origens humildes. Foi criado em uma casa modesta numa pequena cidade do Alabama. Seu pai era um operário aposentado de estaleiros, e sua mãe, dona de casa. Estudou engenharia industrial na Universidade de Auburn e tem um MBA pela Duke University.

Cook, assim como Jobs, viu a morte de perto em 1996, quando recebeu um diagnóstico incorreto de esclerose múltipla, uma experiência que o tocou profundamente. Após essa experiência, Cook tornou-se fanático em relação à sua saúde, alimentando-se bem e fazendo exercícios físicos. Passou a se dedicar a longos passeios de bicicleta em estradas e ao levantamento de pesos.

Assim como Jobs, é viciado em trabalho. Com um expediente diário prolongado, frequentemente faz reuniões de manhã cedo ou está em teleconferências tarde da noite, especialmente quando precisa lidar com os fornecedores da Apple do outro lado do planeta.

Quando não está trabalhando, está malhando. O trabalho de Cook na Apple é sua vida. Solteiro, leva uma vida discreta e reservada e não é dado a festas. Quase não aparece em eventos sociais do Vale do Silício e raramente dá entrevistas em conferências de seu setor. Dizem que doa muito dinheiro para instituições de caridade, mas faz isso anonimamente. Chamar a atenção para si mesmo não é seu estilo.

Mas, enquanto Jobs é emotivo e volúvel, Cook é tranquilo e estável. Devido às suas raízes no Alabama, ele parece ser um cavalheiro do Sul norte-americano impecavelmente educado. Não há relatos de que tenha levantado a voz em ataques de raiva — algo impressionante, considerando-se a reputação de Jobs quanto a ter um temperamento difícil.

Apesar disso, Cook mantém uma autoridade sóbria. Tanto seus colegas de trabalho quanto os concorrentes dedicam-lhe enorme respeito e lealdade. Quem já trabalhou com ele o considera um bom líder. Dá instruções claras e simples e recompensa as pessoas com elogios ou presentes quando fazem um bom trabalho. É orientado para ações e extremamente organizado. Suas reuniões tarde da noite muitas vezes são dedicadas à análise meticulosa de páginas e mais páginas de números.

Ao contrário de Jobs, Cook é conhecido por usar o humor como forma de resolver situações potencialmente tensas. Em um grande evento de vendas, de gozação ele deu à pior equipe de vendas um desentupidor sanitário como prêmio. Se fosse Jobs, provavelmente teria ameaçado demitir todos eles.

A Apple sem Steve Jobs

Está claro que Cook tem as habilidades executivas necessárias para cuidar de uma grande corporação como a Apple com um portfólio diversificado de produtos e parece ter as qualidades de liderança necessárias para gerenciar os executivos da empresa.

Muitos observadores se perguntam, contudo, se Cook possui a criatividade ou a visão para *liderar* a empresa. Ele tem o instinto de Jobs no que diz respeito ao design, ou sua genialidade para desenvolver produtos revolucionários? E quanto ao infalível tino de Jobs para o marketing? É claro, notam os observadores, que todas essas qualidades são essenciais para a continuidade do sucesso da Apple.

Mas a pergunta quanto à sobrevivência da companhia sem Jobs já foi parcialmente respondida.

Em 1985, Jobs foi expulso da Apple depois de perder uma batalha contra John Sculley pelo controle da empresa. Depois que Jobs saiu, Sculley comandou a Apple por dez anos, durante os quais a transformou em uma companhia grande e poderosa. Sob sua liderança, a Apple tornou-se um dos maiores e mais bem-sucedidos fabricantes de PCs do mundo. Sua receita anual subiu de um bilhão para dez bilhões de dólares.

Tudo isso foi por água abaixo em meados dos anos 1990. Sculley se demitiu em 1993 após vários trimestres de desempenho medíocre e a Apple não soube bem o que fazer para substituí-lo. Depois que Sculley saiu, sucederam-se vários CEOs ineficazes. A linha de produtos da companhia começou a se diversificar demais, tornando-se confusa, e a competição ferrenha com a Microsoft quase destruiu a empresa. A Apple poderia ter ido à falência se Jobs não tivesse retornado para salvá-la e, no final das contas, conduzi-la a um sucesso muito maior.

Por outro lado, é claro que toda a indústria de informática atual poderia ser bem diferente se Jobs tivesse ficado na Apple em 1985. O que a história nos mostra, contudo, é que a Apple sobreviveu durante uma década sem Jobs e provavelmente pode fazer o mesmo agora, ao menos durante algum tempo.

A rotinização do carisma

A maior diferença existente hoje é que Jobs transformou traços de sua personalidade em processos de negócios da Apple. Esse processo é conhecido como a "rotinização do carisma", um termo criado pelo sociólogo alemão Max Weber em um ensaio clássico sobre a sociologia da religião.

Weber estava interessado em compreender o que acontecia com diversos movimentos religiosos depois que seus fundadores carismáticos morriam. Muitas religiões começam com um líder profético, tal como Jesus Cristo, Maomé e Buda, que atraem seguidores com suas personalidades magnéticas e, muitas vezes, suas mensagens antitradicionalistas. Após sua morte, contudo, o carisma do líder e a mensagem precisam ser "rotinizados" para que o movimento possa sobreviver. Os ensinamentos e métodos dos líderes precisam ser institucionalizados, tornando-se a base de novas tradições.

Nas empresas, a rotinização do carisma é o processo de converter os traços característicos de um líder empresarial carismático em um procedimento corporativo. Um estudo muito citado foi realizado pelos especialistas em gestão J. Beyer e L. Browning, centrado na Sematech, um consórcio de empresas de semicondutores baseado em Austin, no Texas.

Fundada em meados dos anos 1980, a Sematech era uma organização de 14 fabricantes americanos de chips que se juntaram para ajudar a indústria norte-americana a rivalizar com a tecnologia japonesa de fabricação de chips. Era liderada por Bob Noyce, uma lenda do Vale do Silício que havia ajudado a inventar o circuito integrado e foi cofundador da Intel, gigante do setor. A Sematech tinha uma cultura extraordinariamente colaborativa, um feito difícil de se realizar entre 14 rivais na área altamente competitiva da fabricação de chips. De acordo com Beyer e Browning, a cultura colaborativa era uma consequência direta da liderança excepcionalmente colaborativa e democrática de Noyce.[2]

Significativamente, essa cultura colaborativa sobreviveu por um longo tempo após a morte prematura de Noyce, em 1990, devido a um ataque cardíaco, porque se entranhou profundamente na cultura da organização. Beyer e Browning concluíram que, se os traços de um líder se tornam uma rotina, vão sobreviver como tradições de uma empresa. Eles se tornam tão profundamente enraizados que caracterizam a forma como uma companhia conduz seus negócios. "As práticas cooperativas e democráticas sobreviveram à morte de Noyce e ainda persistem", os autores escreveram sobre a empresa.

Outros exemplos estudados pelos acadêmicos incluem os Alcoólicos Anônimos, cujo carismático fundador, Bill Wilson, codificou suas experiências para superar o vício em "Doze passos e doze tradições", que sobrevivem como o famoso programa de 12 passos. IBM e Wal-Mart são muitas vezes citadas como exemplos de empresas que souberam rotinizar a forma de agir de seus carismáticos fundadores.

Na Microsoft, o presidente Steve Balmer estudou o ensaio de Max Weber antes de assumir o posto de Bill Gates. "Peguei o livro e tirei a poeira", disse ele. "Você encontra muitas grandes instituições que conseguiram rotinizar as coisas segundo seus líderes carismáticos... É sempre possível que coisas fantásticas aconteçam depois do surgimento de grandes líderes, mas é preciso pensar a respeito e explicitar as coisas."[3]

Na Apple, os traços característicos de Jobs — sua obsessividade, seu foco e sua paixão pela inovação — transformaram-se em processos distintos que vão assegurar que a Apple continue gerando uma série de produtos de sucesso, com ou sem ele.

O perfeccionismo e a atenção ao detalhe de Jobs, por exemplo, foram rotinizados na cultura de prototipagem da companhia. Em vez do costume de Jobs de jogar na cara das pessoas trabalhos abaixo do padrão da empresa — classificando-os de "porcaria" até que ficassem bons —, a equipe da Apple hoje cria e testa novos produtos várias vezes até que estejam adequados aos padrões mais elevados. A constante busca pela perfeição, uma característica de Jobs, tornou-se um processo autônomo usado em toda a empresa e que persistirá, não importa quem esteja no comando.

A cultura da prototipagem também pode permitir que a Apple assegure que a incrível visão de Jobs para inovações continue. Produtos como o iPhone não surgiram completamente formados na imaginação de Jobs. Em vez disso, foram "descobertos" através da criação de centenas de protótipos. Muitos dos principais produtos da companhia começaram novamente do zero quando os engenheiros se viram no final de um falso caminho. O processo de prototipagem da Apple tornou-se um método para promover a inovação, bem como o controle da qualidade.

Esse é um sistema que não depende apenas de Jobs. Ele dá suas opiniões, é claro, mas isso vale também para os engenheiros, designers e programadores. E é possível imaginar o processo operando muito bem sem ele.

"O espírito de Steve Jobs foi institucionalizado", escreveu a AppleInsider, mencionando uma nota para investidores do analista Shaw Wu, da Kaufman Brothers. De acordo com Wu, o espírito e a motivação de Jobs foram infundidos em milhares de funcionários da Apple, especialmente na equipe de executivos. "Acreditamos que, hoje, a Apple tenha uma excelente equipe e que sua cultura de inovação e execução, ou 'espírito', já foi mais ou menos institucionalizada", escreveu ele.

O analista Gene Munster, da Piper Jaffray, disse essencialmente o mesmo da equipe de executivos da Apple. "Embora Jobs seja a *face* insubstituível da Apple", escreveu Munster, a inovação da empresa vem de toda a organização, especialmente da equipe de executivos. "Essa equipe, junto com Steve Jobs, tem sido responsável pela inovação nos produtos da empresa."

Cook: "Estamos aqui para criar produtos grandiosos"

Em janeiro de 2009, durante uma conferência de apresentação de relatórios financeiros com analistas de Wall Street, Tim Cook fez uma fascinante declaração sobre a filosofia da Apple:

> Há uma extraordinária variedade e coordenação entre a equipe de executivos da Apple, e esses executivos lideram mais de 35 mil funcionários que eu chamaria de 'incrivelmente espertos'. Isso acontece em todas as áreas da empresa, da engenharia ao marketing, passando por operações, vendas e todo o resto. Os valores de nossa empresa estão muito bem estabelecidos.
>
> Acreditamos que estamos aqui, neste planeta, para criar produtos grandiosos, e essa visão não está mudando. Estamos constantemente focados na inovação. Acreditamos no que é simples e não no que é complexo. Acreditamos que precisamos possuir e controlar as tec-

> nologias básicas por trás de todos os produtos que fabricamos, bem como participar apenas dos mercados em que pudermos fazer uma contribuição significativa.
>
> Acreditamos em dizer não a milhares de projetos para que possamos realmente nos concentrar em alguns poucos que sejam de fato importantes e tenham sentido para nós. Acreditamos numa profunda colaboração e interpolinização de nossos grupos, nos permitindo inovar de formas que outros não conseguem.
>
> E, francamente, não aceitaremos nada menos que a excelência em cada um dos grupos da empresa, e temos a honestidade de admitir quando estamos errados e a coragem para mudar. Acredito que, não importa quem esteja ocupando qual cargo, esses valores estão tão profundamente entranhados nesta empresa que a Apple vai se sair muito bem.

Essa foi uma das primeiras declarações públicas que Cook fez sobre a empresa, e ela nos dá alguns insights importantes sobre seu modo de pensar. A declaração mostra que Cook é um líder. Antes disso, ele parecia ser aquele cara meio apagado de operações que não levava jeito para discursos. Mas há nesse texto uma descrição eloquente do que move a Apple. Claro que a companhia tem aderido a várias dessas ideias há anos, mas Cook obviamente passou bastante tempo pensando sobre a cultura da Apple e desenvolveu uma filosofia clara e bem-articulada para liderar a empresa.

Mais notável, talvez, seja o fato de que soa como uma rotinização do carisma de Jobs em ação. Cook parece estar descrevendo os traços de personalidade de Jobs, seu *modus operandi*, traduzido em várias filosofias de negócios:

"Estamos aqui, neste planeta, para fazer produtos grandiosos."

Essa é a essência de Jobs, o "cara de produtos", que uma vez disse: "Você precisa ter uma cultura muito orientada para produtos, mesmo em uma empresa de tecnologia. Muitas empresas têm um monte de engenheiros excelentes e de pessoas inteligentes. Mas, no final das contas, é preciso que haja uma força gravitacional que junte isso tudo."

"Estamos constantemente focados na inovação."

Isso exemplifica a paixão de Jobs em se concentrar em mudanças revolucionárias, porque são elas que deixam uma marca no universo. "Sempre fui atraído por mudanças mais revolucionárias", diz ele. "Não sei o motivo. Talvez por serem mais difíceis."

"Acreditamos no que é simples e não no que é complexo."

Aqui está a meta de longos anos de Jobs de democratizar a tecnologia, de torná-la acessível a tantas pessoas quantas for possível. Simplificar a tecnologia é algo que está profundamente codificado no DNA da Apple.

"Acreditamos que precisamos possuir e controlar as tecnologias básicas por trás de todos os produtos que fabricamos."

A crença declarada de Jobs de que a Apple precisa controlar "a coisa toda" assegura não apenas integração perfeita, confiabilidade e facilidade de uso, mas também garante que a empresa pode responder de forma rápida a mudanças na inconstante indústria de tecnologia.

"Acreditamos em dizer não a milhares de projetos para que possamos realmente nos concentrar em alguns poucos que sejam de fato importantes e tenham sentido para nós."

A disciplina de Jobs não apenas salvou a Apple em 1996, quando ele descartou dezenas de ideias não lucrativas que estavam afundando a empresa, como também assegurou que a companhia concentrasse sua energia nos produtos e projetos que teriam o maior impacto.

"Acreditamos numa profunda colaboração e interpolinização de nossos grupos."

Eis uma descrição de como as equipes nota 10 de Jobs funcionam. O grupo eclético, proveniente de diversas disciplinas na empresa, alimenta-se mutuamente com as ideias e inspiração dos outros. A famosa scroll wheel do iPod, por exemplo, foi originalmente sugerida por Phil Schiller, chefe de propaganda, e não pela equipe de design.

"E, francamente, não aceitaremos nada menos que a excelência em cada um dos grupos da empresa."

Aqui está, mais uma vez, o perfeccionismo de Jobs, que muito contribuiu para o sucesso da Apple. Graças a uma recusa em aceitar a mediocridade, a Apple tem inovado e tido sucesso em quase todos os campos em que atua.

Cook concluiu seu discurso com aquele que é, talvez, o mais importante dos pontos: que os valores e o espírito de Jobs estão hoje tão entranhados na cultura corporativa que a Apple funciona não importa quem esteja ocupando qualquer uma das funções.

"Acredito que, não importa quem esteja ocupando qual cargo, esses valores estão tão profundamente entranhados nesta empresa que a Apple vai se sair muito bem."

A sucessão na Apple

Supor que a empresa vá prosperar, não importa quem esteja ocupando qual cargo, não responde, porém, a todas as perguntas. Até mesmo Cook provavelmente estava se referindo a Jobs em seu discurso e tentando tranquilizar Wall Street quanto aos planos de sucessão na Apple; mas a empresa nunca será a mesma sem seu fundador.

Tentar substituir Jobs seria como substituir Mick Jagger — é impossível. Sem Jagger, os Rolling Stones não seriam os Rolling Stones. Cook é o primeiro a reconhecer que o mesmo vale para a Apple. "Como assim, substituir Steve?", disse ele. "Não, ele é insubstituível. Isso é um fato com o qual as pessoas terão de lidar."[4]

Ballmer, da Microsoft, já disse algo similar a respeito de seu predecessor: "Não é possível substituir Bill Gates. Você pode fazer um excelente trabalho no comando de uma empresa, mas não pode pensar que vai substituir o seu fundador... Não dá para pensar assim, não funciona."

O mesmo vale para a Apple. Com razão, muitos temem que a liderança carismática de Jobs nunca encontre um substituto. Seu sucessor pode ser capaz de manter a chama acesa, mas o brilho se perderá. Durante muitos anos, no passado, Sculley conseguiu fazer a Apple crescer, mas, sem uma visão que unificasse a empresa, ela acabou se fragmentando, tornou-se indisciplinada e esteve perto da falência.

Sculley parece ser um exemplo do que acontece em muitas empresas quando líderes carismáticos são substituídos por líderes mais tradicionais, mesmo que a empresa tenha tido sucesso em rotinizar a filosofia do fundador. Os líderes corporativos tradicionais concentram-se em coisas básicas, como marketing ou a expansão da linha de produtos. Sculley era um líder tradicional. Fez a Apple crescer mantendo o mesmo curso, fazendo mais do mesmo. Concentrou-se no operacional e não em inovações. A Apple cresceu porque toda a indústria de PCs estava crescendo muito rapidamente naquela época. Sculley impediu que a Apple caísse da crista de uma grande onda.

Alguns observadores estão preocupados com que Cook e outros dos possíveis sucessores façam o mesmo. Como diretor de operações, ele pode manter a empresa saudável durante anos — até mesmo fazer com que cresça —, mas o que vai acontecer com as inovações da Apple? Será que a genialidade das invenções se perderá?

Talvez o que a Apple precise seja de alguém bastante criativo no comando — alguém como Dean Kamen, inventor do Segway. Mas substituir Jobs por um CEO muito criativo pode ser ainda mais perigoso. É fácil imaginar um CEO criativo que *pensa* ser Steve Jobs mas, na prática, gera produtos com falhas conceituais que ninguém quer — como o Segway.

A Apple certamente tem uma excelente equipe, mas, sem um técnico forte, será que esse time sucumbirá ao pensamento mediano? Sem um forte gerador de tendências como Jobs, a companhia recairia em "decisões de comitê", como tantas outras?

Apenas o futuro nos dirá o que de fato vai acontecer, mas a melhor evidência de que a Apple vai ficar bem sem Jobs está em outra empresa: a Pixar (agora propriedade do grupo Disney).

Tanto a Apple quanto a Pixar são baseadas no mesmo processo criativo do tipo "gerar e testar", que permite que produtos sejam descobertos durante o processo de prototipagem.

Jobs nunca gerenciou a Pixar da forma como gerencia a Apple — foi, essencialmente, o dono ausente. Mas a Pixar foi capaz de produzir um sucesso após o outro, e tem feito isso sem a sua supervisão.

Contudo, presumir que o sucessor de Jobs faria as mesmas coisas que ele é absurdo. Seu substituto agirá de outra forma. A sucessão na Apple com certeza será um processo difícil e provavelmente haverá passos em falso, mas Jonathan Ive, cujo talento é inquestionável, vai carregar a tocha do desenho industrial. Phil Schiller assegurará que a empresa permaneça excelente no que diz respeito a marketing e Cook estará no comando, cuidando para que a máquina bem-ajustada da companhia funcione com a precisão de sempre. Como já vimos, um dos grandes talentos de Jobs é descobrir o talento dos outros. Ele sempre soube recrutar indivíduos excepcionais e criou uma grande equipe na Apple.

"É muito ingênuo olhar para a Apple e presumir que ela só funciona por causa de Steve Jobs", disse Jason Snell, editor da *Macworld*. "Isso é um imenso conto de fadas. A empresa funciona bem porque possui um grupo de pessoas que demonstrou saber ser consistentemente bem-sucedido."

Talvez até haja pontos positivos em ter alguém diferente no comando da empresa. Jobs impôs uma certa rigidez ao ambiente de trabalho. A Apple sem a tendência de Jobs para o sigilo e o controle total pode se tornar mais solta, mais aberta. Pode ser que ela se comunique melhor com seus clientes e com a imprensa.

A Apple sem Jobs nunca mais será a mesma e pode até enfrentar problemas. Só o tempo nos dirá. Contudo, também é possível que seja como o AC/DC com Bon Scott, ou o Van Halen com Sammy Hagar

— duas bandas que, pode-se dizer, viveram seus melhores dias com os vocalistas substitutos.

Steve Jobs e a morte

Durante minha pesquisa para escrever este livro, li tudo que pude sobre Jobs, incluindo quase todos os livros e artigos de revista publicados. Uma das coisas mais impressionantes nessas entrevistas é quantas vezes Jobs mencionou a morte como uma força propulsora em sua vida.

Mais de uma vez ele disse que estava determinado a causar impacto antes que seu tempo se esgotasse. Esse era um assunto tão recorrente que pensei em dedicar um capítulo inteiro ao assunto neste livro. Jobs tem uma obsessão com a morte que poderia rivalizar com a de Emily Dickinson.

Mesmo antes dos 30 anos, Jobs era obcecado pelo fim de sua vida. Disse a Sculley que estava convencido de que sua existência seria curta e que precisava urgentemente gerar um impacto antes que morresse. De acordo com sua autobiografia, Sculley acredita que esse é o motivo pelo qual ele é tão motivado e ambicioso. Claro que Jobs já viveu muito mais do que esperava originalmente.

Em 2005, ele fez uma palestra de abertura para uma turma de formandos de Stanford. Boa parte da palestra dizia respeito à morte e a como é, talvez, a invenção mais importante da vida. A morte, disse ele, é um "agente de mudanças": ela limpa o que é velho e abre espaço para o que é novo.

Jobs disse aos estudantes:[5]

> Lembrar-me de que estarei morto em pouco tempo é a mais importante ferramenta que já encontrei para me ajudar a fazer as grandes escolhas da vida. Porque quase tudo — todas as expectativas externas, todo o orgulho, todo o medo de constrangimentos ou de falhar

— deixa de ser importante diante da morte, restando apenas aquilo que realmente importa.

prosseguiu:

> Lembrar-se de que você vai morrer é a melhor forma que conheço de evitar a armadilha de pensar que tem algo a perder. Você já está nu. Não há motivos para não seguir as escolhas de seu coração.

Jobs contou aos formandos de Stanford sobre seu diagnóstico de câncer e sobre como a perspectiva da morte tinha deixado de ser apenas um conceito intelectual útil. Continuou:

> Ninguém quer morrer. Mesmo as pessoas que desejam ir para o Paraíso não querem morrer para chegar até lá. Ainda assim, a morte é o destino que todos compartilhamos. Ninguém jamais escapou dela. E é assim que deve ser, porque a Morte é, possivelmente, a invenção mais importante da Vida. É o agente de mudanças da Vida. Ela limpa o que é velho para dar espaço ao que é novo.
>
> Neste exato momento, o que é novo são vocês, mas, um dia, não muito longe de hoje, vocês aos poucos ficarão mais velhos e serão afastados. Perdão por parecer tão dramático, mas é a verdade.
>
> O tempo de vocês é limitado, então não o desperdicem vivendo a vida de outras pessoas. Não se deixem imobilizar pelos dogmas — o que equivale a viver com os resultados daquilo que os outros pensam. Não deixem que o ruído das opiniões dos outros afogue sua própria voz interior. E, o mais importante, tenham a coragem necessária para seguir seu coração e sua intuição. Eles de alguma forma já sabem o que vocês de fato querem se tornar. Todo o resto é secundário.

A Apple sem Jobs certamente não será a mesma. Mas isso pode não ser algo de todo ruim para a empresa — somente o tempo nos dirá.

Agradecimentos

Muito obrigado pela ajuda e pelo apoio de todos os que cederam seu tempo para minhas entrevistas, compartilharam seus conhecimentos e suas histórias, além de me oferecerem incentivo e apoio. A lista inclui, mas de forma alguma se limita a: Gordon Bell, Warren Berger, Robert Brunner, Vinnie Chieco, Traci Dauphin, Seth Godin, Evan Hansen, Nobuyuki Hayashi, Peter Hoddie, Guy Kawasaki, John Maeda, Geoffrey Moore, Bill Moggridge, Pete Mortensen, Don Norman, Jim Oliver, Cordell Ratzlaff, Jon Rubinstein, John Sculley, Adrienne Schultz, Dag Spicer, Patrick Whitney e outras fontes que pediram que seus nomes não fossem revelados.

Agradecimentos especiais a Ted Weinstein, por sugerir a ideia para o livro e me dar incentivo constante.

Notas

Introdução

1 Alan Deutschman, *The Second Coming of Steve Jobs* (Nova York: Broadway, 2001), p. 59, 197, 239, 243, 254, 294-95; William L. Simon e Jeffrey S. Young, *iCon: Steve Jobs, The Greatest Second Act in the History of Business* (Nova York: John Wiley & Sons, 2005), p. 212, 213, 254.
2 "Steve's Job: Restart Apple", por Cathy Booth, *Time*, 18 de agosto de 1997. (http://www.time.com/time/magazine/article/0,9171,986849,00.html)
3 "Oh, Yeah, He Also Sells Computers", por John Markoff, *New York Times*, 25 de abril de 2004.
4 E-mail particular enviado por Gordon Bell, novembro de 2007.
5 Histórias orais e em vídeo da Smithsonian Institution: "Steve Jobs", por David Morrow, 20 de abril de 1995. (http://americanhistory.si.edu/collections/comphist/sj1.html)
6 "Google's Chief Looks Ahead", por Jeremy Caplan, *Time*, 2 de outubro de 2006. (http://time.com/time/business/article/0,8599,1541446,00.html)
7 "How Big Can Apple Get?", por Brent Schlender, *Fortune*, 21 de fevereiro de 2005.
8 Discurso de abertura de Steve Jobs na Universidade de Stanford, 12 de junho de 2005. (http://news-service.stanford.edu/news/2005/june15/jobs-061505.html)
9 Guy Kawasaki, entrevista pessoal, 2006.
10 Gil Amelio com William L. Simon, *On the Firing Line: My 500 Days at Apple* (Nova York: Harper Business, 1999), Prefácio, p. x.

Capítulo 1. Foco: como dizer "não" salvou a Apple

1 "Steve Jobs's Magic Kingdom. How Apple's demanding visionary will shake up Disney and the world of entertainment", por Peter Burrows e Ronald Grover, com Heather Green em Nova York. *Business Week*, 6 de fevereiro de 2006. (http://www.businessweek.com/magazine/content/06_06/b3970001.htm)
2 "IBM had a 10.8 percent market share; Apple 9.4 percent; and Compaq Computer 8.1 percent, according to market research firm IDC", *New York Times*, 26 de janeiro de 1995, vol. 144, n. 49953.
3 "Apple's Executive Mac Math: The Greater the Lows, the Greater the Salary", por Denise Carreso, *New York Times*, 14 de julho de 1997.
4 Amelio com Simon, *On the Firing Line*, p. 192.
5 Ibid., p. 193.
6 Ibid., p. 199.
7 "Steve's Job: Restart Apple."
8 No primeiro trimestre de 1996, a Apple registrou uma perda de 740 milhões de dólares.
9 Amelio com Simon, *On the Firing Line*, p. 200.
10 Ibid., p. 198.

11 Reunião Mundial dos Desenvolvedores da Apple, 11 de maio de 1998.
12 Don Norman, entrevista pessoal, outubro de 2006.
13 Deutschman, *The Second Coming of Steve Jobs*, p. 256.
14 Jim Oliver, entrevista pessoal, outubro de 2006.
15 Oliver disse que mais tarde surpreendeu-se com o fato de que as receitas da Apple realmente chegaram a seu ponto mais baixo a cerca de 5,4 bilhões de dólares.
16 "Steve's Job: Restart Apple."
17 Ibid.
18 Ibid.
19 "Steve Jobs' Magic Kingdom."
20 IDC, 5 maiores vendedores, expedição de PCs nos Estados Unidos, terceiro trimestre de 2007. (http://www.idc.com/getdoc.jsp;jsessionid=Z53BVCY1DTP R2CQJAFICFGAKBEAUMIWD?containerId=prUS20914007).
21 Ibid.
22 "The Three Faces of Steve. In this exclusive, personal conversation, Apple's CEO reflects on the turnaround, and on how a wunderkind became an old pro", por Brent Schlender e Steve Jobs, *Fortune*, 9 de novembro de 1998. (http://money.cnn.com/magazines/fortune/fortune_archive/1998/11/09/250880/index.htm)
23 "Steve's Job: Restart Apple."
24 Jim Oliver, entrevista pessoal, outubro de 2006.
25 Seybold San Francisco/Publishing '98, Conferência sobre Web Publishing, discurso especial de abertura: Steve Jobs, 31 de agosto de 1998.
26 "Steve Jobs on Apple's Resurgence: 'Not a One-Man Show'", por Andy Reinhart, *Business Week Online*, 12 de maio de 1998. (http://www.businessweek.com/bwdaily/dnfl ash/may1998/nf80512d.htm)
27 "Gates Takes a Swipe at iMac", equipe da CNET News.com, 26 de julho de 1999. (http://www.news.com/Gates- takes-a-swipe-at-iMac/2100 -1001_3-229037.html)
28 "Thinking Too Different", por Hiawatha Bray, *Boston Globe*, 14 de maio de 1998.
29 "Stringer: Content Drives Digitization", por Georg Szalai, *The Hollywood Reporter*, 9 de novembro de 2007. (http://www.hollywoodreporter.com/hr/content_display/business/news/e3idd293825dd51c45cff4f1036c8398c0e)
30 "The Music Man: Apple CEO Steve Jobs Talks About the Success of iTunes, Mac's Future, Movie Piracy", por Walter S. Mossberg, *Wall Street Journal*, 14 de junho de 2004. (http://online.wsj.com/article_email/SB108716565680435835-IRjfYNolaV3nZyqaHmHcKmGm4.html)
31 Ibid.
32 "Steve Jobs at 44", por Michael Krantz e Steve Jobs, *Time*, 10 de outubro de 1999.

Capítulo 2. Despotismo: o grupo de foco de um só homem da Apple

1 Cordell Ratzlaff, entrevista pessoal, setembro de 2006.
2 Peter Hoddie, entrevista pessoal, setembro de 2006.

3 "Steve Jobs: The Rolling Stone Interview. He changed the computer industry. Now he's after the music business", por Jeff Goodell, postada em 3 de dezembro de 2003. (http://www.rollingstone.com/news/story/5939600/ steve_jobs_the_rolling_stone_interview)
4 "The Guts of a New Machine", por Rob Walker, *New York Times Magazine*, 30 de novembro de 2003. (http://www.nytimes.com/2003/11/30/magazine/30IPOD.html)
5 Ibid.
6 John Sculley, entrevista pessoal, dezembro de 2007.
7 Ibid.
8 Patrick Whitney, entrevista pessoal, outubro de 2006.
9 "Steve Jobs on Apple's Resurgence."
10 Dag Spicer, entrevista pessoal, outubro de 2006.
11 Guy Kawasaki, entrevista pessoal, outubro de 2006.

Capítulo 3. Perfeccionismo: design de produtos e a busca da excelência

1 "Steve's Two Jobs", por Michael Krantz, *Time*, 10 de outubro de 1999. (http://www.time.com/time/magazine/article/0,9171,32209-2,00.html)
2 Paul Kunkel e Rick English, *Apple Design: The Work of the Apple Industrial Design Group* (Watson-Guptill Publications, 1997), p. 22.
3 Ibid., p. 13.
4 Ibid.
5 Ibid., p. 15.
6 Ibid., p. 28-37.
7 Ibid., p. 26.
8 Andy Hertzfeld, *Revolution in the Valley* (Sebastapol, Calif.: O'Reilly Media, 2004), p. 30.
9 "Signing Party", Andy Hertzfeld, Folklore.org. (http://www.folklore.org/ StoryView.py?project=Macintosh&story=Signing_Party.txt&showcomments=1)
10 Citado em Steven Levy, *Insanely Great: The Life and Times of Macintosh, the Computer That Changed Everything* (Nova York: Penguin, 1994), p. 186.
11 "Why We Buy: Interview with Jonathan Ive", por Charles Fishman, *Fast Company*, outubro de 1999, p. 282. (http://www.fastcompany.com/magazine/29/buy.html)
12 Ibid.
13 "PC Board Esthetics", por Andy Hertzfeld, Folklore.org (http://www.folklore.org/StoryView.py?project=Macintosh&story=PC_Board_Esthetics.txt)
14 John Sculley, Odyssey: *Pepsi to Apple: The Journey of a Marketing Impresario* (Nova York: HarperCollins, 1987), p. 154.
15 John Sculley, entrevista pessoal, dezembro de 2007.
16 "The Guru: Steve Jobs", por Charles Arthur, *The Independent* (London, UK), 29 de outubro de 2005.
17 "The Wired Interview: Steve Jobs: The Next Insanely Great Thing", por Gary Wolf, *Wired*, n. 4. 2 de fevereiro de 1996.

18 "The Observer Profile: Father of Invention", por John Arlidge, *The Observer* (UK), 21 de dezembro de 2003.
19 Ibid.
20 Entrevista no Museu do Design, 29 de março de 2007. (http://www.designmuseum.org/design/jonathan-ive)
21 Ibid.
22 "An Evening into Former Apple Industrial Designers", conferência pública, 4 de junho de 2007, Museu de História dos Computadores, Mountain View, Califórnia.
23 Ibid.
24 "Radical Craft: The Second Art Center Design Conference", por Janet Abrams, website Core77, maio de 2007. (http://www.core77.com/reactor/04.06_artcenter.asp)
25 "The Observer Profile".
26 "Radical Craft".
27 Entrevista com Jonathan Ive, por Marcus Fairs, iconeye, icon004, julho/agosto de 2003. (http://www.iconeye.com/articles/20070321_31)
28 "How Apple Does It", por Lev Grossman, *Time*, 16 de outubro de 2005. (http://www.time.com/time/magazine/article/0,9171,1118384,00.html)
29 Entrevista com Jonathan Ive, por Marcus Fairs.
30 "Radical Craft".
31 Entrevista com Jonathan Ive, por Marcus Fairs.
32 Ibid.
33 "Radical Craft".
34 Entrevista no Museu do Design.

Capítulo 4. Elitismo: contrate apenas jogadores nota 10, demita os idiotas

1 "If He's So Smart . . . Steve Jobs, Apple, and the Limits of Innovation", por Carleen Hawn, *Fast Company*, n. 78, janeiro de 2004, p. 68.
2 Smithsonian Institution Oral and Video Histories: "Steve Jobs."
3 Ibid.
4 Brent Schlender, *Cases in Organizational Behavior* (Thousand Oaks, Calif.: Sage Publications, 2004), p. 206.
5 "How Pixar Adds a New School of Thought to Disney", por William C. Taylor e Polly LaBarre, *New York Times*, 29 de janeiro de 2006.
6 Ibid.
7 Histórias orais e em vídeo da Smithsonian Institution: "Steve Jobs".
8 "Joining the Mac Group", por Bruce Horn, Folklore.org. (http:/folklore.org/StoryView.py?project=Macintosh&story=Joining_the_Mac_Group.txt)
9 Ensaio de Steve Jobs no primeiro número de *Macworld* em 1984, p. 135. (http://www.macworld.com/2004/02/features/themacturns20jobs/)
10 *Rolling Stone*, 4 de abril de 1996.

11 Histórias orais e em vídeo da Smithsonian Institution: "Steve Jobs".
12 Geoffrey Moore, entrevista pessoal, outubro de 2006.
13 "Dieter Rams", revista *Icon*, fevereiro de 2004.
14 Peter Hoddie, entrevista pessoal, setembro de 2006.
15 "10 Years After '1984'", por Bradley Johnson, *Advertising Age*, 10 de janeiro de 1994, p. 1, 12-14.
16 "Apple Endorses Some Achievers Who 'Think Different'", por Stuart Elliott, *New York Times*, 3 de agosto de 1998.
17 "Here's to the Crazy Ones: The Crafting of 'Think Different'", por Lee Clow e a Equipe da TBWA\Chiat\Day. (http://www.electric-escape.net/node/565)
18 Sculley, *Odyssey*, p. 108.
19 Ibid., p. 247.
20 Ibid., p. 191.
21 Ibid., p. 29.
22 Ibid.
23 "Apple Buffs Marketing Savvy to a High Shine", por Jefferson Graham, *USA Today*, 8 de março de 2007. (http://www.usatoday.com/tech/techinvestor/industry/2007-03-08-apple-marketing_N.htm)
24 Warren Berger, entrevista pessoal, outubro de 2006.
25 Seth Godin, entrevista pessoal, outubro de 2006.
26 "I Hate Macs", por Charlie Booker, *The Guardian*, 5 de fevereiro de 2007. (http://www.guardian.co.uk/commentisfree/story/0,2006031,00.html)
27 "Monday Night at the Single's Club? Apple's Real People", por Andrew Orlowski, *The Register*, 17 de junho de 2002. (http://www.theregister.co.uk/2002/06/17/monday_night_at_the_singles/)
28 "Apple Endorses Some Achievers Who 'Think Different'"
29 Ibid.

Capítulo 5. Paixão: deixando uma marquinha no universo

1 "Steve Jobs: The Rolling Stone Interview".
2 Edward Eigerman, entrevista pessoal, novembro de 2007.
3 Sculley, *Odyssey*, p. 164.
4 Ibid., p. 165.
5 John Sculley, entrevista pessoal, dezembro de 2007.
6 "Triumph of the Nerds: How the Personal Computer Changed the World", documentário da PBS TV, apresentado por Robert Cringely, 1996. (http://www.pbs.org/nerds/part3.html)
7 Rama Dev Jager, *In the Company of Giants: Candid Conversations with the Visionaries of the Digital World* (Rafael Ortiz, 1997).
8 Upside.com, julho de 1998.

9 "The New, Improved Steve Jobs". Entrevista com Alan Deutschman, por Janelle Brown, Salon, 11 de outubro de 2000. (http://dir.salon.com/story/tech/books/2000/10/11/deutschman/index1.html).
10 "Lessons Learned from Nearly Twenty Years at Apple", por David Sobotta, Applepeels, 27 outubro de 2006. (http://viewfromthemountain.typepad.com/applepeels/2006/10/lessons_learned.html)

Capítulo 6. Espírito inventivo: de onde vem a inovação?

1 "Apple Puts Power Mac G4 Cube on Ice." (http://www.apple.com/pr/library/2001/jul/03cube.html)
2 Andrew Orlowski em *The Register*, 15 de março de 2001. (http://www.theregister.co.uk/2001/03/15/apple_abandons_cube/)
3 "The Guts of a New Machine", por Rob Walker, *New York Times Magazine*, 30 de novembro de 2003. (http://www.nytimes.com/2003/11/30/magazine/30IPOD.html)
4 Sculley, *Odyssey*, p. 285.
5 "The World's 50 Most Innovative Companies", *Business Week*. (http://bwnt.businessweek.com/interactive_reports/most_innovative/index.asp)
6 Jean Louis Gassée, *The Third Apple: Personal Computers and the Cultural Revolution* (Orlando, Fla.: Harcourt Brace Jovanovich, 1985), p. 115.
7 "Apple. Yes, Steve, You Fixed It. Congrats! Now What's Act Two?", por Peter Burrows com Jay Greene em Seattle, *Business Week*, 31 de julho de 2000. (http://www.businessweek.com/2000/00_31/b3692001.htm)
8 Pesquisa da AMR, "The 2007 Supply Chain Top 25", 31 de maio de 2007. (http://www.amrresearch.com/content/view.asp?pmillid=20450)
9 "Steve Jobs: The Rolling Stone Interview."
10 "The Seed of Apple's Innovation", por Peter Burrows, *Business Week*, 12 de outubro de 2004. (http://www.businessweek.com/bwdaily/dnfl ash/oct2004/nf20041012_4018_db083.htm)
11 Ibid.
12 Ibid.
13 "Global Innovation 1000", Booz Allen Hamilton, 17 de outubro de 2007. (http://www.boozallen.com.au/media/image/Global_Innovation_1000_17Oct07.pdf)
14 "The Seed of Apple's Innovation".
15 "Steve Jobs: The Rolling Stone Interview".
16 "Steve Jobs at 44".
17 "Triumph of the Nerds".
18 Ibid.
19 "The Wired Interview: Steve Jobs".
20 Histórias orais e em vídeo da Smithsonian Institution: "Steve Jobs".
21 Sculley, *Odyssey*, p. 63.
22 John Sculley, entrevista pessoal, dezembro de 2007.

23 Sculley, *Odyssey*, p. 156.
24 "Steve Jobs at 44".
25 Jon Rubinstein, entrevista pessoal, outubro de 2006.
26 Entrevista pessoal, outubro de 2006.
27 Jon Rubinstein, entrevista pessoal, outubro de 2006.
28 Ibid.
29 Relato do discurso de Ron Johnson na reunião do ThinkEquity Partners em São Francisco, 13 de setembro de 2006, por Gary Allen. ifoAppleStore.com. (http://www.ifoapplestore.com/stores/thinkequity_2006_rj.html)
30 Ibid.
31 "Commentary: Sorry, Steve: Here's Why Apple Stores Won't Work", por Cliff Edwards, *Business Week*, 21 de maio de 2001.
32 "Apple: America's Best Retailer", por Jerry Useem, *Fortune*, 8 de março de 2007. (http://money.cnn.com/magazines/fortune/fortune_archive/2007/03/19/8402321/)
33 "The Stores", por Gary Allen, ifoAppleStore.com, 18 de outubro de 2007. (http://www.ifoapplestore.com/the_stores.html)
34 Relato do discurso de Ron Johnson.
35 Ibid.
36 Ibid.
37 "Apple Has a List of 100 Potential Store Sites", por Gary Allen, ifoAppleStore.com, 27de abril de 2004. (http://www.ifoapplestore.com/stores/risd_johnson.html)
38 "Apple: America's Best Retailer".
39 "Apple Has a List of 100 Potential Store Sites".
40 Relato do discurso de Ron Johnson.
41 "Apple Has a LIst of 100 Potential Store Sites".

Capítulo 7. Estudo de caso: como tudo foi reunido para criar o iPod

1 Entrevista pessoal, outubro de 2006.
2 "Detailed Analysis — Apple Warns: Inventories Still Growing, Lops 20% off 2001 Revenue Forecast", por Wes George, 6 de dezembro de 2000. (http://www.macobserver.com/article/2000/12/06.10.shtml)
3 Steven Levy, *The Perfect Thing: How the iPod Shuffles Commerce, Culture, and Coolness* (Nova York: Simon & Schuster, 2007), p. 29.
4 "iPod Nation", por Steven Levy, *Newsweek*, 26 de julho de 2004. (http://www.newsweek.com/id/54529)
5 Jon Rubinstein, entrevista pessoal, setembro de 2006.
6 "How Big Can Apple Get?"
7 "Apple's 21st-Century Walkman CEO Steve Jobs thinks he has something pretty nifty. And if he's right, he might even spook Sony and Matsushita", por Brent Schlender, *Fortu-*

ne, 12 de novembro de 2001. (http://money.cnn.com/magazines/fortune/fortune_archive/2001/11/12/313342/index.htm.

Capítulo 8. Controle total: a coisa toda

1 "Steve Jobs, the iPhone and Open Platforms", por Dan Farber, ZDnet.com, 13 de janeiro de 2007.
2 "The Guts of a New Machine", por Rob Walker, *New York Times Magazine*, 30 de novembro de 2003. (http:www.nytimes.com/2003/11/30/magazine/30IPOD.html)
3 "If He's So Smart... Steve Jobs, Apple, and the Limits of Innovation", por Carleen Hawn, *Fast Company*, nº 78, janeiro de 2004, p. 68.
4 "Mea Culpa", por Andy Hertzfeld, Folklore.org. (http://www.folklore.org/StoryView.py?project=Macintosh&story=Mea_Culpa.txt)
5 "The Sansa-Rhapsody Connection", por James Kim, CNet Reviews, 5 de outubro de 2006. (http://reviews.cnet.com/4520-6450_7-6648758-1.html)
6 "Apple Computer Is Dead; Long Live Apple", por Steven Levy, *Newsweek*, 10 de janeiro de 2007. (http://www.newsweek.com/id/52593)
7 "How Apple Does It."
8 "iPod Chief Not Excited About iTunes Phone", por Ed Oswald, *BetaNews*, 27 de setembro de 2005 (http://www.betanews.com/article/iPod_Chief_Not_Excited_About_iTunes_Phone/1127851994?do=reply&reply_to=91676)
9 "Hardware and Software — The Lines Are Blurring", por Walt Mossberg, *All Things Digital*, 30 de abril de 2007. (http://mossblog.allthingsd.com/20070430/hardware-software-success/)
10 "Getting in the game at Microsoft. Robbie Bach's job is to make software giant's entertainment division profitable", por Dan Fost e Ryan Kim, *San Francisco Chronicle*, 28 de maio de 2007. (http://www.sfgate.com/cgi-in/article.cgi?f=/c/a/2007/05/28/MICROSOFT.TMP)
11 "Sell digital experiences, not products. Solution boutiques will help consumers buy digital experiences", por Ted Schadler, Forrester Research, 20 de dezembro de 2005. (http://www.forrester.com/Research/Document/Excerpt/0,7211,38277,00.html)
12 "Steve Jobs at 44".
13 "Hardware and Software".
14 "Steve Jobs at 44".
15 "How Big Can Apple Get?"

Capítulo 9. A batalha de Jobs contra o câncer

1. "Meet Tim Cook: The Man in Charge of Apple". Por Priya Ganapati. Wired.com. 14 de janeiro de 2009. http://blog.wired.com/gadgets/2009/01/meet-tim-cook-h.html
2. "Transforming an Industry in Crisis: Charisma, Routinization, and Supportive Cultural Leadership". *The Leadership Quarterly*, 1999.

3. Steve Ballmer. Observações feitas durante uma entrevista na Stanford University Graduate School of Business. 15 de março de 2007. http://www.microsoft.com/presspass/exec/steve/2007/03-15Stanford.mspx

4. "The Genius Behind Steve". Por Adam Lashinsky, *Fortune Magazine*. 10 de novembro de 2008. http://money.cnn.com/2008/11/09/technology/cook_apple.fortune/index4.htm

5. Fala inaugural de Steve Jobs em Stanford, 12 de junho de 2005. http://news-service.stanford.edu/news/2005/june15/jobs-061505.html

Índice

Este livro foi composto em Adobe Garamond Pro
e impresso pela Ediouro Gráfica
sobre papel offset 75g
para a Agir em janeiro de 2011.